P9-AQI-230

Edition Eulenburg

No. 908

WAGNER

Die Walküre

The Valkyrie — La Valkyrie

Ernst Eulenburg, Ltd.
London - Zurich - Stuttgart - New York

Made in England

Edition Eulenburg

CHAMBER MUSIC

No.
1. Mozart, Quartet, G. [387]
2. Beethoven, Quartet, op. 131, C♯m
3. Haydn. Quartet, op. 76, 3, C (Emperor)
4. Beethoven, Quartet, op. 135, F
5. Cherubini, Quartet, E♭
6. Beethoven, Quartet, op. 132, A m
7. Mendelssohn, Quartet, op. 44, 2, E m
8. Mozart, Quartet, C. [465]
9. Beethoven, Quartet, op. 130, B♭
10. Haydn, Quartet, op. 76, 2 D m (Fifths)
11. Schubert, Quartet, op. posth., D m (Death and the Maiden)
12. Beethoven, Septet, op. 20, E♭
13. Mozart, Quintet, G m [516]
14. Beethoven, Quartet, op. 95, F m
15. Schubert, Quintet, op. 163, C
16. Beethoven, Quartet, op. 18, 1, F
17. Beethoven, Quartet, op. 18, 2, G
18. Beethoven, Quartet, op. 18, 3, D
19. Beethoven, Quartet, op. 18, 4, C m
20. Beethoven, Quartet, op. 18, 5, A
21. Beethoven, Quartet, op. 18, 6, B♭
22. Beethoven, Quartet, op. 74, E♭ (Harp)
23. Cherubini, Quartet, D m
24. Mozart, Quartet, D [499]
25. Mozart, Quartet, D [575]
26. Mozart, Quartet, B♭ [589]
27. Mozart, Quartet, F [590]
28. Beethoven, Quartet, op. 59, 1 F
29. Beethoven, Quartet, op. 59, 2, E m
30. Beethoven, Quartet, op. 59, 3, C
31. Beethoven, Quintet, op. 29, C
32. Mozart, Quartet, D m [421]
33. Mozart, Quartet, E♭ [428]
34. Mozart, Quartet, B♭ (Jagd-) [458]
35. Mozart, Quartet, A [464]
36. Beethoven, Quartet, op. 127, E♭
37. Mozart, Quintet, C m [406]
38. Mozart, Quintet, C [515]
39. Schubert, Quartet, op. 161, G
40. Schubert, Quartet, op. 29, A m
41. Beethoven, String Trio, op. 3, E♭
42. Beethoven, String Trio, op. 9, 1, G
43. Beethoven, String Trio, op. 9, 2, D
44. Beethoven, String Trio, op. 9, 3, C m
45. Beethoven, String Trio, op. 8, D (Seren)
46. Cherubini, Quartet, C
47. Mendelssohn, Quartet, op. 12, E♭
48. Mendelssohn, Quartet, op. 44, 1, D
49. Mendelssohn, Quartet, op. 44, 3, E♭
50. Mozart, Quintet, D [593]
51. Mozart, Quintet, Es [614]
52. Haydn, Quartet, op. 33, 2, E♭ (Russ.-No. 2)
53. Haydn, Quartet, op. 33, 3, C (Bird)
54. Haydn, Quartet, op. 54, 1, G
55. Haydn, Quartet, op 64, 5, D (Lark)
56. Haydn, Quartet, op. 76, 4, B♭
57. Haydn, Quartet, op. 76, 5, D (fam. Largo)
58. Haydn, Quartet, op. 74, 3, G m (Horseman)
59. Mendelssohn, Octet, op. 20, E♭
60. Schubert, Octet, op. 166, F

No.
61. Haydn, Quartet, op. 77, 1, G
63. Haydn, Quartet, op. 17, 5, G
64. Haydn, Quartet, op. 20, 6, A (Sun-No. 6)
65. Haydn, Quartet, op. 64, 3, B♭
66. Haydn, Quartet, op. 54, 2, C
67. Mendelssohn, Quintet, op. 87, B♭
68. Mendelssohn, Quartet, op. 13, A m
69. Haydn, Quartet, op. 76, 1, G
70. Mozart, String Trio, (Divert) E♭ [563]
71. Mozart, Clarinet Quintet, A [581]
72. Mozart, Sextet, (Divertimento) D [334]
73. Mozart, Sextet, (Divert.) B♭ [287]
74. Schumann, Quartet, op. 41, 1, A m
75. Schumann, Quartet, op. 41, 2, F
76. Schumann, Quartet, op. 41, 3, A
77. Schumann, Piano-Quartet, op. 47, E♭
78. Schumann, Piano-Quintet, op. 44, E♭
79. Beethoven, Piano-Trio, op. 97, B
80. Mendelssohn, Piano-Trio, op. 49, D m
81. Mendelssohn, Piano-Trio, op. 66, C m
82. Beethoven, Piano-Trio, op. 70, 1, (Geister-)
83. Beethoven, Piano-Trio, op. 70, 2, E♭
84. Schubert, Piano-Trio, op. 99, B♭
85. Schubert, Piano-Trio, op. 100, E♭
86. Schumann, Piano-Trio, op. 63, D m
87. Schumann, Piano-Trio, op. 80, F
88. Schumann, Piano-Trio, op. 110, G m
89. Haydn, Quartet, op. 9, 1, C
90. Haydn, Quartet, op. 17, 6, D
91. Haydn, Quartet, op. 64, 4, G
92. Haydn, Quartet, op. 64, 6, E♭
93. Haydn, Quart., op. 20, 4, D (Sun-No. 4)
94. Haydn, Quart., op. 20, 5, F m (Sun-No.5)
95. Haydn, Quartet, op. 9, 4, D m
96. Haydn, Quartet, op. 55, 1, A
97. Spohr, Nonet, op. 31, F
98. Beethoven, Quartet, op. 133, B♭ (Fuge)
99. Schumann, Piano-Trio, op. 88, A m
100. Mozart, Serenade f. Wind Instr., B♭ [361]
101. Mendelssohn, Quartet, op. 80, F m
102. Mendelssohn, Quartet, op. 81, E
103. Beethoven, Flute Trio, op. 25, D (Seren.)
104. Beethoven, Trio for Wind, op. 87, C
105. Dittersdorf, Quartet, E♭
106. Dittersdorf, Quartet, D
107. Dittersdorf, Quartet, B♭
108. Haydn, Quart., op. 20, 2, C (Sun-No. 2)
109. Haydn, Quartet, op. 64, 2, B m
110. Haydn, Quartet, op. 71, 1, B♭
111. Haydn, Quartet, op. 17, 1 E
112. Haydn, Quartet, op. 50, 4, F♯ m
113. Haydn, Quartet, op. 54, 3, E
114. Beethoven, Piano Quartet, op. 16, E♭
115. Boccherini, Quintet, E
116. Schubert, Quartet, op. 168, B♭
117. Schubert, Quartet, op. posth., G m
118. Schubert, Quintet, (Trout) op. 114, A
119. Schubert, Quartet, op. 125, 2, E
120. Schubert, Quartet, op. 125, 1, Es
122. Beethoven, Piano-Trio, op. 1, 1, E♭
123. Beethoven, Piano-Trio, op. 1, 2, G
124. Beethoven, Piano-Trio, op. 1, 3, C m

Edition Eulenburg

DIE WALKÜRE

VON

RICHARD WAGNER

English Translation by Frederick Jameson
Version française par Alfred Ernst

First performed June 26th 1870 at Munich
Franz Wüllner conducting

Ernst Eulenburg, Ltd. London, W.1.
Edition Eulenburg, G.m.b.H., Zurich
Edition Eulenburg, K.-G. Stuttgart
Eulenburg Miniature Scores, New York

779/1

Dem Königlichen Freunde.

O, König! holder Schirmherr meines Lebens!
Du, höchster Güte wonnereicher Hort!
Wie ring' ich nun, am Ziele meines Strebens,
Nach jenem Deiner Huld gerechten Wort!
In Sprach' und Schrift, wie such' ich es vergebens!
Und doch zu forschen treibt mich's fort und fort,
Das Wort zu finden, das den Sinn Dir sage
Des Dankes, den ich Dir im Herzen trage.

Was Du mir bist, kann staunend ich nur fassen,
Wenn mir sich zeigt, was ohne Dich ich war
Mir schien kein Stern, den ich nicht sah erblassen,
Kein letztes Hoffen, dessen ich nicht bar:
Auf gutes Glück der Weltgunst überlassen,
Dem wüsten Spiel auf Vortheil und Gefahr,
Was in mir rang nach freien Künstlerthaten,
Sah der Gemeinheit Loose sich verrathen.

Der einst mit frischem Grün sich hiess belauben
Den dürren Stab in seines Priesters Hand,
Liess er mir jedes Heiles Hoffnung rauben,
Da auch des letzten Trostes Täuschung schwand,
Im Inn'ren stärkt' er mir den einen Glauben,
Den an mich selbst ich in mir selber fand:
Und wahrt' ich diesem Glauben meine Treue,
Nun schmückt' er mir den dürren Stab auf's Neue.

Was einsam schweigend ich im Inn'ren hegte,
Das lebte noch in eines Andren Brust;
Was schmerzlich tief des Mannes Geist erregte,
Erfüllt' ein Jünglingsherz mit heil'ger Lust:
Was diess mit Lenzes-Sehnsucht hin bewegte
Zum gleichen Ziel, bewusstvoll unbewusst,
Wie Frühlingswonne musst' es sich ergiessen,
Dem Doppelglauben frisches Grün entspriessen.

Du bist der holde Lenz, der neu mich schmückte,
Der mir verjüngt der Zweig' und Äste Saft:
Es war Dein Ruf, der mich der Nacht entrückte,
Die winterlich erstarrt hielt meine Kraft.
Wie mich Dein hehrer Segensgruss entzückte,
Der wonnestürmisch mich dem Leid entrafft,
So wandl' ich stolz beglückt nun neue Pfade
Im sommerlichen Königreich der Gnade.

Wie könnte nun ein Wort den Sinn Dir zeigen,
Der das, was Du mir bist, wohl in sich fasst?
Nenn' ich kaum, was ich bin, mein dürftig Eigen,
Bist, König, Du noch Alles, was Du hast:
So meiner Werke, meiner Thaten Reigen,
Er ruht in Dir zu hold beglückter Rast:
Und hast Du mir die Sorge ganz genommen,
Bin hold ich um mein Hoffen auch gekommen.

So bin ich arm, und wahre nur das Eine,
Dem Glauben, Dem der Deine sich vermählt;
Er ist die Macht, durch die ich stolz erscheine,
Er ist's, der heilig meine Liebe stählt.
Doch nun, getheilt, nur halb noch ist er meine,
Und ganz verloren mir, wenn Dir er fehlt:
So giebst nur Du die Kraft mir, Dir zu danken,
Durch königlichen Glauben ohne Wanken.

Starnberg im Sommer 1864.

RICHARD WAGNER.

27002 a-b-c.
E. E. 6119

DIE WALKÜRE.

PERSONEN
der Handlung in 3 Aufzügen.

SIEGMUND.	SIEGLINDE.
HUNDING.	BRÜNNHILDE.
WOTAN.	FRICKA.

GERHILDE, ORTLINDE, WALTRAUTE, SCHWERTLEITE, HELMWIGE, SIEGRUNE, GRIMGERDE, ROSSWEISSE:
WALKÜREN.

SCHAUPLATZ DER HANDLUNG:

Erster Aufzug: Das Innere der Wohnung Hundings.
Zweiter Aufzug: Wildes Felsengebirg.
Dritter Aufzug: Auf dem Gipfel eines Felsenberges (des „Brünnhildensteines“).

VERZEICHNISS DER SCENEN:

INSTRUMENTE DES ORCHESTERS.

STREICHINSTRUMENTE: 16 erste und 16 zweite Violinen. (Vl.) — 12 Bratschen. (Br.) — 12 Violoncelle. (Vc.) — 8 Contrabässe. (Cb.)

HOLZBLASINSTRUMENTE: 3 grosse Flöten (Fl.) und 1 kleine Flöte (kl. Fl.), zu welcher an einigen Stellen die dritte gr. Fl. als zweite kl. Fl. hinzutritt. — 3 Hoboen (Hb.) und 1 Englisches Horn (Elh.), welches letztere auch als 4e Hoboe mitzuwirken hat. — 3 Clarinetten (Cl.) und 1 Bassclarinette (BCl.) in A- u. B-Stimmung. — 3 Fagotte (Fag.), von denen der dritte verschiedene Stellen, in denen das tiefe 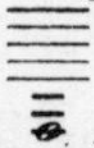 erfordert wird, sobald das Instrument hierfür noch nicht eingerichtet ist, durch einen Contrafagott zu ersetzen ist.

BLECHINSTRUMENTE: 8 Hörner*) (Hr.), von welchen vier Bläser abwechselnd die 4 zunächst bezeichneten Tuben übernehmen, nämlich: 2 Tenortuben (Tt.) in B, welche der Lage nach den F-Hörnern entsprechen, und demnach von den ersten Bläsern des dritten und vierten Hörnerpaares zu übernehmen sind; ferner: 2 Basstuben (Bt.) in F, welche der Lage der tiefen B-Hörner entsprechen, und demnach am zweckmässigsten von den zweiten Bläsern der genannten Hörnerpaare geblasen werden.**) — 1 Contrabasstuba. (Cbt.) — 3 Trompeten (Tr.) — 1 Basstrompete. (Btr.) — 3 Tenor-, Bass-Posaunen. (Pos.) — 1 Contrabassposaune (Cbp.), welche abwechselnd auch die gewöhnliche Bassposaune übernimmt.

SCHLAGINSTRUMENTE: 2 Paar Pauken. (Pk.) — 1 Triangel. (Trg.) – 1 Paar Becken. (Bck.) — 1 Rührtrommel. — 1 Glockenspiel. — Tamtam.

SAITENINSTRUMENTE: 6 Harfen.

---

*) Die mit einem + bezeichneten Noten sind immer von den Hornisten als gestopfte Töne stark anzublasen.

**) In dieser, sowie in den folgenden Partituren sind die Tenortuben in *Es*, die Basstuben in *B* geschrieben, weil den Tonsetzer diese Schreibart, namentlich auch zum Lesen, bequemer dünkte: beim Ausschreiben der Orchesterstimmen müssen jedoch die im Texte bezeichneten Tonarten von *B* und *F*, der Natur der Instrumente wegen, beibehalten, die Noten demnach für diese Tonarten transponirt werden.

27002 a-b-c.

E. E. 6119

INSTRUMENTS OF THE ORCHESTRA.

STRINGS: 16 first and 16 second Violins (Vl.) — 12 Tenors (Br.) — 12 Violoncellos (Vc.) — 8 Doublebasses (Cb.).

WOOD WINDS: 3 Flutes (Fl.) and 1 Piccolo (kl. Fl.), to which in some passages the 3rd Flute is added as 2nd Piccolo. — 3 Oboes (Hb.) and 1 English Horn (Elh.), which also plays the 4th Oboe part. — 3 Clarinets (Cl.) and 1 Bass Clarinet (BCl) in A and B flat. — 3 Bassoons (Fag.), the 3rd of which has to play in several passages the low A. Should the instrument not have this note, it must be played by the Contra-Bassoon.

BRASS WINDS: 8 Horns*) (Hr.), four of which have to take alternately the 4 nearest Tuba parts, viz. 2 Tenor Tubas (Tt.) in B flat, which correspond best to Horns in F, and therefore should be played by first players of the 3rd and 4th Horns; moreover: 2 Bass Tubas (Bt.) in F, which correspond with the low Horns in B flat, and therefore suit best the second players of the above-named Horns.**) — 1 Contrabass Tuba (Cbt.) — 3 Trumpets (Tr.) — 1 Bass Trumpet (Btr.) — 3 Tenor and Bass Trombones (Pos.) — 1 Contrabass Trombone (Cbp.), which takes alternately the ordinary Bass Trombone part.

PERCUSSION INSTRUMENTS: 2 pairs of Kettle drums (Pk.) — 1 Triangle (Trg.) — 1 pair of Cymbals (Bk.) — 1 Side drum. — 1 Carillon (Glockenspiel) — Tamtam.

SIX HARPS.

---

*) The notes marked with + are always to be accentuated strongly as stopped notes by the Horns.

**) In this, as well as the following scores, the Tenor Tubas are written in *E flat*, the Bass Tubas in *B flat*, because the composer believed this way easier to read; when copying out the parts, however, the keys of *B flat* and *F* should be retained according to the nature of these instruments, and the notes must therefore be transposed.

DES INSTRUMENTS DE L'ORCHESTRE.

LES CORDES: 16 premiers et 16 seconds Violons (Vl.) — 12 Altos (Br.) — 12 Violoncelles (Vc.) — 8 Contrebasses (Cb).

LES BOIS: 3 Flûtes (Fl.) et 1 Petite Flûte (kl. Fl.), à laquelle assiste parfois la 3me comme 2de Petite Flûte. — 3 Hautbois (Hb.) et 1 Cor anglais (Elh.), qui remplira aussi le 4me Hautbois. — 3 Clarinettes (Cl.) et 1 Clarinette Basse (BCl.) en La et Si bémol. — 3 Bassons (Fag.), dont le 3me doit jouer les La graves; si l'instrument ne l'a pas encore, on se servira d'un Contre-Basson.

LES CUIVRES: 8 Cors*) (Hr.), dont quatre se chargent alternativement des 4 Tubes de la manière suivante: Deux Tubes Ténors (Tt.) en Si bémol, d'une étendue égale aux Cors en Fa, qui seront joués par les chefs de pupitre des 3mes et 4mes Cors; puis: deux Tubes Basses (Bt.) en Fa, correspondant aux Cors graves en Si bémol, qui seront confiés aux seconds pupitres des mêmes Cors.**) — 1 Tube de Contrebasse (Cbt.) — 3 Trompettes (Tr.) — 1 Trompette Basse (Btr.) — 3 Trombones Ténors et 1 Trombone Basse (Pos.) — 1 Trombone de Contrebasse (Cbp.), que se charge aussi du Trombone-Basse ordinaire.

BATTERIE: 2 paires de Timbales (Pk.) — 1 Triangle (Trg.) — 1 paire de Cymbales (Bk.) — 1 Tambour — 1 Carillon (Glock). — Tamtam.

SIX HARPES.

---

*) Les notes indiquées par un + doivent toujours être accentuées par les cors comme sons étouffés.

**) Dans cette partition, comme dans les suivantes, les Tubes Ténors sont écrits en *Mi bémol*, les Tubes Basses en *Si bémol*, parce que le compositeur a trouvé ce mode de lecture plus facile; en copiant les parties il faut cependant retenir les tonalités de *Si bémol* et *Fa*, selon la nature de ces instruments.

Erster Aufzug.

Vorspiel und erste Scene.

Viol. 2.
Br.
Vc.
CB.
(alle 8 Contrabässe)
Viol. 2.
Br.
Vc. u. CB.
Viol. 2.
Br.
Vc. u. CB.
dim.
Viol. 2.
Br.
Vc. u. CB.
cresc.

Viol.2.
Br.
Vc.
CB.
Fl.1 u.2.
Hob.1 u.2.
Cl.1 u.2 (in B.)
Engl. Hr.
Hr 1 u.2 (in E.)
Fag.1 u.2.
Viol.2.
Br.
Vc.
CB.

Flöte 1 u. 2.
Hob. 1 u. 2.
Cl. 1 u. 2. (in B)
Engl. H.
Hr. 1 u. 2 (E)
Fag. 1 u. 2.
Viol. 2.
Br.
Vc.
CB.
Viol. 2.
Br.
Vc.
CB.
Viol. 2.
dim.
Br.
dim.
Vc.
dim.
CB.
dim.

Viol. 2.
p
cresc.
Br.
p
cresc.
Vc.
p
cresc.
CB.
p
cresc.
Flöte 1 u. 2.
(zu 2)
ff
Hob. 1.
ff
Hob. 2 u. 3.
(zu 2)
ff
Hr. 1 u. 2. (in F.)
f
Hr. 3 u. 4. (in F.)
f
Fag. 3. (allein.)
f
16 erste Viol.
ff
Viol. 2.
più f
ff
Br.
più f
ff
Vc.
più f
ff
CB.
più f
ff

2 Fl.
Hob. 1.
Hob. 2 u. 3.
4 Hörn. (F)
Fag. 3.
Bass Tub. 1. (B)
f
Bass Tub. 2. (B)
f
sf
Viol.
sf
Br.
sf
Vc.
(immer ff)
CB.
(immer ff)

2 Fl.
1.
Hob.
2.3.
Hörn.
Fag. 3.
Bass Tub. 1.
Bass Tub. 2.
Viol.
Br.
Vc. u. CB.

2 Fl.
1.
Hob.
2.3.
Hörn. (F)
Fag. 3.
Ten. Tub. 1 u 2. (Es)
f
Bass Tub. 1. (B)
Bass Tub. 2. (B)
Viol.
Br.
Vc. u. CB.

2 Fl.
ff
1.
ff
Hob.
2.3.
ff
più f
Hörn.
più f
Fag. 3.
più f
Ten. Tub. 1.
Ten. Tub. 2.
Bass Tub. 1.
f
Bass Tub. 2.
Viol.
Br.
Vc. u. CB.

2 Fl.
1.
Hob.
2.3.
Hörn. (F)
Fag. 3.
Pos. 3 u. 4.
ff
Ten. Tub. 1. (Es)
Ten. Tub. 2. (Es)
Bass Tub. 1. (B)
Viol.
Br
Vc. u. CB.

Fl. 1 u. 2.
Hob. 1.
Hob. 2 u. 3.
4 Horn.
Fag. 3.
Bass Tromp. (in Es.)
4 Pos.
Ten. Tub.
Bass Tub.
Viol.
Br.
Vc.
CB.
ff
f
più f

Fl. 1 u. 2.
Hob. 1.
Hob. 2 u. 3
4 Hörn. (F)
Fag. 3.
Tromp. 1 u. 2. (in F.)
Tromp. 3. (in F.)
ff
Bass Tromp. (Es)
4 Pos.
ff
Ten. Tub. (Es)
Bass Tub. 2 (B)
Viol.
Br.
Vc.
C B.

Fl. 1 u. 2.
Fl. 3.
Hob. 1 u. 2.
Hob. 3.
Engl. Hr.
Cl. 1 u. 2. (B)
(zu 2)
Cl. 3. (B)
Hörn.
Bass Cl. (in B)
3 Fag.
zu 3.
Tromp. 1 u. 2.
Tromp. 3.
Pos. 3 u. 4.
Ten. Tub. 1.
Ten. Tub. 2.
Bass Tub. 1.
Viol.
Br.
Vc.
CB.
ff
più f

Kl. Fl.
Fl. 1 u. 2.
ff
Fl. 3.
Hob. 1.
Hob. 2 u. 3.
Engl. Hr.
Cl 1 u. 2.(B)
Cl 3. (B)
Höru. (F)
f
f
Bass Cl(in B)
3 Fag. zu 3.

Tromp. 1 u. 2. (F)

Pos. 3 u. 4.

Ten. Tub. 1 u. 2. (Es)

Bass Tub. 1. (B)

CB. Tub.

Pauk. 1. (A)

Pauk. 2. (A)

Viol.

Br.

Vc.

CB.

ff dim.

ff

27002 a
E. E. 6119

Kl. Fl.
Fl. 1 u. 2.
Fl. 3.
Hob. 1.
Hob. 2 u. 3.
Engl. Hr.
Cl. 1 u. 2. (B)
Cl. 3. (B)
Hörn. (F)
Bass Cl. (B)
Fag. 1.
Fag. 2 u. 3.
ff

Trp. 1 u. 2. (F)
Trp. 3. (F)
Bass Trp. (Es)
4 Pos.
Ten. Tub. 1 u. 2. (Es)
Bass Tub. 1 u. 2. (B)
CB. Tub.
Pauk. 1. (A)
Pauk. 2. (A)
Viol.
Br.
Vc. u. CB.

ff f cresc. dim. pizz.

27002 a
E. E. 6119

Engl. Hr.
dim.
Cl. 1. (B)
dim.
Cl. 2. (B)
dim.
Cl. 3. (B)
dim.
p
Hr. 1. (F)
dim.
p
Hr. 2. (F)
dim.
p
Hr. 3. (F)
dim.
p
Hr. 4. (F)
dim.
p
Fag. 1.
dim.
p
Fag. 2.
dim.
p
Fag. 3.
dim.
f
Bass Cl. (B)
dim.
Pauk. 1. (A)
p
p
p
Pauk. 2. (A)
p mf
dim.
p
p

Pk.1.
tr
mf
(immer abnehmend.)
Pk.2.
Vc.
mf
(immer abnehmend.)
CB.
mf
(immer abnehmend.)
Pk.1.
Vc.
CB.
Pk.1.
Vc.
CB.
Pk.1.
Vc.
più p
4 erste CB.
4 zweite CB.
più p

Der Vorhang geht auf. Das Innere eines Wohnraumes; um einen starken Eschenstamm, als Mittelpunkt, gezimmerter Saal. Rechts im Vordergrunde der Herd; dahinter der Speicher; im Hintergrunde die grosse Eingangsthüre: links in der Tiefe führen Stufen zu einem inneren Gemache; daselbst im Vordergrunde ein Tisch, mit breiter Bank an die Wand gezimmert dahinter, hölzerne Schemel davor.

Hörn. 3 u. 4. (D)

1 u. 2. in F

Viol.

Br.

der Hand, und überblickt den Wohnraum; er scheint von übermässiger Anstrengung erschöpft;

Vc.

CB.

Hörn. 1 u. 2.

2 Tromp. (D)

Viol

Br

sein Gewand und Aussehen zeigen, dass er sich auf der Flucht befinde. Da er Niemand gewahrt,

Vc.

CB:

Hörn.

zu 3.

Tromp.

Viol.

Etwas zurückhaltend

Br.

schliesst er hinter sich, schreitet mit der äussersten Anstrengung eines Todmüden auf den Herd zu, und wirft sich dort auf eine Decke von Bärenfell nieder.)

Vc. u. CB.

Etwas zurückhaltend

Viol.
Br.
Siegm.
Vc. u. CB.
più f
Wess' Herd dies auch sei, hier muss ich rasten.
Who - e'er own this hearth, here must I rest me.
Ce seuil, quel qu'il soit... là, je m'ar-rê-te...
Erstes Zeitmass.
Hörn. 3 u. 4.
3. allein.
3 u. 4.
(Er sinkt zurück und bleibt regungslos ausgestreckt.)
Vc.
CB.
più p
Hörn. 3 u. 4.
(Sieglinde tritt aus der Thüre des inneren Gemaches. Sie glaubt ihren Mann heimgekehrt; ihre ernste Miene zeigt sich dann verwundert, als sie einen Fremden am Herde ausgestreckt sieht.)
ritard.
Mässig.
Langsam.
Siegl.
(noch im Hintergrunde.)
(Sie tritt näher.)
Ein frem-der Mann? Ihn muss ich fra-gen.
A stranger here? why came he hith-er?
Un hom-me là!.. je veux ap - prendre...
Wer kam in's
What man is
Qui vint i -

Etwas langsamer.

Hör. 3 u. 4. (D)

p

Viol.

Br.

(Da Siegmund sich nicht regt, tritt sie noch etwas näher und betrachtet ihn.)

Siegl.

Haus und liegt dort am Herd? Mü-de liegt er von We-ges
this who lies on the hearth? Worn and way-wea-ry lies he
ci, et gît près du feu? Lon-gue route a las-sé son

Vc.

p p

Hör. 3 u. 4. (F)

più p

Viol.

p p

Br.

p

Siegl.

(Sie neigt

Müh'n. Schwan-den die Sin-ne ihm? Wä-re er siech?
there. Is it but wea-ri-ness? or is he sick?
corps. A-t-il per-du les sens? est-il mou-rant?

Vc.

più p pp p p **Etwas**

Etwas belebt.

ritard.

Viol.

p p p(ruhig)

p p p(ruhig)

Br.

p p(ruhig)

Siegl.

sich zu ihm herab und lauscht.)

Noch schwillt ihm der Athem; das Au-ge nur
I hear still his breathing; 'tis sleep that hath
Son souf-fle m'ef-fleure; il clôt les pau-

Vc. u. CB.

Vc. **belebt.** ritard.

p p p(ruhig)

Viol
Br
Siegl.
schloss er. – Muthig dünkt mich der Mann, sank er müd' auch hin.
seized him.. Valiant is he me-seems, though so worn he lies.
piè-res. Fier sem-ble l'in-con-nu, bien qu'il cède au mal.
Vc. u. CB.
p
Viol. cresc.
mf
p
Br.
Siegl.
Er-quickung schaff' ich.
I bring thee wa-ter
Cher-chons l'eau fraî-che!
Siegm. (fährt jäh' mit dem Haupt in die Höhe)
Ein Quell! Ein Quell!
A draught! a draught!
Une source!.. une source!
Belebend.
Vc.
CB.
Belebend.
Viol.
cresc.
(Sie nimmt schnell ein Trinkhorn und geht damit aus dem Haus.)
sehr ausdrucksvoll

(etwas zurückhaltend.)
Viol.
f
dim. (anmuthig)
(weich)
dim.
(weich)
Br.
f
dim.
(Sie kommt zurück, und reicht das gefüllte Trinkhorn Siegmund.)
Vc.
f
dim.
(langsamer)
Viol.
p
(weich)
p
p
Br.
p
Siegl.
La-bung biet' ich dem lechzenden Gau-men: Wasser, wie du ge-
Drink to moisten thy lips I have brought thee: Water, as thou didst
J'offre à boire à tes lèv-res brû - lan - tes: l'on-de que tu vou-
Vc.
p
(Siegmund trinkt, und reicht ihr das Horn zurück. Als er ihr mit dem Haupte Dank zuwinkt, haftet sein Blick mit steigender Theilnahme an ihren Mienen.)
Siegl.
wollt!
wish!
-lais!
Ein Vc. allein.
p
più p
p
p

1 (allein)
2 (2. Pult)
2 (3. Pult)
Vc.
2 (4. Pult)
2 (5. Pult)
Die 2 ersten CB.
più p
pp
Siegm.
langsam.
Küh-len-de La-bung gab mir der Quell, des
Cooling re-lief the wa-ter has wrought, my
L'eau de la sour-ce m'a ra-fraî - chi, mon
1 (allein)
Vc. 2
(sehr weich)
(sehr weich)
Siegm.
Mü-den Last machte er leicht; er-frischt ist der Muth, das Aug' er-freut des
wea-ry load now is made light: re-freshed is my heart, mine eyes are glad-dened by
lourd fardeau s'est al-lé - gé: mon cœur est moins las, mes yeux sou-dain rou-
1 (allein)

(nur 8)
Viol.
(nur 8)
Siegm.
Se-hens se-li-ge Lust.
bliss-ful rap-tures of sight.
verts re-gar-dent ra-vis...
Wer ist's, der so mir es labt?
Who is't that gladdens them so?
Qui vient ain-si m'as-sis-ter?
1 (allein)
die 2 ersten CB.
Langsam.
Br.(geth.)
Siegl.
Diess Haus und diess Weib sind
This house and this wife call
Du lieu, de la femme, est
2.P.
3.P.
4.P.
5.P.
2 CB.
1. 2. 3. Pult.
4. 5. 6. Pult.
pizz.

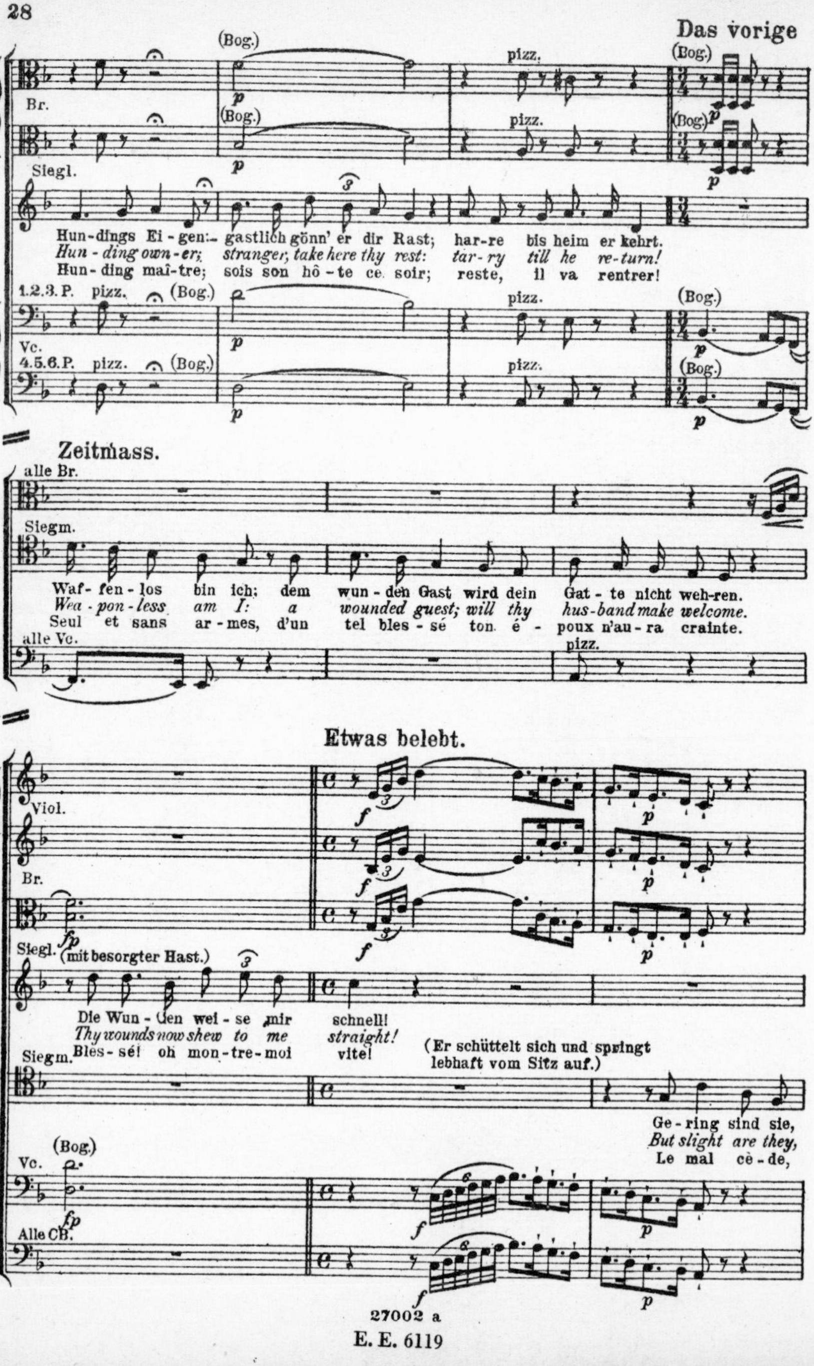

Das vorige

(Bog.)
Br.
(Bog.)
pizz.
Siegl.
Hun-dings Ei-gen: gastlich gönn' er dir Rast; har-re bis heim er kehrt.
Hun - ding own-er; stranger, take here thy rest: tar-ry till he re-turn!
Hun-ding maî-tre; sois son hô-te ce soir; reste, il va rentrer!
1.2.3. P. pizz. (Bog.)
Vc.
4.5.6. P. pizz. (Bog.)
p

Zeitmass.

alle Br.
Siegm.
Waf-fen-los bin ich; dem wun-den Gast wird dein Gat-te nicht weh-ren.
Wea-pon-less am I: a wounded guest; will thy hus-band make welcome.
Seul et sans ar-mes, d'un tel bles-sé ton é-poux n'au-ra crainte.
alle Vc.
pizz.

Etwas belebt.

Viol.
Br.
fp
f
p
Siegl. (mit besorgter Hast.)
Die Wun-den wei-se mir schnell!
Thy wounds now shew to me straight!
Bles-sé! oh mon-tre-moi vite!
Siegm. (Er schüttelt sich und springt lebhaft vom Sitz auf.)
Ge-ring sind sie,
But slight are they,
Le mal cè-de,
(Bog.)
Vc.
Alle CB.

Viol.
Br.
Siegm.
der Re-de nicht werth; noch fü - gen des Lei-bes Glieder sich fest. Hätten halb so stark wie mein
un-worthy a word; still whole are my limbs and trusti-ly knit. If but half so well as my
c'est trop d'en par-ler! mes mem-bres demeurent fermes en - cor. Si ma lance com-me mon
Vc.
2 Hob.
2 Hörn.
(E)
3 Fag.
Viol.
pizz.
Br.
pizz.
Siegm.
Arm Schild und Speer mir ge - hal-ten, nim-mer floh' ich dem Feind; doch zer-
arm shield and spear had a - vailed me, ne'er from foe had I fled; but in
bras eût gar-dé sa puis - san-ce, je n'au-rais jamais fui; mais ma
Vc.
CB.
pizz.

2 Hob.
2 Hör. (E)
3 Fag.
Viol.
(Bog.)
Br.
Siegm.
schell - ten mir Speer und Schild.
splin - ters were spear and shield.
lan - ce tom - ba rom - pue.
Der Fein - de Meu - te hetzte mich
The horde of foe - men harried me
L'hosti - le meu - te m'a poursui -
Vc.
pizz.
CB.
rallent.
müd';
sore,
-vi,
Ge - wit - ter-Brunst brach mei - nen Leib;
by storm and stress spent was my force;
l'orage aux feux lourds m'a bri - sé;
doch schnel - ler, als ich der Meu - te,
but quick - er than I from foemen
mais com - me j'ai fui la meu - te,
rall.

Allmählich etwas langsamer.
2 Clar. (A)
2 Fag.
Hr. 2. (E)
Viol.
Br.
Siegm.
schwand die Mü-dig-keit mir: sank auf die Li-der mir Nacht,
fled my faintness from me: dark-ness had sunk on my lids,
tou-te pei-ne m'a fui: l'om-bre cou-vrait ma pau-pière
Vc.
CB.
dim.
pizz.
più p
Clar.
Fag.
Hr. 1. (E)
Hr. 2. (E)
Viol.
Br.
p anmuthig bewegt.
cresc.
Siegm.
(Sieglinde geht nach dem Speicher,
die Son-ne lacht mir nun neu.
now laughs the sun-light a-new.
le jour me rit de nou-veau.
Vc.
pp
cresc.

Cl.
f
dim.
Hörn. (E)
cresc.
f
dim.
p
cresc.
f
p
2 Fag.
cresc.
f
Viol.
f
dim.
f
dim.
Br.
f
dim.
füllt ein Horn mit Meth, und reicht es Siegmund mit freundlicher Bewegtheit.)
Vc.
CB.
f dim.
(Bog.)
mf
f
Hörn.
(weich)
(sich verlierend)
(weich)
(etwas rall.)
Viol.
(sehr weich)
p
(sehr weich)
p
Br.
(sehr weich)
p
Vc.
(sehr weich)
più p

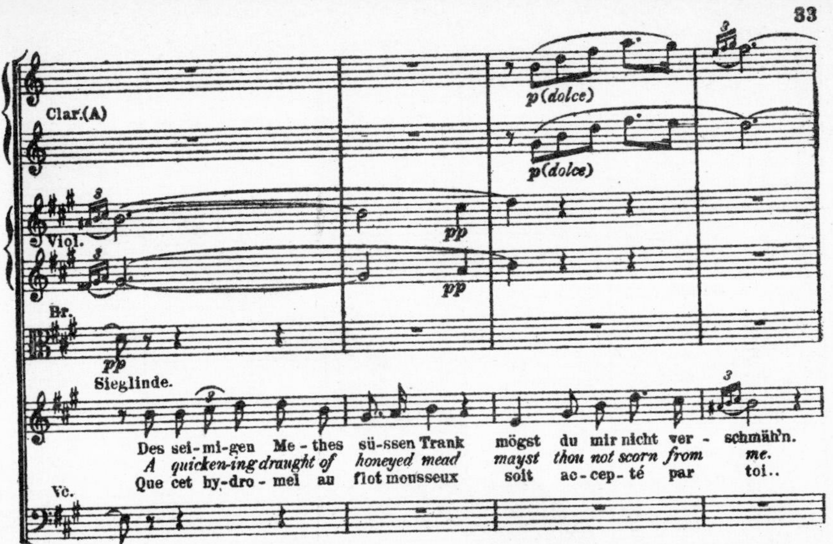

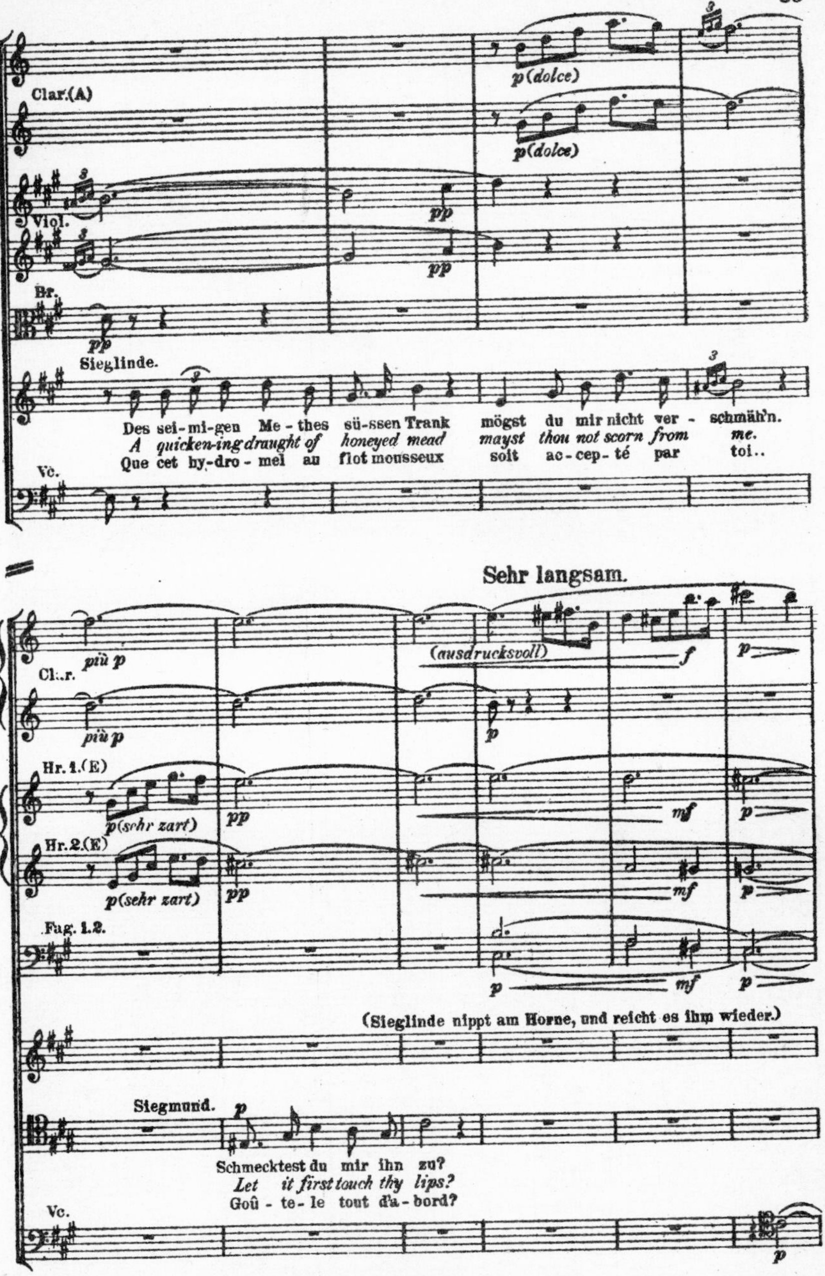
Clar. (A)
p (dolce)
p (dolce)
Viol.
pp
pp
Br.
pp
Sieglinde.
Des sei-mi-gen Me-thes sü-ssen Trank mögst du mir nicht ver - schmäh'n.
A quicken-ing draught of honeyed mead mayst thou not scorn from me.
Que cet hy-dro-mel au flot mousseux soit ac-cep-té par toi..
Vc.
Sehr langsam.
più p
(ausdrucksvoll)
f
p
Clar.
più p
p
Hr. 1. (E)
p (sehr zart)
pp
mf
p
Hr. 2. (E)
p (sehr zart)
pp
mf
p
Fag. 1. 2.
p
mf
p
(Sieglinde nippt am Horne, und reicht es ihm wieder.)
Siegmund.
p
Schmecktest du mir ihn zu?
Let it first touch thy lips?
Goû - te-le tout d'a-bord?
Vc.
p

Hr.1.(E)
Hr.2.(E)
Fag. 1. 2.
Viol.
Br.
(Siegmund thut einen langen Zug, indem er den Blick mit wachsender Wärme auf sie heftet. Er setzt
Vc.
nur die 4 ersten CB.
p
cresc.
f
dim.
più p
Fag.1 u.2.
Fag.3.
accel.
sf dim.
pp
so das Horn ab, und lässt es langsam sinken, während der Ausdruck der Miene in starke Ergriffenheit
sf
4 erste CB.
4 zweite CB.

rallent.
Engl. H.
Fag. 1 u. 2.
Fag. 3.
Hr. 4 (in D)
(D)
Viol.
Br.
übergeht.)
(Er seufzt tief auf, und senkt den Blick düster zu Boden.)
Langsam.
Vc.
rallent.
CB.
Viol.
Br.
Siegmund (mit bebender Stimme).
(lebhaft)
Ei-nen Un-se-li-gen lab-test du:
Thou hast tend-ed an ill-fat-ed one:
De mon sort tris-te tu pris pi-tié:
Un-heil wen-de der Wunsch von
ill-fate would I might turn from
d'un tel sort que mes vœux te
Vc.

Lebhaft.
Hob. 1 u. 2.
Hr. 3. (D)
Fag. 1. 2.
Viol.
Br.
Siegm. (Er bricht auf.)
dir!
thee!
gardent!
Ge-ras-tet hab' ich, und süss ge-ruht.
Good rest I found here and sweet re-pose:
J'ai pris ha-lei-ne, et doux re-pos:
Vc.
CB.
string.
cresc.
Hob. 1 u. 2.
Hr. 1 u. 2. (in F)
Fag. 1 u. 2.
Fag. 3.
Viol.
Br.
Sieglinde (lebhaft sich umwendend).
Wer ver-folgt dich, dass du schon
Who pursues thee, that thou must
Qui te pres-se, pour fuir dé-
Siegm.
(Er geht nach hinten.)
Wei-ter wend' ich den Schritt.
on-ward wend I my way.
loin d'i-ci je m'en vais.
Vc.
CB.
più f

Langsam.
3 Hob.
zu 3.
3 Clar. B
Hr. 1 u. 2. (F)
Hr. 3 u. 4. (D)
(F)
Br.
Siegl.
fliehst?
fly?
-ja?
(hat angehalten)
Siegmund.
Miss-wen-de folgt mir, wo-hin ich flie-he;
Ill-fate pur sues me where'er I wan-der;
Mal-heur me pres-se où je me hâ-te;
Miss-wen-de
ill-fate o'er-
Mal-heur m'ap-
(allein)
Vc.
Vc. (allein)
Vc. u. CB.
3 Hob.
Hr. 1. (F)
Hr. 3 u. 4. (F)
Fag. 1 u. 2.
Fag. 3.
Siegm.
naht mir, wo ich mich nei-ge:
takes me where'er I lin-ger:
pro-che où je m'ar-rê-te:
Dir Frau doch
to thee, wife,
toi, fem-me,
1. P.
4 Vcelli.
2. P.
3. P.
4. P.
CB.

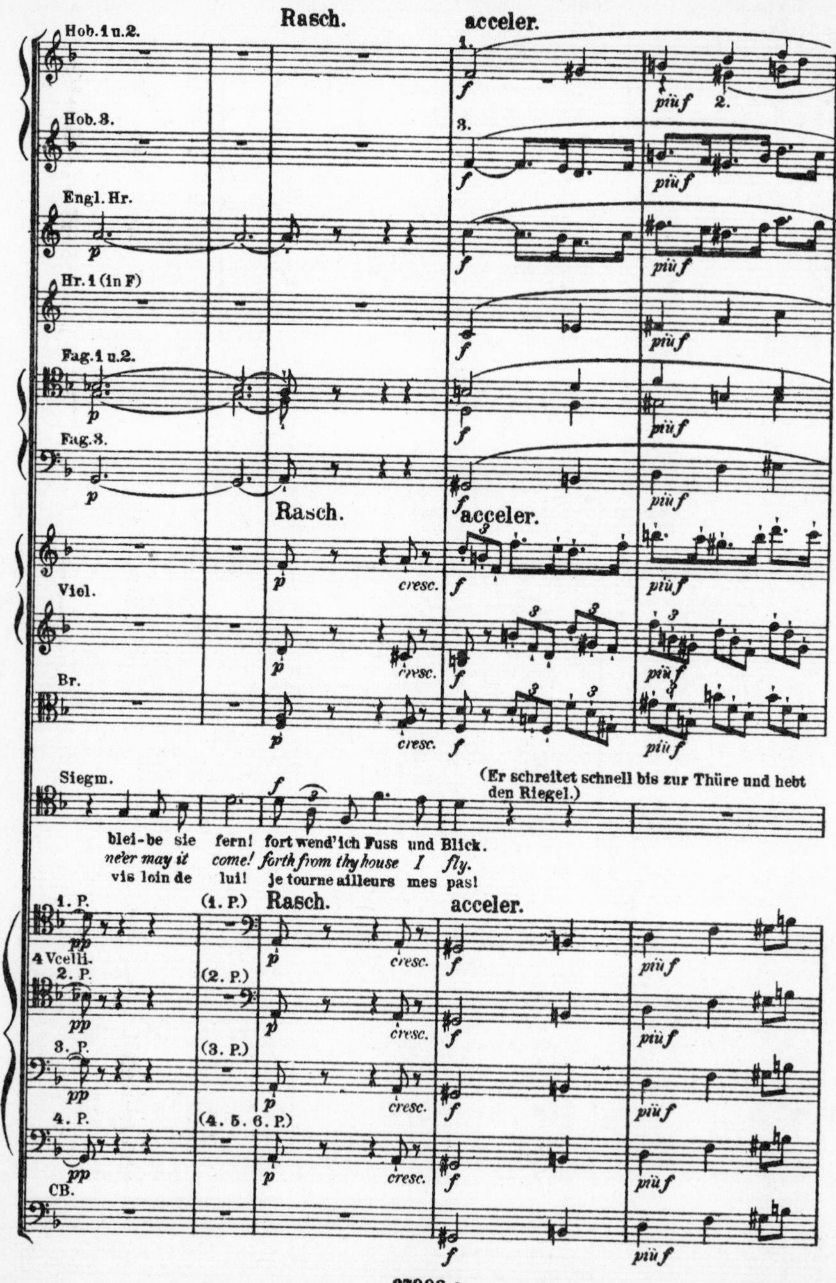
Rasch.
acceler.
Hob. 1 u. 2.
Hob. 3.
Engl. Hr.
Hr. 1 (in F)
Fag. 1 u. 2.
Fag. 3.
Viol.
Br.
Siegm.
(Er schreitet schnell bis zur Thüre und hebt den Riegel.)
blei-be sie fern! fort wend' ich Fuss und Blick.
ne'er may it come! forth from thy house I fly.
vis loin de lui! je tourne ailleurs mes pas!
4 Vcelli.
CB.

Hob.1 u.2.
rallent.
1.
riten.
ff
dim.
Hob.3.
(2. allein)
2 Cl.(B)
Engl.Hr.
p
Hr.1 u.2.
f
Fag.1 u.2.
Fag.3.
Viol.
Br.
(in heftigem Selbstvergessen ihm nachrufend)
Siegl.
(zurückhaltend)
(langsamer)
So blei-be hier! Nicht bringst du Un-heil da-hin, wo Un-heil im Hau-se
Then bide thou here! Ill-fate thou canst not bring there, where ill-fate has made its
Demeure a-lors! Quels maux me peux-tu por-ter! Mal-heur ha-bite i-
Vc.u. CB.
(alle)
Langsam.
Engl.Hr.
3 Fag.
Viol.
Br.
Siegl. (Siegmund bleibt tief erschüttert stehen, er forscht in Sieglinde's Mienen; diese schlägt verschämt
wohnt.
home!
-ci!
Vc.u.CB.
p(sehr ruhig und ausdrucksvoll)

Viol.
Br.
und traurig die Augen nieder. Siegmund kehrt zurück.)
Siegmund.
Weh-walt hiess ich mich selbst:–
Weh-walt called I my-self:
„Weh-walt," c'est mon sur-nom:
Vc.
CB.
più p
pp
2 Clar. (in A)
Engl. Hr.
Fag. 1.
Hr. 1. (F)
Hr. 2. (E)
Hr. 3. (E)
Hr. 4. (E)
p (sehr weich)
pizz.
(Bog.)
p (weich)
Siegm.
(Er lehnt sich an den Herd: sein Blick haftet mit ruhiger
Hun-ding will ich er - warten.
Hun-ding here then shall find me.
Hun-ding, je vais l'at - tendre.
p (sehr weich und ausdrucksvoll)

(sehr ausdrucksvoll)

Hob. 1. Clar. 1. (A) Clar. 2. (A) Engl. Hr. Fag. 1. Hr. 1. (in F) Hr. 2. (in E) Hr. 3. (in E) Hr. 4. (in E) Viol.

und entschlossener Theilnahme an Sieglinde: diese hebt langsam das Auge wieder zu ihm auf; Beide

Vc. u. CB.

Hob. 1. Clar. 1. (A) Clar. 2. (A) Fag. 1. Hr. 1. Hr. 2.

(sehr zart) — più p — pp — p (weich) — più p

blicken sich in tiefem Schweigen mit dem Ausdruck grosser Ergriffenheit in die Augen.)

Vc. u. CB.

(zart) (immer mehr sich verlierend) pp

Zweite Scene.

Mässig langsam.

2 Clar. (in A)

pp

Fag. 1

pp

1 u. 2.

p

Hr. 1 u. 2. (in F)

p

p

Hr. 3. (in F)

sf

p (*sehr bestimmt*)

mf *dim.*

p

Hr. 4. (in F)

p

mf *dim.*

p

Br.

(Bog.) *sf*

pizz.

p

(Sieglinde fährt plötzlich auf, lauscht und hört Hunding, der sein Ross aussen zum Stall führt.)

Vc. u. CB.

pp

pp

sf

Sehr gemessen und bestimmt.

2 Ten. Tub. (Es)

f *dim.*

f *dim.*

2 Bass Tub. (B)

f *dim.*

f *dim.*

Contrab. Tub.

f *dim.*

Viol.

p *f*

p *f*

Br.

(Bog.) *p* *f*

f

f

(Sie geht hastig zur Thüre und öffnet.)

(Hunding, gewaffnet mit Schild und Speer, tritt ein, und

Vc. u. CB.

p

Vc.

f

f

2 Ten.Tub.
2 Bass Tub.
Contrab.Tub.
Viol.
Br.
Sieglinde.
(Sieglinde dem Blicke Hundings entgegnend)
Müd' am Herd fand ich den
Faint, this man lay on our
Pâle, i - ci je l'ai trou-
hält unter der Thüre, als
er Siegmund gewahrt.)
(Hunding wendet sich mit
einem ernst fragenden
Blicke an Sieglinde.)
Vc.
CB.
Siegl.
(ruhig)
Mann; Noth führt' ihn in's Haus.
hearth: need drove him to us.
-vé, faible et dé-fail-lant...
Den
A
En
Hunding.
Du lab-test ihn?
Hast tend-ed him?
Tu l'as fait boire?
Vc.

Viol.
Br.
Siegl.
Gan - men letzt' ich ihm, gast-lich sorgt' ich sein.
draught I gave to him; welcomed him as guest!
hôte il fut re - çu, j'ai cal - mé sa soif:
Siegmund (der ruhig und fest Hunding beobachtet.)
Dach und Trank dank' ich ihr:
Rest and drink of-fered she:
Son ac-cueil, son se-cours,
Vc.
(ruhig)
Viol.
Br.
Siegm.
willst du dein Weib drum schelten?
wouldst there-fore chide the wo-man?
lui vau-dront-ils re - pro-che?
Hunding.
Hei - lig ist mein
Sa-cred is my
Saint est mon foy-
Vc.
2 Ten.Tub.(Es)
2 Bass Tub.(B)
CB. Tub.
Br.
pizz.
(Bog.)
dim.
Hund.
(Er legt seine Waffen ab, und übergibt sie Sieglinde.)
Herd: hei - lig sei dir mein Haus.
hearth: sa - cred hold thou my house.
-er: saint te soit mon lo - gis!
Vc.
pizz.
(Bog.)

2 Ten.Tub.(Es)
dim.
Bass Tub.(B)
dim.
CB.Tub.
dim.
Viol.
p
p
Br.
dim.
p
(zu Sieglinde)
Hund.
Rüst uns Männern das Mahl!
Set the meal now for us!
Donne aux hommes leurs mets!
Vc.
dim.
p
CB.
pizz.
p
p
2 Ten.Tub.(Es)
p
2 Bass Tub.(B)
p
CB.Tub.
p
Viol.
pizz.
Br.
più p
pp
(Sieglinde hängt die Waffen an Ästen des Eschenstammes auf; dann holt sie Speise und Trank aus dem Speicher, und rüstet auf dem Tische das Nachtmahl.)
Vc.
pizz.
CB.

rallent.
Clar. 1 (in B)
Engl. Hr.
Hr. 2 (in F)
Fag. 1 u. 2.
Bass Clar. (B)
2 Ten. Tub. (Es)
2 Bass Tub. (B)
CB. Tub.
Viol.
(Bog.)
Br.
(Unwillkürlich heftet sie wieder den Blick auf Siegmund.)
(Hunding misst scharf und verwundert Siegmund's Züge die er mit denen seiner Frau vergleicht.)
Vc.
(Bog.)
CB.
Clar. 1 (in B)
Cl. 2 u. 3. (in B)
Engl. Hr.
Fag. 1 u. 2.
Bass Clar. (B)
(für sich) Hunding.
Wie gleicht er dem Wei-be! der glei - ssen-de Wurm glänzt auch ihm aus dem
How like to the woman! The ser - pent's de-ceit glist-ens, too, in his
Qu'il ressemble à la femme! la mê - me clar-té dore aus-si sa pru-

Clar. 2 u.3.
2.allein
pp
p
Fag. 2.
pp
Fag. 3.
pp
p
Bass Clar.
pp
p
Viol.
p
p
Br.
p
(Er birgt sein Befremden, und wendet sich wie unbefangen zu Siegmund.)
Hund.
Au-ge.
glances.
-nel-le!
Weit her,
Far, I
Long, sans
Vc.
p
CB.
(Bog.)
p
Viol.
p
p
Br.
p
Hund.
traun! kamst du des Weg's; ein Ross nicht ritt, der Rast hier fand: welch' schlimme Pfa - de schufen dir
trow, led thee thy way; no horse rode he who here found rest: what rug - ged paths have wearied thy
doute, fut ton chemin; mais nul che-val ne t'a por - té: quels durs sentiers t'ont fait dé-fail-
Vc.
p
CB.
p

Viol.
Br.
Siegmund.
Durch Wald und Wie-se, Hai-de und
Through brake and for-est, mea-dow and
Par bois et plai-ne, lande et hal-
Hund.
Pein?
feet?
-lir?
Vc.
CB.
Viol.
Br.
Siegm.
Hain, jag-te mich Sturm und star-ke Noth: nicht kenn' ich den Weg, den ich
moor, storm has pur-sued and sor-est need: I know not the way I have
-lier, j'ai dans l'o-ra-ge fui la mort: j'ig-no-re la voie où j'al-
Vc.
CB.
Viol.
dim.
Br.
dim.
dim.
Siegm.
kam. Wo-hin ich irr-te, weiss ich noch min-der: Kun-de ge-
come. Whither it led me, al-so I know not: fain would I
-lai; où je m'é-ga-re, je ne m'en dou-te: fais que je
Vc.
dim.
CB.
pizz.

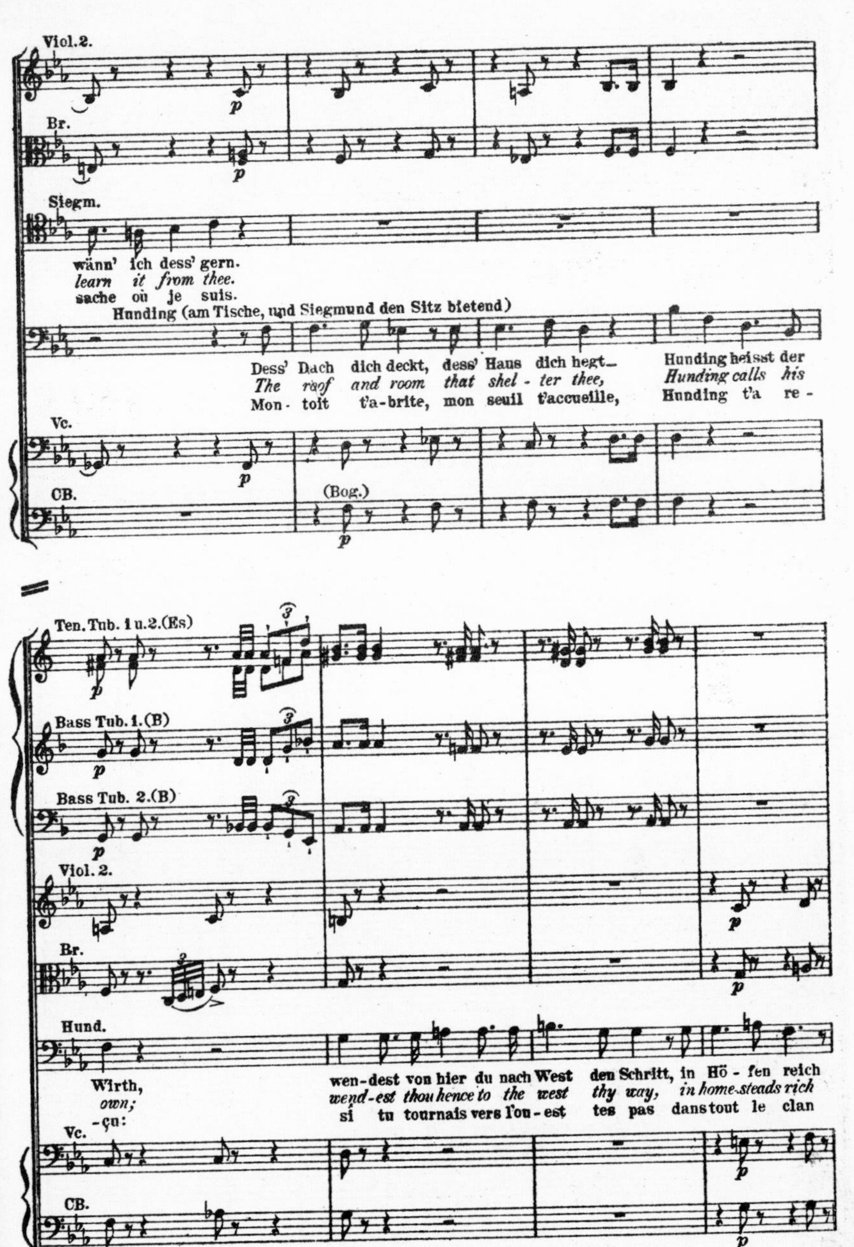
Viol. 2.
Br.
Siegm.
wänn' ich dess' gern.
learn it from thee.
sache où je suis.
Hunding (am Tische, und Siegmund den Sitz bietend)
Dess' Dach dich deckt, dess' Haus dich hegt_
The roof and room that shel-ter thee,
Mon-toit t'a-brite, mon seuil t'accueille,
Hunding heisst der
Hunding calls his
Hunding t'a re-
Vc.
CB.
(Bog.)
Ten. Tub. 1 u. 2. (Es)
Bass Tub. 1. (B)
Bass Tub. 2. (B)
Viol. 2.
Br.
Hund.
Wirth,
own;
-çu:
wen-dest von hier du nach West den Schritt, in Hö-fen reich
wend-est thou hence to the west thy way, in home-steads rich
si tu tournais vers l'ou-est tes pas dans tout le clan
Vc.
CB.

Ten. Tub. 1 u. 2. (Es)
Bass Tub. 1. (B)
Bass Tub. 2. (B)
Viol. 2.
Br.
Hund.
hau - sen dort Sip-pen, die Hun-ding's Eh - re be - hü - - ten: gönnt mir Eh - re mein
find - est thou kinsmen who guard the ho-nour of Hun - - ding: guest, now grant me a
maints vassaux veil-lent, pour Hun-ding prêts à com-bat - - tre: si mon hô - te m'ho-
Vc.
CB.
Ten. Tub. 1 u. 2.
Bass Tub. 1.
Bass Tub. 2.
Bass Clar. (B)
Viol. 2.
Br.
Hund.
(Siegmund der sich am Tische nieder gesetzt, blickt nachdenklich vor sich hin.)
Gast, wird sein Na - me nun mir ge - nannt.
grace, and thy name make known in re - turn.
- nore, que son nom me soit ré - vé - lé.
Vc.
CB.

Hob. 1.
Clar. 1. (B)
Clar. 2. (B)
Hr. 1 u. 2. (E)
Fag. 1.
Bass Cl. (B)
(Sieglinde die sich neben Hunding, Siegmund gegenüber gesetzt, heftet ihr Auge mit auffallender Theilnahme und Spannung auf diesen.)
Vc.
Clar. 2.
Bass Clar.
Viol.
Br.
Hunding (der Beide beobachtet.)
Trägst du Sor-ge mir zu ver-trau'n, der Frau hier
Fear-est thou to give me thy trust, to the wife here
Si pour moi tu n'ai-mes par-ler, à cel-le ci
CB.
pizz.
(Bog.)

Viol.
Br.
Sieglinde (unbefangen und theilnahmvoll)
Gast, wer du bist wüsst' ich
Guest, who thou art I would
Hôte, qui tu es, dis-le
Hund.
gib doch Kun-de: sieh', wie gie-rig sie dich frägt.
tell thy secret: see her longing in her looks!
fais ré-pon-se: vois l'at-ten-te qui la tient!
Vc.
CB.
Sehr ruhig.
pizz.
ten.
(Bog.)
Siegl.
gern.
know.
moi.
(Siegmund blickt auf, sieht ihr in das Auge und beginnt ernst.)
Fried-mund darf ich nicht
Friedmund may I not
„Fried-mund" je ne puis
dim.
(geth.)

Hr.3 u.4.(in F)
Fag. 1u.2.
pizz.
Br.
(immer gut gehalten)
Siegm.
heissen; Froh-walt möcht' ich wohl sein: doch Weh-walt
call me; Froh-walt, would that I were: but Weh-walt
ê-tre, „Froh-walt", nom qui m'eût plu: mais „Weh-walt,"
Vc.
(Bog.)
muss ich mich nen-nen. Wol-fe, der war mein Va-ter; zu
so must I name me. Wol-fe, I called my fath-er: a-
c'est le nom jus-te! „Loup", ce fut là mon pè-re; à
dim.
p
più p
zwei kam ich zur Welt, ei-ne Zwil-lings-schwes-ter, und
lone was I not born; for a sis-ter twin-ned with
deux nous vin-mes au jour, u-ne sœur ju mel-le et

Hr. 2 u. 3. (in F)
Hr. 4 (in C)
pizz.
Br.
pizz.
Siegm.
ich.
me.
moi.
Früh' schwan-den mir Mut-ter und Maid; die mich ge-
Soon lost were both mo-ther and maid; her who me
Tôt j'ai per-du mè - re et sœur; qui m'en-fan-
pizz.
Vc.
pizz.
Hr 4. (in C)
(Bog.)
Br.
(Bog.)
Siegm.
bar, und die mit mir sie barg, kaum hab' ich je sie ge-kannt.
bore, her who with me was born, scarce have I e - ver be - held.
- ta, qui na-quit a - vec moi, à pei - ne mon cœur les con - nut.
(Bog.
Vc.
(Bog.)
CB.
(die 3 ersten Contrabässe)
(Bog.)

Hr. 2.
(F)
Hr. 4.
(F)
3 Fag.
(zus.)
Br.
Siegm.
Wehr-lich und stark war Wol-fe; der Fein-de wuchsen ihm viel.
War-like and strong was Wol-fe; and foes full ma-ny he found.
Loup é-tait fort et bra-ve: il ent beaucoup d'en-ne-mis.
Vc.
3 CB.
Hr. 2.
Hr. 3 u. 4. (F)
3 Fag.
Br.
Siegm.
Zum Ja-gen zog mit dem Jun-gen der Al-te; von
A-hunt-ing oft went the son with the father; once,
En chasse al-laient le vieux Loup et le jeu-ne; un
Vc.
pizz.
CB. (die 4 ersten.)
pizz.

4 Hörn. (F)
Fag.
cresc.
Br.
pizz.
Siegm.
He - tze und Harst einst kehr - ten wir heim,
worn from the chase, we came to our home,
jour tous les deux ren - traient du com - bat
da lag das
there lay the
le gîte é -
Vc.
(Bog.)
4CB.
f
p
Hr. 4 (D)
Wolf - nest leer.
wolf's nest waste.
-tait dé - sert.
Zu Schutt ge-brannt der prang-gen-de Saal, zum
To ash - es burnt the good - ly a - bode, to
En feu, en cen - dre, tout le lo - gis; brû -

Hr. 1 u.2.(D)
(D)
Hr. 4.(D)
(Bog.)
Br.
(Bog.)
Siegm.
Stumpf der Ei - che blü-hen-der Stamm; er - schla - gen der Mut - ter mu - thi-ger
dust the oak-tree's branch - ing stem; struck dead was the mo - ther's val - ourous
- lé, le chêne au tronc flo-ris - sant, tu - é - e, la mère au corps va-leu-
(Bog.)
Vc.
4 erste CB.
pizz.
Hr. 1 u.2.
pizz.
Br.
pizz.
cresc.
Siegm.
Leib, ver-schwun-den in Glu - then der Schwes - ter Spur. Uns schuf die her - be
form, and lost in the ru - ins the sis - ter's trace: the Neidings' cru - el
reux; dé - truit tout ves - ti - ge de l'au - tre en - fant: dé - tres - se qui nous
Vc.
4 erste CB.
p cresc.

Hr. 1 u.2.
(F)
dim.
Hr. 3.
Hr. 4.
Fag. 2 u.3.
Br.
Siegm.
Noth der Nei - din-ge har - te Schaar.
host had dealt us this dead - ly blow.
vint des Nei - din-ge, peu - ple noir.
Ge-
Un-
Tra-
Vc.
4 Cb.
äch - tet floh der Al - te mit mir,
friend - ed fled my fath - er with me;
qué, le vieux s'en-fuit a - vec moi;
lan - ge Jah - re leb - te der Jun - ge mit
ma - ny years the stripling lived on with
bien des ans le jeu - ne vé - cut près de
4 CB.
pizz.

4 Hörn.
Fag. 1 u.2.
Br.
Siegm.
Wol-fe im wil-den Wald: man - che Jagd ward auf sie ge-macht; doch
Wol-fe in woodlands wild: oft be-set were we by our foes; but
lui au pro-fond des bois: main - te chas - se les a pres-sés; mais
Vc.
4 CB.
pizz.
mu - thig wehr - te das Wolfs - paar sich.
brave - ly bat - tled the Wolf - pair still.
forts et fiers les deux Loups lut - taient.
(zu Hunding gewendet.)
Ein Wöl -
A Wöl -
Un fils
(Bog.)
zu 3

4 Hörn. in F
p
sfp
3 Fag.
Br.
(geth.)
pizz.
Siegm.
- fing kün-det dir das, den als „Wöl-fing“ man-cher wohl kennt.
- fing tells thee the tale whom as “Wöl-fing” ma-ny well know.
— de Loup te le dit, que pour Loup plus d'un con-naît bien!
Vc.
(Bog.)
CB.
(4 zweite)
Hunding.
Wun-der und wil-de Mä-re kün-dest du, küh-ner Gast, Wehwalt der Wöl-fing! Mich
Marvels and monstrous sto-ries tell-est thou, dar-ing guest, Wehwalt the Wöl-fing! Me
Rare et farouche his-toi-re sonne en ton fier ré-cit: „Wehwalt,“ le fils du Loup! Je
6 zweite Vc.
4 zweite CB.
Hund.
dünkt, von dem wehr-li-chen Paar ver-nahm ich dunkle Sa-ge, kannt' ich auch Wol-fe und
thinks, of the war-ri-or pair I heard dark rumours spoken, though I nor Wol-fe nor
crois, de ce cou-ple guerrier, sa-voir de sombres contes, sans a-voir vu l'un ni

3 Fag.
Br.
(Bog.)
Sieglinde.
Doch wei - ter kün - de, Frem - der: wo weilt dein Va - ter jetzt?
Yet fur - ther tell us, stranger: where roams thy fath - er now?
Ra - con - te en - co - re, hô - te: où donc ton père est - il?
Hund.
Wöl - fing nicht.
Wölf - ing knew.
l'au - tre Loup.
6 zw. Vc.
(Bog.)
(alle 12)
4 zw. CB.
(Bog.)
(alle 8)
Etwas bewegter.
Hr. 2.
Hr. 4.
2 Fag.
Br. (alle 12)
cresc.
Siegmund.
Ein star - kes Ja - gen auf uns
A fie - ry on - set on us
En chas - se contre nous deux
stell - ten die Nei - din - ge
then did the Neidings be -
vin - rent les Nei - din - ge
12 Vc.
cresc.
8 CB.
cresc.

4 Hörn.(F)
2 Fag.
Br.
Siegm.
an: Der Jä - ger vie - le fie - len den Wölfen, in Flucht durch den
gin: but slain by the wolves fell ma - ny a hunter, in flight through the
noirs: plus d'un chas - seur tom - ba sous nos griffes, plus d'un fut tra-
Vc.
CB.
4 Hörn.
2 Fag.
(zu 3)
Viol. 2.
Br.
Siegm.
Wald trieb sie das Wild: wie Spreu zer-stob uns der Feind.
woods chased by their game, like chaff were scattered the foes.
-qué par son gi - bier; les Loups les ont dis-per-sés.
Vc.
(geth.)
zus.
CB.
p
cresc.
f

Br.
pizz.
Siegm.
Doch ward ich vom Va - ter ver - sprengt; sei - ne Spur ver - lor ich, je län - ger ich
But torn form my fath - er was I; his trace I saw not, though long was my
Mais loin de mon pè - re je - té, j'ai per - du sa tra - ce, mal - gré ma re -
Vc.
CB.
(F)
4 Hörn.
(D)
Br.
pizz.
(geth.)
Siegm.
forsch - te: ei - nes Wol - fes Fell nur traf ich im Forst; leer lag das vor
seek - ing: in the woods a wolf - skin found I a - lone; there emp - ty it
cher - che: u - ne peau de Loup seule gît dans le bois; vi - de je la
(geth.) pizz.
Vc
Langsam.
3 Pos.
CB.Pos.
Br.
Siegm.
mir, den Va - ter fand ich nicht.
lay, my fath - er found I not.
trouve... le pè - re n'est plus là.
Vc.
(6 erste)

Mässig langsam.
(lange)
3 Pos.
(lange)
(lange)
CB. Pos.
Br.
ten.
(Bog.)
p
cresc.
Siegm.
(zögernd)
Aus dem Wald trieb es mich fort; mich drängt es zu Männern und Fran - en.
From the woods dri-ven a - far; my heart longed for men and for wom - en.
Des fo - - rêts je m'é-loi-gnai, pous - sé vers les hom-mes les fem - mes.
Vc.
ten.
(Bog.)
p
cresc.
(A) 1.
2 Clar.
p (weich und ausdrucksvoll)
(A)
2.
più p
Fag. 1.
Fag. 2 u.3.
pp
(weich)
Br.
più p
pp
Vc.

(A)
2 Clar.(A)
Fag.1.
Fag.2 u.3.
Br.
p
poco cresc.
Siegm.
Wie viel ich traf, wo ich sie fand, ob ich um Freund, um Frau - en warb,
Amongst all folk, where'er I fared, if friend or wife I sought to win,
J'al-lai chez tous, en tout en-droit, cherchant l'a-mi, l'a - man-te aussi,
Vc.
p
poco cresc.
2 Hob.
(zu 2)
f
p
3 Clar.(A)
(F)
3 Hör.
Viol.2.
Br.
fp
Siegm.
im - mer doch war ich ge - äch-tet: Un - heil lag auf mir! Was rech - tes je ich
still was I e - ver mis - trusted: ill - fate lay on me. What-e'er right thing I
mais par-tout tous me re - poussent: mal - heur est sur moi. Le bien se-lon mon
Vc.
(zus.)
4 erste CB.
(alle)

Viol. 2.
Br.
Siegm.
rieth, andern dünk-te es arg; was schlimm immer mir schien andre ga-ben ihm
wrought, o-thers counted it ill; what seemed e-vil to me, o-thers greeted as
cœur est le mal pour au-trui; les ac-tes que je hais, d'au-tres les ju-gent
Vc.
Viol. 1.
Viol. 2.
Br.
Siegm. (belebend)
Gunst: In Feh-de fiel ich, wo ich mich fand; Zorn traf mich wo-hin ich zog;
good. In feuds I fell wher-e-ver I dwelt, wrath met me wher-e-ver I fared;
bons. Par-tout je tom-be dans des em-bûches, hai-ne s'at-tache à mes pas...
Vc. u. CB.
(F)
4 Hör. (F)
(F)
Bass Cl. (B)
(B)
cresc.
Viol.
Br.
Siegm. (zögernd)
gehrt ich nach Won-ne, weckt' ich nur Weh',
striv-ing for glad-ness, woe was my lot:
Rê-ve d'iv-res-se, œu-vre de maux!
drum muss ich mich
my name then be
aus-si dois-je
Vc.
CB.
(ausdrucksvoll)

Pauk. 1. (A)

Viol.

Br.

Siegm.

Weh-walt nen-nen, des We-hes wal-tet' ich nur.
Weh-walt e-ver; for woe still waits on my steps.
„Weh-walt" ê-tre; la pei-ne seule est mon fait.

Vc.

cresc.

CB.

pizz.

(Bog.)

Hob. 1.

(sehr ausdrucksvoll)

dim.

Hr. 1 u. 2. (F)

Fag. 1.

Bass Cl.

(B)

Pauk. 1. (A)

Viol.

cresc. *dim.*

Br.

cresc. *dim.*

(Er sieht zu Sieglinde auf und gewahrt ihren theilnehmenden Blick.)

Vc.

cresc. *dim.*

CB.

cresc. *dim.*

Hob. 1.
Hr. 1 u. 2. (F)
p
dim.
pp
Fag. 1.
più p
pp
Bass Cl. (B)
più p
pp
Br.
pizz.
p
Hunding.
Die so lei - dig Loos dir beschied, nicht lieb - te dich die
She who cast thee fate so for-lorn, the Norn then loved thee
D'un si tris - te sort te frappant, la Nor - ne t'ai - me
Vc. u. CB.
Hr. 1 u. 2. (F)
p
Fag. 1.
p
1 u. 2.
p
Bass Cl. (B)
p
Pauk. 2. (C)
p
Br.
(Bog.)
p
Hund.
Siegl.
Norn: froh nicht grüsst dich der Mann, dem fremd als Gast du nah'st.
not: glad - ly greets thee no man to whom as guest thou com'st.
peu: sans plai-sir je re - çois un hô - te ainsi trai - té. Les
Vc. u. CB.
pizz.
p

Hr. 1 u. 2. (F)
Fag.
Bass Cl.
Pauk.
Viol.
Br. pizz.
(Bog.)
Sieglinde (etwas lebhaft)
Fei - ge nur fürch-ten den, der waf - fen-los ein - sam fährt.
Cra - ven hearts on - ly fear a weap - on-less, lone - ly man!
lâ - ches seuls craignent l'homme sans dé-fense, sans a - mi!
Vc. pizz.
(Bog.)
CB.
pizz.
Etwas lebhaft.
pizz.
Viol.
pizz.
Br.
pizz.
Siegl.
Kün - de noch, Gast, wie du im Kampf zu-letzt die Waf - fe ver - lor'st!
Tell us yet, guest, how in the fight at last thy weap-on was lost?
Dis en-cor, hôte, en quel der - nier com-bat tu fus dés-ar - mé?
Vc.
CB.
(Bog.)

2 Hob.
3 Clar. (B)
3 Hör. (F)
(Bog.)
Viol.
(Bog.)
Br.
(Bog.)
Siegmund.
(immer lebhafter)
Ein trau - ri-ges Kind rief mich zum Trutz: vermählen wollte der
A sor - rowful child cried for my help: her kinsmen sought to
Une en-fant en pé-ril m'a fait ap - pel: son clan voulait la don-
Vc.
cresc.
CB.
cresc.
3 Hob.
(zu 3)
3 Clar. (B)
4 Hör. (F)
Viol.
Br.
Siegm.
Ma-gen Sip-pe dem Mann oh-ne Minne die Maid. Wi-der den Zwang zog ich zum Schutz, der Dränger
bind in wedlock, un-loved, a man with the maid. Help against wrong gladly I gave, her ruthless
-ner pour femme à un hom-me con-tre son gré. J'ai pro-vo - qué ses oppres-seurs, je les bra-
Vc.
CB.

(F)
4 Hör.
(C)
Viol.
Br.
Siegm.
Tross traf ich im Kampf: dem Sie - ger sank der Feind.
clan met me in fight: be - fore me foe-men fell.
vai tous au com-bat: mon bras les a vain-cus.
Vc.
pizz.
CB.
pizz.
Hob. 1.
Engl. H.
Hr. 1 u. 2. (F)
Hr. 4. (C)
Viol.
Br.
Siegm.
Erschla-gen la - gen die Brüder; die Lei-chen um-
Struck down and dead lay her brothers: her arms round their
La fil - le voit tomber ses frères: des bras elle en-
(Bog.)
Vc.
CB.
pizz.

2 Hob.
cresc.
f
Engl. H.
cresc.
f
Hr. 1 u. 2. (F)
cresc.
f
Hr. 4. (C)
f
p
Pauk. 1. (G)
tr
pp
p
Nicht eilen.
Viol.
p
Br.
Siegm.
schlang da die Maid, den Grimm ver-jagt' ihr der Gram. Mit wil - der Thrä - nen
bo - dies she clasped, her grief had banish - ed her wrath. From wild - ly stream - ing
- la - ce leurs corps, sa hai - ne cède au cha - grin. Les yeux brû - lés de
Vc.
p
CB.
pizz.
p

Engl. H.
Hr. 2. (F)
Hr. 4. (C)
2 Fag.
Viol.
Br.
Siegm.
Fluth be - troff sie weinend die Wal; um des Mor - des der eig' - nen Brü - der
eyes she bathed the dead with her tears; for her bro-thers in bat - tle slain la -
pleurs, elle reste au champ du com-bat, sur ses frè - res frap-pés je - tant des
Vc.
CB.
pizz.

Hob. 1.
p
f
dim.
p
Engl. H.
p
f
dim.
p
Hr. 1. (F)
mf
Hr. 2. (F)
mf
Hr. 4. (C)
p
f
p
f
dim.
p
2 Fag.
f
dim.
p
p
f
p
Viol.
p
f
p
Br.
p
f
p
Siegm.
klag - te die un - sel' - ge Maid.
ment - ed the ill - fa - ted bride.
cris de sau-va - ge dou-leur.
Vc.
f
dim.
CB.
f
(Bog.)
p

2 Hob.
Engl. H.
Hr. 1. (F)
Hr. 2. (F)
Viol.
Br.
Siegm.
Der Erschlag'nen Sippen stürmten da-her;
Then the host of kinsmen surged like a storm;
Les a-mis des victi-mes vin-rent ar-més,
ü - bermäch-tig
full of fu - ry,
pleins de ra - ge,
Vc.
CB.
stacc.

2 Hob.
cresc.
f
Engl. H.
cresc.
f
Hr. 1. (F)
cresc.
f
Hr. 2. (F)
cresc.
f
Hr. 3. (tief B)
f
Hr. 4. (tief B)
f
2 Fag.
f
(auf d.G.)
Viol. p
cresc.
stacc.
f
stacc.
cresc.
f
Br.
cresc.
f
Siegm.
ächz-ten nach Ra-che sie; rings um die Stät-te rag-ten mir Fein-de.
vengeance they vowed on me: e-ver new foe-men rose to as-sail me.
prêts aux ven-gean-ces: tout à l'en-tour gron-dait leur co-hor-te.
Vc.
cresc.
f
CB.
cresc.
f

2 Hob.
Engl. H.
Hr. 1. (F)
Hr. 2. (F)
Hr. 3. (tief B)
Hr. 4. (tief B)
(C)
(C)
2 Fag.
Viol.
Br.
Siegm.
Doch von der Wal wich nicht die Maid; mit Schild und
But from the place ne'er moved the maid; my shield and
Près de ses morts l'en-fant res - ta; le fer au
Vc. u. CB.

Hob.
3 Clar.
(F)
4 Hör.
(C)
2 Fag.
Viol.
Br.
Siegm.
Speer
spear
poing,
schirmt' ich sie lang',
shel - tered her long,
long-temps je l'a-bri - tai,
bis Schild und Speer
till spear and shield
mais dans ma main
Vc.u.CB.
cresc.
Hob.
3 Clar.
(F)
4 Hör.
(C)
Br.
Siegm.
im Harst mir zer-hau'n.
were hewn from my hand.
l'é-pieu fut bri - se.
Wund und waf-fen-los stand ich,
Wound - ed, weap-on-less stood I,
Seul, bles - se et sans ar-mes,
Vc.u.CB.

Hr. 1 u. 2. (F)
p
p
cresc.
Br.
p
cresc.
Siegm.
ster-ben sah'ich die Maid:
death I saw take the maid:
je vis la fil-le pé-rir:
mich
I
les
Ve.u. CB.
p
più p
p
cresc.
3 Clar.
p
p
(F)
4 Hör.
(C)
f
f
Viol.
f
f
Br.
f
Siegm.
hetz- -te das wü - then-de Heer
fled from the fu- -ri-ous host
au- -tres sur moi s'achar-naient...
auf den Lei-chen
life-less lay she
sur les ca-da-vres
Vc.u. CB.
f

Langsam.
Viol.
Br.
pizz.
p
Siegm.
(Mit einem Blicke voll schmerzlichen Feuers auf Sieglinde.)
lag sie todt.
on the dead.
elle mou - rut.
Nun weisst du fra-gen-de Frau,
Now know'st thou, ques-tion-ing wife,
Tu vois, ô fem-me, pour-quoi
(Bog.)
pp
Vc.
CB.
Sehr gemessen.
(F)
4 Hör.
(C)
3 Fag.
Viol.
Br.
(geth.)
Siegm.
(Er steht auf und
wa-rum ich Fried - mund nicht hei-sse!
why 'tis not Fried - mund who greets thee!
je n'ai pas „Fried - mund" pour. ti - tre.
Vc.
p (bestimmt)
CB.
pizz.

Hob. 1.
Engl. H.
2 Clar.
(B)
Bass Clar.
(B)
(F)
4 Hör.
(C)
3 Fag.
Br.
schreitet auf den Herd zu. Sieglinde blickt erbleichend und tief erschüttert zu Boden.)
Hunding (erhebt sich)
(mä-
Ich
I
Je
Vc.
CB.
p (schwer und zurückhaltend)
p (schwer und zurückhaltend)
Hund.
ssig und verhalten)
weiss ein wil-des Ge-schlecht, nicht hei-lig ist ihm, was an-dren hehr: ver-
know a ri-ot-ous race; not ho-ly it holds what men re-vere: 'tis
sais u-ne fau-ve lig-née, bra-vant ce qui semble aux au-tres saint: ha-
Vc. u. CB.
mf

Br.
(heftiger)
Hund.
hasst ist es al - len und mir.
hat - ed by all and by me.
-ï - e de tous et de moi.
Zur Ra-che ward ich ge-
For vengeance forth was I
En fou-te pour la ven-
Vc.
CB.
Hr. 1 u. 2.
(Es)
3 Fag.
Br.
Hund.
ru - fen,
summoned,
-geance,
Süh - ne zu neh-men für Sip-pen-blut:
pay - ment to win me for kinsmen's blood:
cel - le qu'e-xi-ge le sang des miens,
Vc. u. CB.
più f
3 Fag.
1.2. Pult.
Br.
3-6. Pult div.
Hund.
zu spät kam ich, und keh - re nun heim, des flücht'-gen Frevlers Spur im
too late came I, and now re-turn home, the fly - ing out-cast's trace to
troptard j'ar-rive et rentre à pré-sent pour voir l'in-fâme i - ci, souil-
Vc. u. CB.

Hr. 2.
(Es)
cresc.
Hr. 4.
(Es)
cresc.
3 Fag.
Pauk. 1. (B)
Viol.
cresc.
Br.
cresc.
(er geht herab.)
Hund.
eig-nen Haus zu er-späh'n.
find a-gain in my house.
-lant ma pro-pre mai-son.
Vc.
CB.
cresc.
Hr. 2.
1. u. 2. (E)
Hr. 4.
3 Fag.
Pauk. 1. (B)
cresc.
Viol.
Br.
Hund.
Mein Haus hü-tet Wöl-fing, dich heut'; für die Nacht nahm ich dich
My house holds thee, Wöl-fing, to-day; for the night, safe be thy
Mon toit gar-de, Loup, ton som-meil: pour la nuit je vai re-
Vc. u. CB.

Hr. 1 u. 2. (E)
3 Fag.
2 Ten. Tuba. (Es)
2 Bass Tuba. (B)
Contrabass Tuba.
Pauk. (B)
Viol.
Br.
Hund.
(belebter)
auf: mit star - ker Waf - fe doch weh - re dich mor - gen; zum
rest: with trust - y weap-on de - fend thee to - mor - row; I
-çu: de - main pour - tant trouve une ar - me so - li - de; sois
Vc.
CB.
pizz.
cresc.

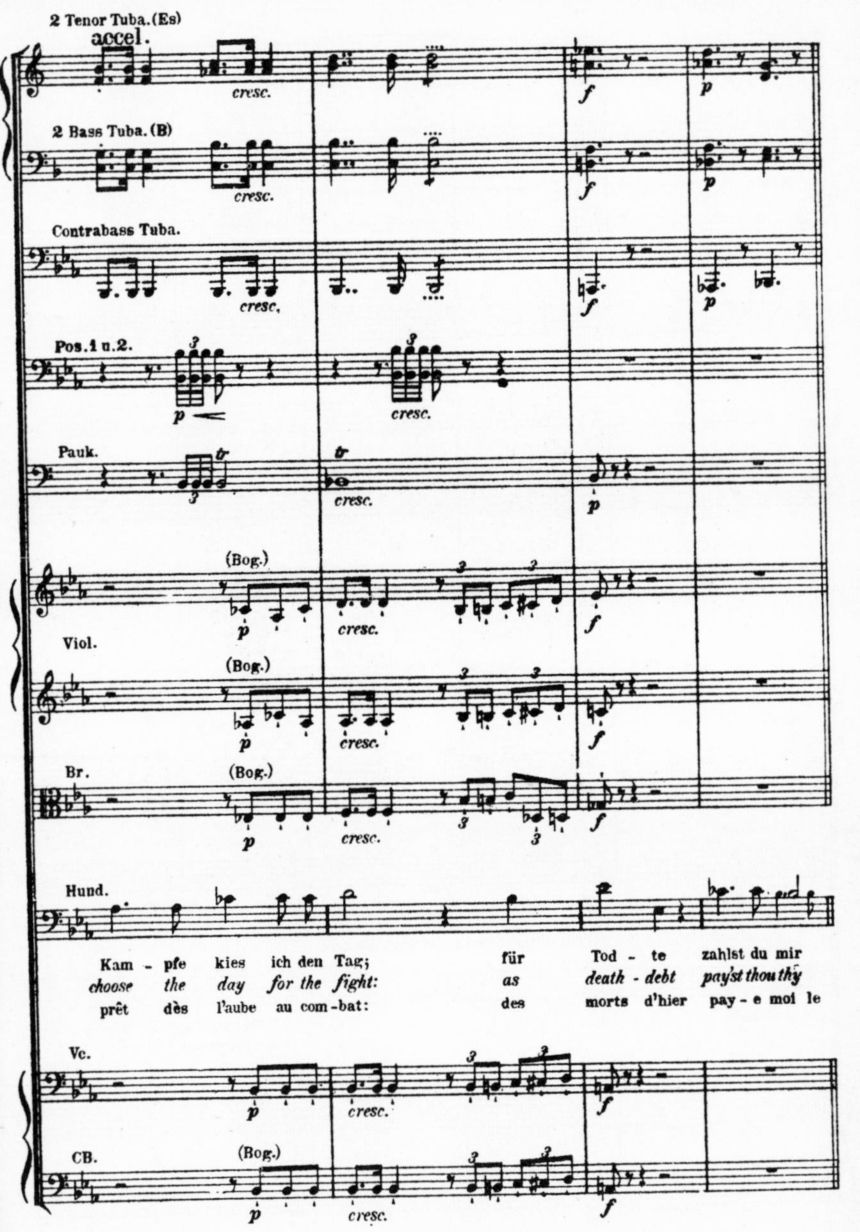
2 Tenor Tuba. (Es)
accel.
cresc.
f
p
2 Bass Tuba. (B)
cresc.
f
p
Contrabass Tuba.
cresc.
f
p
Pos. 1 u. 2.
p
cresc.
Pauk.
tr
cresc.
p
(Bog.)
p
cresc.
f
Viol.
(Bog.)
p
cresc.
f
Br.
(Bog.)
p
cresc.
f
Hund.
Kam - pfe kies ich den Tag; für Tod - te zahlst du mir
choose the day for the fight: as death - debt pay'st thou thy
prêt dès l'aube au com-bat: des morts d'hier pay - e moi le
Vc.
p
cresc.
f
CB.
(Bog.)
p
cresc.
f

Sehr lebhaft.
2 Hob.
1.
p
2. cresc.
f
(F)
4 Hör.
p
cresc.
f
(F)
f
3 Fag.
p
cresc.
f
2 Ten. Tuba. (Es)
2 Bass Tuba. (B)
Contrabass Tuba.
Viol.
p
cresc
f
f
p
cresc.
f
f
trem.
Br.
(geth.)
p
cresc.
f
f
(Sieglinde schreitet mit besorgter Gebärde zwischen die beiden Männer vor.)
Hund.
Zoll.
life.
sang.
Fort aus dem Saal! Säume hier
Hence from the hall! linger not
Hors de ce lieu! Sors à l'ins-
Vc.
p
cresc.
f
f
CB.
p
cresc.
f
f

Viol.
Br.
pizz.
Hund.
nicht; den Nachttrunk rü - ste mir drin, und har - re mein' zur Ruh'.
here! My night draught set me with - in, and wait thou there for me.
tant! Em-plis la cou - pe du soir, et va m'attendre au lit!
Vc.
CB.
Langsam.
Clar. 1. (B)
(sehr ausdrucksvoll)
più p
Vc.
(Sieglinde steht eine Weile unentschieden und sinnend.)
dim.
più p pp
CB.
dim.
più p pp
Engl. H.
(sehr ausdrucksvoll)
più p
Vc.
(Sie wendet sich langsam und zögernden Schrittes nach dem Speicher.)
dim.
più p
CB.
dim.
più p

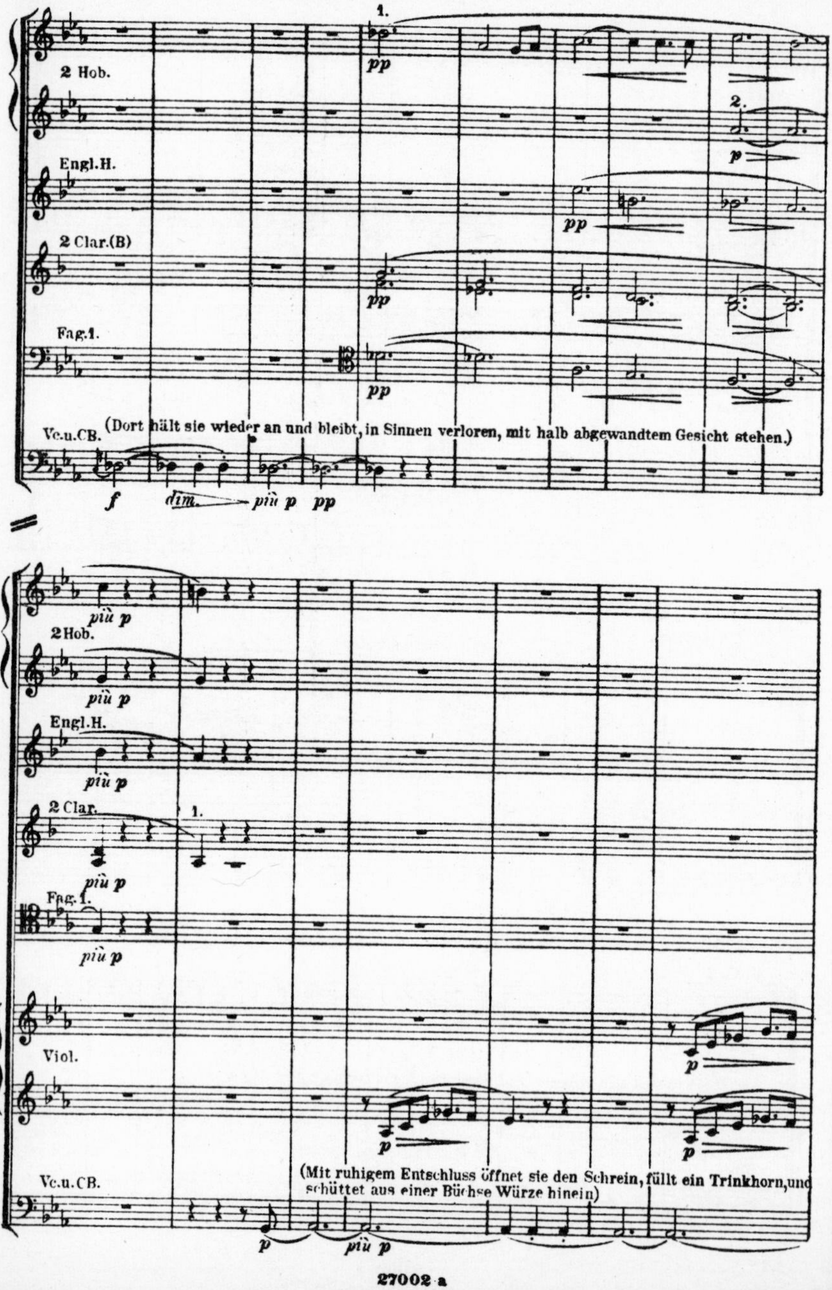

2 Hob.

più p

più p

Engl.H.

più p

2 Clar.

1.

più p

Fag. 1.

più p

Viol.

p

p

p

Vc.u.CB.

(Mit ruhigem Entschluss öffnet sie den Schrein, füllt ein Trinkhorn, und schüttet aus einer Büchse Würze hinein)

p

più p

Hob. 1.
(ausdr.)
Engl. H.
(sehr ausdrucksvoll)
più p
2 Clar. (B)
dim.
pp
Fag. 1.
dim.
pp
Viol.
(Dann wendet sie das Auge auf Siegmund, um seinem Blicke zu begegnen, den dieser fortwährend auf sie heftet.)
(Sie gewahrt Hunding's Spähen und wendet sich sogleich zum Schlafgemach.)
(Auf den Stufen kehrt sie sich noch einmal um, heftet das Auge sehnsuchtsvoll auf Sigmund, und deutet mit dem Blicke andauernd und mit sprechender Bestimmtheit auf eine Stelle am Eschenstamme.)
Vc. u. CB.
pp
mf
dim.
più p
Hob. 1.
f
p
cresc.
più f
Engl. H.
3 Fag.
1.
2. cresc.
Bass Trompete. (Es)
p (aber bestimmt)
1. u. 2. Pult.
p (trem.)
Viol. 1.
3. u. 4. Pult.
Doppelgriff.
Viol. 2.
(nur die 4 ersten Pulte) (trem.)
p cresc.
Br.
(trem.)
(geth.)
(Bog.)
Vc. u. CB.

Hob. 1.
4 Hör.
Bass Tromp. (Es)
dim.
1. u. 2. Pult.
Viol. 1. 3. u. 4. Pult.
più p
pp
Viol. 2.
Br.
Vc.
CB
Rascher.
(F) (zu 4)
(Alle)
(Hunding fährt auf, und treibt sie mit einer heftigen Gebärde zum Fortgehen an.)
riten.
Hob. Langsam.
Engl. H.
Clar. 1.
2. Fag.
2 Ten. Tuba. (Es)
Bass Tuba 1. (B)
Bass Tuba 2. (B)
Viol.
pizz.
Br.
Vc.
(Mit einem letzten Blick auf Siegmund geht sie in das Schlafgemach und schliesst hinter sich die Thüre.)
Mässig wie zuerst.
(Bog.)
(Hunding nimmt seine Waffen

2 Ten. Tuba.
Bass Tuba 1. (B)
Bass Tuba 2. (B)
Br.
vom Stamme herab.)
Hunding.
(Im Abgehen sich zu Siegmund wendend.)
Mit Waf - fen wahrt sich der Mann.
With weap - ons man should be armed.
Un hom - me doit être ar - mé!
Dich
Thou,
Toi,
Vc.
CB.
Viol. 2.
(Bog.)
Br.
Hund.
Wöl - fing tref - fe ich mor - gen; mein Wort hör - test du — hü - te dich
Wöl - fing, meet me to - mor - row: my word hear - est thou — ward thyself
Loup, demain je te frap - pe: ma voix par - le clair: gar - de - toi
Vc.
CB.

2 Ten. Tuba. (Es)
2 Bass Tuba. (B)
Contrabass Tuba.
Pauk. (C)
p (bestimmt)
Br. pizz.
Hund.
(Er geht in das Gemach; man hört ihn von innen den Riegel schliessen.)
wohl:
well!
bien!
Vc. pizz.
(Bog.)
CB. pizz.
(Bog.)
Dritte Scene.
Mässig langsam.
2 Ten.Tuba. (Es)
2 Bass Tuba. (B)
Contrabass Tuba.
Pauk.
più p
(Siegmund allein. Es ist vollständig Nacht geworden; der Saal ist nur noch von einem schwachen Feuer im Herde erhellt.)
Vc.
CB.

Hr. 3 u. 4. (in D)
p (aber sehr bestimmt)
3 Pos.
Contrabass Pos.
2 Ten. Tuba.
2 Bass Tuba.
Contrabass Tuba.
Pauk.
(Siegmund lässt sich nah' beim Feuer auf dem Lager nieder, und brütet in gro-
Vc.
CB.
Hr. 3 u. 4. (in D)
Basstrompete. (D)
più p
3 Pos.
Contrabass Pos.
Br.
(Bog.)
Vc.
sser innerer Aufregung eine Zeitlang schweigend vor sich hin.)
CB.

Hr. 3 u. 4. (in D)
più p
pp
trem.
Viol.
trem.
cresc.
p>
fp
Br.
cresc.
Siegmund.
Ein Schwert verhiess mir der Va - ter: ich
A sword, my fa - ther fore-told me, should
Le fer promis par mon pè - re, pour
Vc.
cresc.
CB.
p
Hr. 3 u. 4.
(D)
3 Pos.
Contrabass Pos.
fp
dim.
Viol.
Br.
Siegm.
fänd' es in höchster Noth.
serve me in sor - est need.
vaincre au pé-ril pres - sant!...
Waf-fen-los fiel ich in Fein-des
Swordless I come to my foeman's
Sans é-pée chez l'en-ne-mi je
Vc.
CB.

Hr. 3 u. 4. (D)
3 Pos.
Contrabass Pos.
Siegm.
Haus;
house;
tombe,
sei-ner Ra-che Pfand ra-ste ich hier:
as a hostage here help-less I lie:
sa ven-geance en ga - ge me tient là!
2 Vc. (5. Pult)
Hr. 3 u. 4. (D)
3 Pos.
Contrabass Pos.
1 Vc. (allein)
2 Vc. (2. Pult.)
2 Vc. (3. Pult.)
2 Vc. (4. Pult.)
Siegm.
ein Weib sah' ich, won-nig und hehr; ent - zückend Bangen
a wife saw I, wondrous and fair and blissful tremors
Tu vins, fem-me, douce et sa-crée... su - ave angois-se,
2 Vc. (5. Pult.)

Hr. 3 u. 4. (D)
(G Saite.)
Viol.
Br.
1 Vc. (allein)
cresc.
(zus.)
2 Vc. (2. Pult.)
2 Vc. (3. Pult.)
2 Vc. (4. Pult.)
Siegm.
zehrt mein Herz. Zu der mich nun Sehn-sucht zieht, die mit
seized my heart. The wo-man who holds me chained, who with
trouble ar-dent Je sens un dé-sir vers elle, et son
2 Vc. (5. Pult.)
(5. u. 6. Pult.)
mf p
Hr. 3 u. 4. (D)
Viol.
p poco a poco cresc.
Br.
poco a poco cresc.
Siegm.
sü-ssem Zau-ber mich sehrt, im Zwan-ge hält sie der Mann, der
sweet en-chant-ment wounds, in thrall is held by the man who
charme en flamme mon coeur un maître i-ci la con-traint, rail-
Vc.
CB.
poco a poco cresc.
p molto cresc.

(F)

4 Hör. (D)

8 Fag.

Viol.

Br.

Siegm.

mich Wehr - lo - sen höhnt! Wäl - se! Wäl - se! Wo ist dein

mocks his weap - on - less foe. Wäl - se! Wäl - se! Where is thy

-lant l'hom - me sans armes! Wäl - se! Wäl - se! où ton é -

Vc.

CB.

(F)

4 Hör.

(F)

2 Fag.

3 Pos.

CB. Pos.

Pauk. 2. (tief F)

Viol.

Br.

Siegm.

Schwert, das starke Schwert, das im Sturm ich schwän - ge, bricht mir her - vor aus der

sword? The trusty sword, that in fight shall serve me, when from my bo - som out -

-pée? ta forte é - pée, que mon poing bran - dis - se, quand se déchaîne à la

Vc.

CB.

2 Flöt. accel.
Tempo I.
2 Hob.
2 Clar. (B)
(F)
4 Hör.
(F)
3 Fag.
Tromp. 1. (C)
(sehr bestimmt)
3 Pos.
CB. Pos.
1. Viol. (geth.)
2. Viol. (geth.)
Br.
accel.
cresc.
Tempo I.
Siegm.
Brust, was wü - thend das Herz noch hegt?
breaks the fu - ry my heart now bears?
fin la ra - ge on mon cœur ca - chée?
(Das Feuer bricht zusammen; es fällt aus der aufsprühenden Gluth plötzlich ein greller Schein auf die Stelle des Eschenstammes, welche Sieglindes Blick bezeichnet hatte, und andern man jetzt deutlich einen Schwertgriff haften sieht.)
Vc.
cresc.
CB.

2 Flöt.
p
2 Hob.
p
2 Cl.
Tromp. 1. (C)
p
mf
1 Viol.
p
p
2 Viol.
p
p
Siegm.

Was gleisst dort hell im Glimmerschein? Welch' ein Strahl bricht aus der E-sche Stamm?
What gleam-eth there from out the gloom? What a beam breaks from the ashtree's stem!
Quel vif re-flet re-luit là-bas? Quel ray-on sort de ce frêne ob-scur?

2 Flöt.
f
dim.
p
2 Hob.
f
dim.
p
2 Cl.
f
dim.
p
Hr. 1. (F)
f
dim.
p
fp
Tromp. 1. (C)
dim.
p
1 Viol.
f
p
fp
f
p
fp
2 Viol.
f
p
fp
f
p
fp
Siegm.

Des Blin-den Au-ge leuch-tet ein Blitz: lus-tig
The sight-less eye —— be-hold-eth a flash: gay as
A l'œil a-veu-gle brille un é-clair: gai sou-

1.
p (zart)
3 Flöt.
2. u. 3.
pp
Hob. 1.
p (zart)
1.
p (zart)
3 Clar. (B)
2. u. 3.
pp
Hr. 1. (F)
p (zart)
Hr. 2. (F)
p
Hr. 3 u. 4. (F)
p
Tromp. 1. (C)
p (zart)
(trem.)
p
più p
pp
1 Viol.
(trem.)
p
più p
pp
(trem.)
p
più p
pp
2 Viol.
(trem.)
p
più p
pp
Siegm.
p
lacht da der Blick.
laughter its light!
rire aux regards!
Wie der Schein so hehr das
How the glorious gleam doth
Que ce pur é - clat me

3 Flöt.
Hob. 1.
pp
p
(ausdrucksvoll) più p
pp
3 Clar.
pp
pp
pp
1. Viol.
(immer pp)
(immer pp)
2. Viol.
(immer pp)
(immer pp)
Siegm.
Herz mir sengt!
pierce my heart!
brûle au cœur!
Ist es der Blick der blü - hen-den Frau, den dort
Is it the glance of the wo - man so fair that there
Est-ce un re - gard de fem - me en fleur, quel - le au-

Hob. 1.
1.
p
(ausdrucksvoll)
Clar. 1. (B)
pp
Clar. 2. (B)
Clar. 3. (B)
Tromp. 1. (C)
1 Viol.
2 Viol.
Siegm.
haf-tend sie hin-ter sich liess, als aus dem Saal sie schied?
cling-ing be-hind her she left, as from the hall she passed?
rait a-près el-le lais-sé, à son dé-part d'i-ci?

2 Flöt.
2 Hob.
2 Clar.
Hr. 1 u. 2. (F)
Hr. 3. (F)
Hr. 4. (F)
Tromp. 1.
Harfe.
1 Viol.
2 Viol.
Br.
Siegm.
(Von hier an verlischt das
Näch - - - ti - ges
Dark - - - en - ing
L'om - - - bre des
Vc.
CB.
pizz.
mf
p
più p
pp
dim.

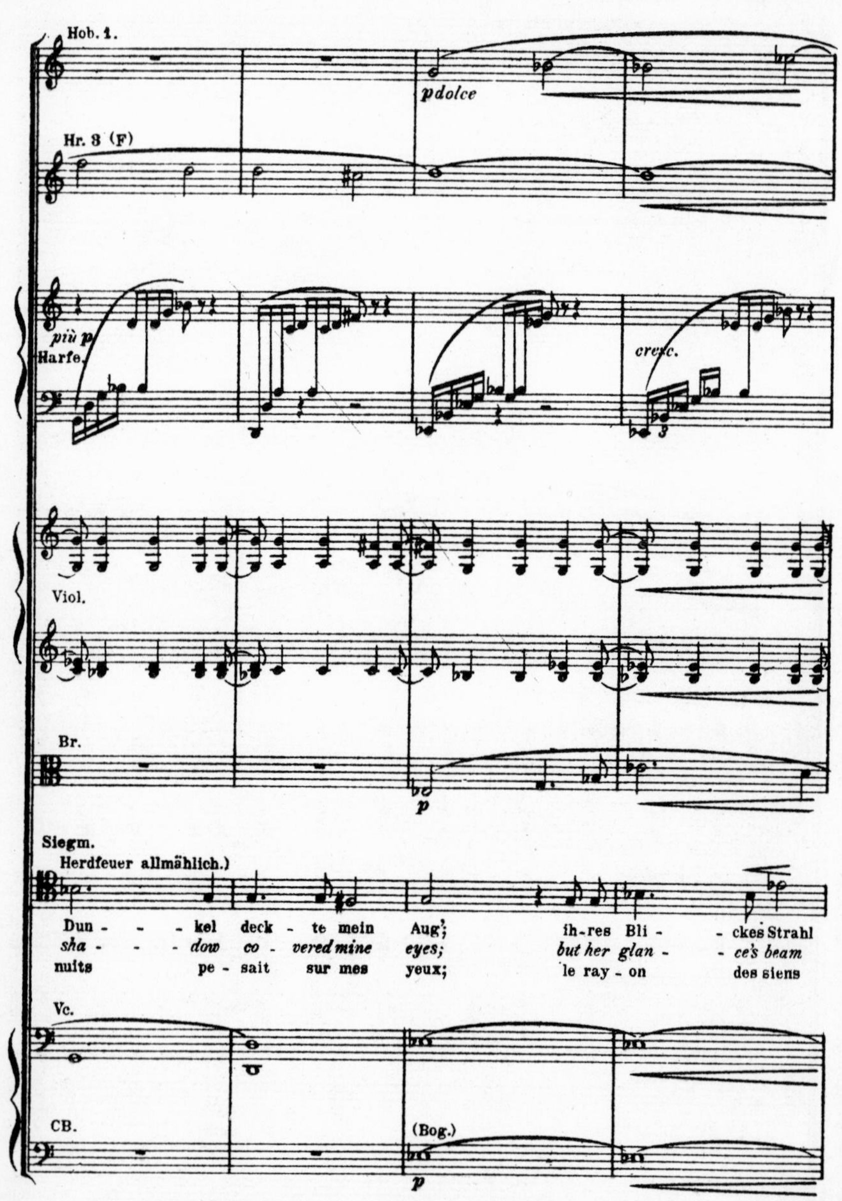
Hob. 1.
p dolce
Hr. 3 (F)
più p
Harfe.
cresc.
Viol.
Br.
p
Siegm.
Herdfeuer allmählich.)
Dun - - - kel deck - te mein Aug'; ih-res Bli - - ckes Strahl
sha - - - dow co - vered mine eyes; but her glan - - ce's beam
nuits pe - sait sur mes yeux; le ray - on des siens
Vc.
CB.
(Bog.)
p

Hob. 1.
mf
p
più p
2 Clar. (B)
p
più p
Hr. 1. (E)
(E)
p
dolce
Hr. 3. (F)
più p
mf
dim.
Harfe.
p
pp
Viol.
più p
pp
più p
pp
Br.
p
più p
Siegm.
p
streif - te mich da: Wär - me ge-wann ich und Tag.
fell on me then: bring - ing me warmth and day.
m'a ren-con-tré, chau - de lu-miè-re du jour.
Vc.
p
più p
CB.
p
pp

Hob. 1.
Clar. 1. (B)
Hr. 1. (E)
Hr. 3. (F)
(dolce)
Fag. 2.
p (weich)
Harfe.
Viol.
Br.
Siegm.
Se - lig schien mir der
Bless - ing came with the
Doux é - tait le so-
Vc.

Hr. 3.
1.
p (weick)
2 Fag.
Pos. 3 u. 4.
p
Harfe.
Viol.
Br.
Siegm.
Son - ne Licht; den Schei-tel um-gliss mir ihr won-ni-ger Glanz—
sun's bright rays; the glad-den-ing splendour en-cir-cled my head—
-leil de feu; mon front se do-ra de sa chè-re clar-té,
Vc.
CB.
pizz.
p

Hr. 3.
pp
pp
Fag.
pp
Tromp. 1 (C)
p
Pos. 1.
p
Pos. 2.
pp
Pos. 3.
dim.
pp
Pos. 4.
dim.
pp
Pauk. in C.
tr
pp
Harfe.
p
cresc.
Viol.
più p
pp
più p
pp
Br.
più p
pp
Siegm.
(Ein neuer schwacher
bis hinter Ber - gen sie sank.
till behind moun - tains it sank.
jusqu' à sa chute aux monts noirs.
Vc.
(Bog.)
più p
pp
CB.
(Bog.)
pp
pp

Flöt. 1.
Hob. 1.
p(dolce)
Clar. 1. (B)
p(F)
1.
p(dolce)
2 Hör. (F)
(F)
3.
p(dolce)
1 Tromp. (C)
mf
p
Pos. 1.
Pos. 2.
Pos. 3.
Pos. 4.
Pauk.
tr
mf
dim.
p
più p
Harfe.
Viol.
più p
più p
Br.
più p
Siegm.
Aufschein des Feuers.)
Noch ein - mal da sie schied,
Once more, ere day went hence,
L'a-dieu de ses ray-ons
traf mich A-bends ihr
fell a gleam on me
vint au soir m'éclai-
Vc. allein.
Vc. u. CB.
più p

Hob. 1.
Clar. 1. (B)
Engl. Hr.
2 Hör. (F)
2 Fag.
Harfe.
Viol.
Br.
Siegm.
Schein; selbst der al - ten E - sche Stamm er -
here; e'en the an - cient ash-tree's stem shone
-rer; même au tronc du frêne an - cien jail-
(geth.)
Vc.
p
(dolce)
p (dolce)
più p
pp
ppp

Clar 1.
Engl. Hr.
4 Hör.
(C)
2 Fag.
1. Tromp.(C)
Pos. 1.
(allein)
Harfe.
Viol.
Br.
Siegm.
glänz - te in gold' - ner Gluth:
forth with a gold - en glow:
lit — u - ne flam - me d'or:
da bleicht die Blü - the, das
now pales the splendour, the
la fleur se fa - ne, le
Vc.
CB.
(trem.)
(nur 8)
(nur 6)
(nur 4)

1. u. 2. Pos.
più p
1. u. 3.
pp
Pos. 3.
2.
CB. Pos.
Harf. pp
Viol.
Br.
(6)
(geth.)
Siegm.
Licht ver-lischt; näch-ti-ges Dun-kel deckt mir das Au-ge: tief in des Bu-sens
light dies out; dark-en-ing sha-dow gathers a-round me: deep in my breast a-
feu s'é-teint; lom-bre froi-de clot ma pau-piè-re: tout au pro-fond du
Vc.
CB.
(nur 4)
2 Fag.
Pauk. (C.)
(alle)
ppp
(Das Feuer ist gänzlich verloschen; volle Nacht.)
Ber-ge glimmt nur noch licht-lo-se Gluth.
lone yet glim-mers a dim dy-ing glow.
cœur un feu sans clar-té couve en-cor.
pizz. (Bog.)

Lebhaft.
Hob. 1.
pp
2 Flöt.
Clar. 1. (B)
Pauk.
Br.
(Das Seitengemach öffnet sich leise.)
(Sieglinde in weissem Gewande tritt heraus und schreitet leise, doch rasch auf den Herd zu.)
Sieglinde.
Schläfst du
Sleep'st thou
Veil - les-
Vc.
Viol.
(Alle)
Br.
Siegl.
(mit geheimnissvoller Hast.)
Gast!
guest?
tu?
Ich bin's; hö-re mich an!
It is I: list to my words!
C'est moi: é-cou-te bien!
In tie-fem Schlaf liegt Hunding, ich
In deep-est sleep lies Hunding, o'er-
Un lourd re - pos tient Hunding, ma
Siegmund (freudig überrascht.)
Wer schleicht da-her?
Who whis-pers there?
Qui vient i-ci?
Vc. u. CB.
pp (Bog.)

3 Fag.
Viol.
Br.
Siegl.
würzt' ihm be-täu-benden Trank. Nü - tze die Nacht dir zum Heil!
come by a slum-berous draught: now, in the night, save thy life!
main lui ver-sa le som-meil: grâce à la nuit tu es sauf!
Siegmund.
(Hitzig unterbrechend.)
Heil macht mich dein
Thy com-ing is
Sauf par ta ve-
Vc.
cresc.
2 Clar. (B)
Hör. 1. u. 2. (in F)
Fag.
Viol.
pizz.
(Bog.)
Br.
Siegl.
Ei-ne Waf-fe lass mich dir wei-sen: o wenn du sie ge-
A weap-on let me now shew thee: o might'st thou make it
Que d'une arme i-ci je t'in-strui-se: ah! si tu peux l'a-
Siegm.
Nah'n!
life!
nue
Vc.

1.
p cresc.
2 Hob.
3.
f
più f
2 Clar.
1. u. 2.
cresc.
Hör. 1 u. 2.
Fag.
(Bog.)
Viol.
mf
p
Br.
Siegl.
wänn'st! Den hehr'-sten Hel-den dürft' ich dich hei-ssen: dem
thine! The first of her-oes then might I call thee: to the
voir! Plus grand que tous a - lors je te nom-me: au -
Vc.

3 Flöt.
p
cresc.
f
Hob. 1.
1. u. 2.
Hob. 3.
3 Clar. (B)
Hör. 1 u. 2. (F)
3 Fag.
2. (allein)
3.
Basstromp. (D)
(bestimmt)
pizz.
Viol.
Br.
Siegl.
Stärk - sten al-lein ward sie be-stimmt.
strong - est a-lone was it de-creed.
fort en-tre tous l'arme ap-par-tient.
O mer - ke wohl,
O heed thou well
E - cou - te bien
Vc.
CB.

Langsamer.
3 Flöt.
Hob. 3.
Clar. 3.
2 Hör. (F)
3 Fag.
pizz. (Bog.)
Viol.
Br.
Siegl.
was ich dir mel-de!
what I now tell thee!
ce que j'an-non-ce!
Der Män-ner Sip-pe sass hier im Saal, von
The kins-men gathered here in the hall, to
Le clan fa-rouche i-ci ré-u-ni fê-
Vc. u. CB.
Vc. (allein)
più p
Hun-ding zur Hoch-zeit ge-la-den: er frei'-te ein Weib, das un-ge-
hon-our the wed-ding of Hund-ing: the wo-man he chose, by him un-
-tait l'o-di-eux ma-ri-a-ge: de force à l'é-poux j'é-tais ven-
Vc.
pp

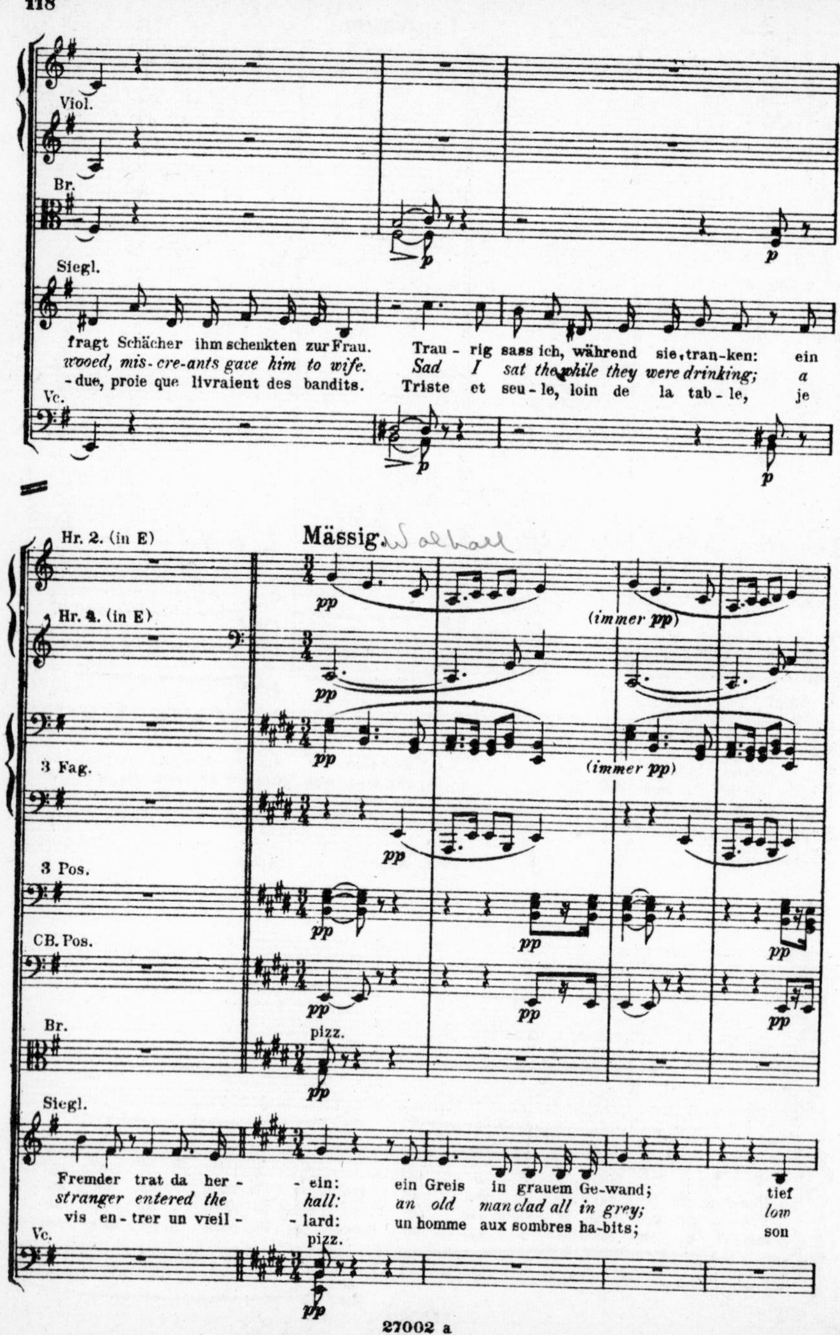
Viol.
Br.
Siegl.
fragt Schächer ihm schenkten zur Frau. Trau - rig sass ich, während sie tran - ken: ein
wooed, mis - cre - ants gave him to wife. Sad I sat the while they were drinking; a
- due, proie que livraient des bandits. Triste et seu - le, loin de la tab - le, je
Vc.
Mässig.
Hr. 2. (in E)
Hr. 4. (in E)
(immer pp)
3 Fag.
3 Pos.
CB. Pos.
Br.
pizz.
Siegl.
Fremder trat da her - ein: ein Greis in grauem Ge-wand; tief
stranger entered the hall: an old man clad all in grey; low
vis en - trer un vieil - lard: un homme aux sombres ha-bits; son
Vc.
pizz.

Hr. 1.
(in E)
pp
Hr. 2. (E)
Hr. 3.
Hr. 4. (E)
Fag. 1.
Fag. 2.
Fag. 3.
(immer pp)
3 Pos.
(immer pp)
CB. Pos.
(immer pp)
Br.
Siegl.
hing ihm der Hut, der deckt' ihm der Au - gen ei - nes; doch des an - dren Strahl,
down hung his hat, and one of his eyes was hid-den; at the o - ther's flash
lar - ge cha-peau cachait l'un des yeux dans l'ombre; mais l'autre oeil bril-lait,
Vc.

Hr. 1. (E)
(gut gehalten)
cresc.
Hr. 2. (E)
Hr. 3.
(in E)
Hr. 4. (E)
Fag. 1.
(gut gehalten)
Fag. 2.
Fag. 3.
(gut gehalten)
3 Pos.
CB. Pos
(6)
pizz.
(Bog.)
Br. (geth.)
Siegl.
Angst schuf er al-len, traf die Män - ner sein mäch - ti-ges Dräu'n:
fear came on all men, when their eyes met its threat' - ning glance:
plein de me-na-ce, sur les hom - mes sai - sis d'ef-froi:
Vc. (geth.)

Hr. 1.
Hr. 2.
Hr. 3.
Hr. 4.
Fag. 1.
Fag. 2.
Fag. 3.
3 Pos.
CB. Pos.
Br.
Siegl.
mir al - lein weck - te das Au - ge süss seh - nen - den Harm,
yet on me lin - gered his look with sweet yearn - ing re - gret,
seule en moi l'œil du vieil - lard é - mût ten - dre tour - ment, —
Vc.

Hr. 3. (E)
(bestimmt)
Hr. 4. (E)
p(bestimmt)
Br.
più p
pp
Siegl.
Thränen und Trost zu-gleich. Auf mich blickt' er, und blitz - te auf
sor-row and solace in one. On me glanc-ing, he glared on the
lar-mes, es-poir aus-si. Pour moi ten-dre, pour eux re-dou-
Vc.
Hr. 1. (in F)
p(sehr bestimmt)
Hr. 2.
(in F)
p(sehr bestimmt)
Hr. 3.
Hr. 4.
Tromp. 1 (in C)
Viol.
poco cresc.
je-ne, als ein Schwert in Hän-den er schwang; das stiess er nun in der
others, as a sword he swung in his hands; which then he struck in the
-ta-ble, en sa main il lève une é-pée, l'en-fon-ce en-fin dans le
CB.
pizz.

Breit.
3 Flöt.
3 Hob.
1.u.2.
(zu 3)
2 Clar.(B)
(F)
4 Hör. poco cresc.
(E)
3 Fag.
poco cresc.
1 Tromp.
(kräftig)
3 Pos.
CB. Pos.
CB. Tub.
Viol.
Br.
Siegl.
E - sche Stamm, bis zum Heft haf - tet' es drin. Dem
ash - tree stem; to the hilt bu - ried it lies: but
tronc du frêne... tout en - tière il l'y plon - gea: qui
Vc.
CB. pizz.
(Bog.)
cresc.

2 Flöt.
2 Hob.
1.u.2.
1.
2 Clar. (B)
(E)
4 Hör.
(E)
1 Tromp. (C)
1.
3 Fag.
2.u.3.
3 Pos.
CB. Pos.
CB. Tub.
Br.
Siegl.
soll - te der Stahl ge - zie - men, wer aus dem Stamm es zög.
one man might win the weap - on, he who could draw it forth.
veut pos - sé - der le glai - ve, doit l'ar - ra - cher du tronc!
Der
Of
Au-
Vc.
CB.
pizz.

Br.
pizz.
Siegl.
Männer Al - le, so kühn sie sich müh - ten, die Wehr sich kei-ner ge - wann;
all the heroes, though brave-ly they la-boured, not one the weapon could win;
-cun con - vi - ve, mal - gré sa vail - lan - ce, du fer ne put s'em - pa - rer;
pizz.
Vc.
Tromp. 1 (in E)
Pos. 1.
Pos. 2.
Pos. 3.
CB Pos.
pizz.
Viol.
pizz.
Br. (Bog.)
pizz.
Siegl.
Gä - ste ka-men und Gä - ste gingen, die Stärksten zo - gen am Stahl; keinen Zoll entwich er dem
guests came hi-ther and guests de-parted; the strongest tugged at the steel; not a whit it stirred in the
d'au-tres vinrent, et d'autres passèrent, et tous ten - tè - rent l'exploit; mais le frêne à nul n'a cé -
pizz.
Vc.
(Bog.)

Ruhig.

3 Hör.

pp

poco cresc.

2 Fag.

pp

poco cresc.

Tromp. 1. (E)

più p

pp

Pos. 1.

più p

pp

Pos. 2.

più p

pp

Pos. 3.

più p

pp

CB. Pos.

più p

pp

Viol.

pp

poco cresc.

pp

poco cresc.

Br.

pp

poco cresc.

Siegl.

Stamm: dort haf - tet schweigend das Schwert. Da wusst' ich,

stem: there cleaves in si - lence the sword. Then knew I

- dé: là dort, mu - et - te, l'é - pée. A - lors j'ai

Vc. (in 3 Part. geth.)

(4)

pp

(4)

(4)

pp

CB.

pizz.

pp

3 Hör.
2 Fag.
Basstromp. (in D)
(bestimmt)
3 Pos.
pp
pp
p
CB. Pos.
pp
pp
p
Pauk. 1. (A)
tr
pp
Viol.
Br.
Siegl.
wer der war, der mich Gram-vol - le ge-grüsst; ich weiss auch, wem al-lein im
who he was who in sor - row greeted me: I know, too, who a-lone shall
su par qui ma dou-leur fut — sa-lu-ee: mon cœur sait pour qui seul le
poco cresc.
Vc.
poco cresc.
CB.
(Bog.)
cresc.

Sehr lebhaft.
3 Flöt.
zu 3.
3 Hob.
1.
2. u. 3.
2 Clar.
1.
1 in E.
cresc.
4 Hör.
più cresc.
più f
2 Fag.
1.
2. u. 3.
Tromp. 1. (in E)
(sehr bestimmt)
mf
più f
Basstromp. (in D)
mf
più f
3 Pos.
pcresc.
CB Pos.
p cresc.
Pauk. 1. (A)
poco cresc.
Viol.
più cresc.
più f
Br.
più cresc.
più f
Siegl.
Stamm das Schwert er be - stimmt.
draw the sword from the stem.
glaive au frêne , est plan - té!
Vc.
più cresc.
più f
CB.
più f

Fl.
zu 3
1.u.2.
Hob.
zu 3
1.u.2.
2 Cl.
(E)
4 Hör.
(E)
3. Fag.
Tromp. 1.
Bss Trp. (D)
3 Pos.
CB Pos.
Pauk.
pizz.
(Bog.)
(gestossen)
Viol.
Br.
Siegl.
O
fänd' ich ihn hier und
O
might I to-day find
Puis - sé je le trou-ver, i -
Vc.
CB.
cresc.

2 Fl.
2 Hob.
2 Cl.(B)
4 Hör.(E)
3 Fag.
Viol.
Br.
Siegl.
heut', den Freund, käm' er aus Frem - den zur ärm - sten
here the friend, come from a - far to the sad - dest
- ci, l'a - mi! s'il ac - cou - rait vers la pau - vre
Vc.
CB.

2 Hob.
Hör. 1. u. 2.
2 Fag.
Viol.
Br.
Siegl.
Frau! Was je ich ge-lit - ten in grim-mi-gem
wife: what - e'er I have suf - fered in bit - ter-est
femme! pay - ant mes souf-fran - ces, l'a-tro - ce tour-
Vc. u. CB.
2 Hob.
2 Cl.
Hör. 1. u. 2.
2 Fag.
Viol.
Br.
Siegl.
Leid; was je mich ge - schmerzt in Schan - de und
pain, what - e'er I have borne in shame and dis-
-ment, mes pei - - - nes pas - sé - es, la hon - te et l'af-
Vc. u. CB.
poco cresc.

3 Fl.
2 Hob.
molto cresc.
2 Cl. (B)
molto cresc.
1.u.2. (E)
molto cresc.
4 Hör.
3.u.4. (C)
molto cresc.
3 Fag.
cresc.
più cresc.
Viol.
più cresc.
cresc.
Br.
più cresc.
cresc.
Siegl.
Schmach:-
grace,-
- front;-
süs -
sweet
dou -
Vc. u. CB.
pizz.
più cresc.

2 Hob.
2 Cl.
4 Hör.
3 Fag.
Viol.
Br.
Siegl.
- - -se-ste Ra-che sühn-te dann Al-les. Er-
were my ven-geance, all were a-toned for! Re-
- - ce ven-gean-ce, la-ve l'ou-tra-ge! J'au-
Vc.u.CB.
2 Hob.
Cl.1.
Hör.1.u.2.
2 Fag.
Viol.
Br.
Siegl.
jagt hätt' ich, was je ich ver-lor, was je ich be-weint,
gained were then what-e'er I had lost, and won, too, were then
rai tous mes bon-heurs dis-pa-rus, mes joies tant pleu-rées
Vc.u.CB.
poco cresc.

2 Cl.
p
cresc.
(E)
p
cresc.
4 Hör.
(E)
p
cresc.
3 Fag.
p
cresc.
p
3
cresc.
Viol.
p
cresc.
Br.
p
cresc.
Siegl.
wär' mir ge-won - nen, - fänd' ich den hei - - li-gen-
all I have wept for - found the de - li - - - vering
sont re - con-qui - ses, si j'ai l'a - mi sa-
Vc.
pizz.
p
cresc.
CB.
pizz.
p

2 Fl.
più f
3 Hob.
2 Cl.
4 Hör.
3 Fag.
cresc.
2 Tromp.
(C)
molto cresc.
Viol.
Br.
Siegl.
Freund, um fing' den Hel
friend, my he - ro held
-cré, s'il vient vain - queur
Vc.
(Bog.)
p molto cresc.
CB.
(Bog.)

2 Fl.
2 Hob.
2 Cl. (B)
4 Hör. (E)
3 Fag.
(C)
3 Tromp.
(Es)
Bss Trp. (in Es)
3 Pos.
CB.Pos.
Viol.
Br.
Siegl.
den mein Arm!
in my arms!
dans mes bras!
Siegm.
(mit Gluth Sieglinde umfassend)
Dich
Thee,
Toi,
Vc.
CB.

2 Hob.
cresc.
2 Cl.
cresc.
Hör. 1 u. 2. (in F)
cresc.
3 Fag.
cresc.
1. (in E.)
Tromp.
2. (in E.)
cresc.
3 Pos.
cresc.
più f
Viol.
Br.
Siegm.
se - li - ge Frau hält nun der Freund, dem Waf-fe und Weib be - stimmt.
wo - man most blest, holds now the friend, for weapon and wife de - creed!
femme a - do - rée, sois à l'a - mi, que l'arme et l'a-mante at - tendent!
Vc.
CB.

2 Hob.
Hör. 3. u. 4.
(E)
2 Fag.
2 Tromp. (E)
3 Pos.
Viol.
Br.
Siegm.
Heiss in der Brust brennt mir der Eid, der mich dir Ed - len ver-
Hot in my breast burns now the oath that weds me e - ver to
Rouge en mon sein brûle un ser-ment, par qui nos cœurs sont li-
Vc.
CB.
mf
p
dim.

2 Hob.
Cl 1.
cresc.
p
1.(F)
f
Hör. 3.u.4.
2 Fag.
Viol.
Br.
Siegm.
mählt. Was je ich er-sehnt, er-sah ich in dir; in
thee. What e'er I have sought in thee now I see: in
-és. Mes vœux de ja-dis re-vi-vent en toi, en
Vc.
CB.
2 Hob.
2 Cl.
Hör. 3.u.4. (in E)
2 Fag.
poco a poco cresc.
Viol.
Br.
Siegm.
dir fand ich, was je mir ge-fehlt; lit-test du Schmach, und
thee, all that has failed me is found! Though thou wert shamed and
toi rè-gnent mes rê-ves per-dus! Si tu pleuras, je
Vc.u.CB.
mf

2 Fl.
2 Hob.
2 Cl. (B)
cresc.
(F)
4 Hör.
(E)
cresc.
cresc.
3 Fag.
2 Tromp. (in F)
3 Pos.
Viol.
Br.
Siegm.
schmerzte mich Leid; war ich ge-äch - tet, und warst du ent-ehrt:
woe was my lot; though I was scorned and dis - hon - oured wert thou:
n'ai pas moins souffert; ceux qui m'insul - tent t'ont pris ton hon-neur:
Vc.
cresc.
C.B.
cresc.

2 Fl.
2 Hob.
2 Cl.
(F)
4 Hör.
(E)
3 Fag.
2 Tromp.
3 Pos.
Viol.
Br.
Siegm.
freu - - - - - - - di-ge Ra-che lacht nun den Fro - hen!
joy - - - - - - - ful revenge now laughs in our glad - ness!
fol - - - - - - - le ven-geance rit à nos fê - tes!
Vc.
CB. pizz.
(Bog.)
cresc.
più f
mf

3 Fl.
3 Hob.
3 Cl.
Engl. Hr.
Bs Cl. (B)
(F)
4 Hör.
(E)
3 Fag.
(F)
3 Tromp.
(C)
Bs Tromp.
(Es)
3 Pos.
CBPos.
Viol.
Br.
Siegm.
Auf lach' ich in hei-li-ger Lust,
Loud laugh I in ful-lest de-light,
Viens! tout rit et chante a-vec moi!
Vc.
CB.

2 Fl.
ten.
mf
p
2 Hob.
ten.
mf
p
2 Cl. (B)
ten.
mf
p
(F)
ten.
mf
p
4 Hör.
(E)
ten.
mf
ten.
mf
p
3 Fag.
ten.
mf
p
accel.
p
cresc.
mf
p
molto cresc.
Viol.
p
cresc.
mf
p
cresc.
Br.
p
cresc.
mf
p
cresc.
Siegm.
halt' ich dich Heh - re um-fan - gen, fühl' ich dein
hold-ing em-braced all thy glo - ry, feel - - - - ing the
puis-qu'en mes bras je t'ai sai-si - e, sens mon cœur
Vc.
p
cresc.
mf
p
CB.
p
cresc.
mf
p

3 Fl.

3 Hob.

3 Cl. (B)

Engl. Hr.

(F)

4 Hör.

(E)

3 Fag.

Bs Cl. (B)

Tromp. 3. (C)

3 Pos.

C B.Pos.

ff

molto cresc.
Harfe 1.2.3.
meno f
Harfe 4.5.6.
meno f
Viol.
Br.
molto cresc.
molto cresc.
Siegl.
(Die grosse Thür springt auf.)
(Sieglinde fährt erschrocken zusammen und reisst sich los.)
Ha, wer ging? wer
Ha, who went? who
Ha! qui sort? qui
Siegm.
schla - - gen-des Herz!
beats of thy heart!
bat - - tre sur ton cœur!
Vc.
cresc.
C.B. cresc.
pizz.
Bog.

Fl.1.
meno f
dim.
Fl.2.
meno f
dim.
Fl.3.
meno f
Hob.1.
meno f
dim.
Hob.2.
meno f
dim.
Hob.3.
meno f
meno f
3 Cl.(B)
meno f
dim.
Engl.Hr.
meno f
(F)
meno f
dim.
4 Hör.
(E)
meno f
dim.
meno f
3 Fag.
Bs Cl.(B)
dim.
Hfe 1.2.3.
Hfe 4.5.6.
dim.
dim.
Die Thüre bleibt geöffnet: aussen Frühlingsnacht; der Vollmond leuchtet herein und wirft sein helles Licht auf das Paar, das so sich plötzlich in voller Deutlichkeit wahrnehmen kann.
Siegl.
kam her-ein?
en - tered here?
entre i - ci?

Sehr allmählich etwas langsamer.
Fl.1.
Fl.2.
Fl.3.
Hb.1.
Hb.2.
Hb.3.
3 Cl.
Engl. Hr.
4 Hör.
Fag.1.
Fag.2.
Sehr allmählich etwas langsamer.
dim.
Hfe 1.u.2.
Hfe 4.5.u.6.
Siegm. (in leiser Entzückung)
Kei - - - ner ging; doch Ei - - ner
No one went - but one has
Nul ne sort, quel - qu'un en -

Fl.3.
Hob.3.
Cl.1. (B)
Cl.2. (B)
Engl.Hr.
Fag.1.
Fag.2.
Hfe 1.u.2.
Hfe 4.u.5.
p
6
più p
Siegm.
kam: Sie - - - - - he, der
come: laugh - - - - - ing, the
-tra: vois, le prin -

Fl.1.
p (dolce)
Fl.2.
p (dolce)
Fl.3.
Hb.1.
Hb.2. p (dolce)
Hb.3. p (dolce)
Cl.1.
Cl.2.
Cl.3.
p (dolce)
Engl. Hr.
p (dolce)
Horn 1. (F)
Fag.1. p (dolce)
Fag.2. p (dolce)
Fag.3. p (dolce)
p (dolce)
Bs Cl.
pp
piu p
Hfe 1. (allein)
p
die 4. Harfe (allein)
Hfe 4. u. 5.
pp
Siegm.
Lenz lacht in den Saal.
spring en - ters the hall!
-temps rit dans la salle!

150 151

Mässig bewegt.

Fl. 1. pp (dolce)

Fl. 2. pp (dolce)

Fl. 3. pp (dolce)

Hob. 1. pp

Hob. 2. pp

Cl. 1. (B) pp (dolce)

Cl. 2. (B) pp (dolce)

Cl. 3. (B) pp (dolce)

Engl. Hr. pp

Hr. 1. (F) pp (dolce)

Hr. 2. (tief B) pp (dolce)

Hr. 3. (F)

Hr. 4. (tief B)

27002 a
E. E. 6119

Fl. 1.
Fl. 2.
Fl. 3.
pp
Cl. 1. (B)
Cl. 2. (B)
Cl. 3. (B)
ppp
ppp
Hr. 1. (F)
ppp
Hr. 2. (tief B)
Hr. 3. (F)
Hr. 4 (tief B)
Fag. 1.
pp
ppp
Fag. 2.
pp
ppp
Fag. 3.

Harfe 1.
Harfe 2.
Viol. 1.
Viol. 2.
(mit Dämpfer)
Br.
(mit Dämpfer)
Siegm.
Win - ter-stür - me wi-chen dem Won - ne - mond, — in
Win - ter storms have waned in the moon of May, — with
L'âpre hi - ver a fui le printemps vain-queur, — d'un
Vc.
mf
dim.
pp

E. E. 6119

Viol. 1. (alle)

Viol. 2.

Br.

Siegm.

mil - dem Lich - te leuchtet der Lenz, ___ auf lin - den Lüf - ten
ten - der ra - diance sparkles the spring; ___ on balm - y breez - es,
doux é - clat ray - on - ne l'A - vril; ___ dans l'air lim - pi - de,

Vc.

Viol.

Br.

Siegm.

leicht und lieb - lich, Wun - der we - bend er sich wiegt; durch
light and love - ly, weav - ing won - ders, on he floats; o'er
vol su - a - ve, ses mer - veil - les sont ber - cés; aux

Vc.

Cl. 1. (B)

pp

(zart)

Viol.

Br.

Siegm.

Wald und Au - en weht sein A - them, weit ge - öff - net lacht sein Aug': ___ aus
wood and mea - dow wafts his breath - ing, wide - ly o - pen laughs his eye: ___ in
bois, aux plai - nes, vont ses souf - fles, large ou - vert son œil sou - rit! ___ des

Vc.

Hob.1.
p (sehr zart)
più p
Cl.1.
(immer pp)
Viol.
(immer pp)
Br.
Siegm.
sel'ger Vög-lein San-ge süss er-tönt,— hol-de Düf-te haucht er aus; sei-nem
blithe-some song of birds resounds his voice,— sweetest fragrance breathes he forth: from his
chants d'oiseaux ré-son-nent frais et purs,— l'air ex-hale un doux par-fum; de son
Vc.
(immer pp)
(mit Dämpfer)
CB.
(Bog.)
Hob.1.
Cl.1.
più p
Bss Cl.
pp
Viol.
Br.
Siegm.
warmen Blut ent-blü-hen won-ni-ge Blu-men, Keim und Spross entspriesst seiner Kraft. Mit
ardent blood bloom out all joygiving blossoms, bud and shoot spring up by his might. With
sang brûlant jaillissent des fleurs joy-eu-ses, germe et tige é-cla-tent du sol. Le
Vc.u.CB.
pp

2 Fl.
2 Hob.
2 Cl. (B)
Engl. Hr.
Hör. 1. u. 2. (F)
(1. allein)
2 Fag.
Bss Cl.
Viol.
Br.
Siegm.
zar-ter Waf-fen Zier bezwingt er die Welt;
gen-tle weapon's charm he for-ces the world;
charme fort d'Av-ril sou-met l'u-ni-vers;
Win-ter und Sturm wichen der
win-ter and storm yield to his
vents et fri-mas, tout re-con-
Vc.
pizz.
(immer p)
CB.
pizz.
(immer p)

2 Fl.
2 Hob.
2 Cl.
Engl. Hr.
Horn 1. (F)
2 Fag.
Viol.
Br.
Siegm.
star- ken Wehr: wohl muss - te den tapf-ren Streichen die stren-ge Thü-re auch weichen, die
strong at - tack: as - sailed by his har-dy strokes now the doors are shattered that, fast and de-
- naît son pou-voir: son souf - fle vaillant ren-verse à la fin la porte orgueilleu-se qui
Vc.
CB.
p
cresc.

3. Fl.
Hob. 1.
p
cresc.
mf
1.
Cl. (B)
2.
cresc.
2. u. 3.
p (ausdrucksvoll)
Engl. Hr.
Hör. 1. u. 2. (F)
Hör. 3. u. 4. (E)
Bss Cl. (B)
3 Fag.
pizz.
Viol.
f
Br.
(ohne Dämpfer)
Siegm.
trotzig und starr uns
trenn - te von
ihm.
fi - ant, once held us
part - ed from
him.
nous re - te - nait, nous,
loin de
lui!
Vc.
CB.

3 Fl.
molto cresc.
f
Hob. 1.
p
Hob. 2. u. 3.
3 Cl.
Engl. Hr.
(F)
4 Hör.
(E)
f molto cresc.
Bss Cl.
3 Fag.
Hfe.
mf
Br.
cresc.

3 Fl.
più f
ff
3 Hb.
Engl.H.
3 Cl.
(B)
(F)
4 Hör.
(E)
Bss Cl.
3 Fag.
Hfe.
(ohne Dämpfer)
(Bog.)
Viol.
dim.
Br.
Siegm.
Zu sei - ner Schwe - ster schwang
To clasp his sis - ter hith -
Jusqu' à sa sœur son vol
Vc.
CB.
(Doppelgriffe.)
Bog.

Cl. 1.
Viol.
Br.
Siegm.
er sich her; die Lie-
er he flew; 'twas love
a vo-lé; l'A-mour
Vc.
CB.
cresc.
Hob. 1.
Cl. 1.
Cl. 2.
Harfe 1.
Viol.
Br.
Siegm.
(zart)
-be lock-te den Lenz; in uns-rem
that lur-ed the spring: with-in our
at-ti-re l'A-vril: au fond des
Vc.
CB.
dim.
più p

Hob. 1.
Cl. 1. (B)
Cl. 2. (B)
Fag. 1.
Harfe.
Viol.
Br.
Siegm.
Bu - sen barg sie sich tief: nun lacht sie se - -
bo - soms deep - ly she hid, now gladly she laughs
cœurs l'a - mour se ca-chait; heu-reuse el - le rit
Vc.
C B.
pp
p
cresc.
ten.

3 Fl.
Hob.1 u. 2.
2 Cl.
Engl. Hr.
Hör.
3.(F)
4.(F)
3 Fag.
2. u. 3.
Harfe.
Viol.
Br.
Siegm.
lig dem Licht.
to the light.
vers le jour.
Die
The
La
Vc.
CB.
più f
dim.
ff
mf

3 Fl.
Hob. 1.
Cl. (B)
Engl. Hr.
Hr. 1. (F)
2 Fag.
Bs. Cl. (B)
Harfe.
pizz.
Viol.
pizz.
Br.
Siegm.
bräut - li-che Schwester be-frei - te der Bru - der; zer -
bride and sis - ter is freed by the bro - ther; in
sœur fi - an - cée est sau-vée par son frè - re; l'obs -
Vc.
pizz.
CB. pizz.

Hob.1.
Cl.
1.
Engl.Hr.
Hr.1.
1.u.2.
(weich)
Hr.3.(F)
(weich)
2 Fag.
Bs.Cl.
Harfe.
Viol.
Br.
Siegm.
trüm - mert liegt, was je sie ge - trennt;
ru - in lies what held them a - part;
-ta - cle ancien s'é-croule en dé - bris;
jauch - zend grüsst sich das
joy - ful - ly greet now the
cou - ple joy - eux, ils se
Vc.
(Bog.)
CB.
(Bog.)

Fl. 2 u. 3.
cresc.
Hob. 2 u. 3.
cresc.
Cl. 2 u. 3. (B)
cresc.
Engl. Hr.
cresc.
Hr. 1 u. 2. (F)
1. (allein)
cresc.
Hr. 3. (F)
2 Fag.
cresc.
Bs. Cl. (B)
cresc.
Harfe.
(Bog.)
Viol.
(Bog.)
cresc.
Br.
cresc.
Siegm.
jun - ge Paar ver - eint
lov - ing pair: made one
sont re - con - nus: u - ni -
Vc. u. CB.
pizz.
cresc.

Fl. 2 u. 3.
Hob. 2 u. 3.
Cl. 2 u. 3.
Engl. Hr.
Hr. 1. (F)
Hr. 2. (F)
3 Fag.
Bs. Cl.
Harfe 1.
Harfe 2.
Viol.
Br.
Siegm.
sind Lie - - - - - be und
are love and
- e est l'A - mour à l'A -
Vc.
(Bog.)
C.B.
(immer pizz.)

1.
3 Fl.
p
cresc.
3 Hob.
3 Cl.(B)
Engl. Hr.
Hr. 1. (F)
Hr. 2. (F)
Hr. 3 u. 4. (tief B)
3 Fag.
Bs. Cl. (B)
Harfe 1.
Harfe 2.
Viol.
p (ausdrucksvoll)
Br.
Siegm.
Lenz!
spring!
vril!
Vc.
CB.

3 Fl.
3 Hob.
3 Cl.
Engl. Hr.
Hr. 1. (F)
Hr. 2. (F)
Hr. 3 u. 4. (tief B)
3 Fag.
Bs. Cl.
Harfe 1.
Hfe 2.
Viol.
Br.
dim.
Siegl.
Du bist der
Thou art the
C'est toi l'A
Vc.
CB.
(Bog.)

3 Fl.
3 Hob.
3 Cl.(B)
Engl. Hr.
Hr. 1.
Hr. 2.
(F)
(Es)
Hr. 3 u. 4. (tief B)
3 Fag.
Bs. Cl. (B)
Viol.
Br.
Siegl.
Lenz, nach dem ich ver-lang - te in.
spring that I have so longed for in
-vril rê - vé par mon â - - me, aux
Vc.
CB.
cresc.
dim.
pizz.

1 Hob.
p
3 Cl.
più p
Engl. Hr.
più p
Hr. 1 u. 2.
(F)
p
più p
3 Fag.
più p
Bs. Cl.
p
più p
Viol.
p
più p
Br.
più p
Siegl.
fro - - - sti - gen Win - - - ter's Frist.
frost - - - y win - - - ter's spell.
mois dé - so - lés d'hi - ver.
Vc.
più p
pizz.
CB.
p
più p

2 Fl.
3 Fl.
Hob. 1.
Hob. 2.
Cl. 2 u. 3. (B)
1. u. 2.
Engl. Hr
Hr. 1 u. 2. (F)
Hr. 3 u. 4. (C)
3 Fag.
Viol.
Br.
Siegl.
Dich grüss - te mein Herz mit
My heart greet-ed thee with
Mon cœur t'ac-cuel - lit d'au -
Vc.
CB.
(immer pizz.)
cresc.

3 Fl.
2 Hob.
Cl. 1 u. 2.
Engl. Hr.
Hr. 1 u. 2. (F)
Fag. 1 u. 2.
Bs. Cl.
Viol.
p (weich)
p (weich)
Br.
Siegl.
hei - - li-gem Grau'n, als dein Blick zu-
bliss - - ful-lest dread, as thy look at
-gus - - tes fris - sons, quand tes yeux vers
Vc.
CB.

Hob. 2.
più p
cresc.
dim.
2 Cl. (B)
dim.
Engl. Hr.
Hr. 2 u. 4.
(Es)
p
2 Fag.
dim.
Bs. Cl. (B)
dim.
Viol.
Br.
p
Siegl.
erst mir er blüh
first on me light
moi fleu - ri
Vc.
p
C B.
pizz.
p

Hob. 2.
più p
Cl.
più p
pp
p
Hr. 2 u. 4.
2 Fag.
più p
Bs.Cl.
più p
Viol.
più p
Br.
pizz.
Siegl.
te.
ened.
Vc. rent.
Fremdes nur sah ich von je,
Strange has seem'd all I e'er saw,
Tout pour moi fut é-tran - ger,
p pizz.
Cl.
2 Fag.
Viol.
pizz.
Br.
pizz.
Siegl.
freund-los war mir das Na - he; als hätt' ich nie es ge-kannt,
friendless all that was round me, like far off things and un-known,
sans joie mon en-tou-ra - ge, mon cœur ja-mais ne com-prit,
Vc.
p pizz.

2 Fl.
Cl. 1. (B)
più p
Cl. 2. (B)
più p
Cl. 3. (in A)
p
Hr. 1.
(in E)
p
Fag. 1.
più p
Fag. 2.
più p
Fag. 3.
p
Viol.
(Bog.)
p
Br.
(Bog.)
p
Siegl.
war, was immer mir
all that e-ver came
ce qui vint jus-qu'à
kam.
near.
moi.
Doch
When
Mais
dich
thou
toi
Vc.
(immer pizz.)
CB.
pizz.

2 Fl.
2 Hob.
p
Cl. 3. (A)
Hör. 1. u 2. (E)
p
Fag. 2.
p
Fag. 3.
Viol.
Br.
Siegl.
kannt' ich deut - lich und klar; als mein
cam - - est all was made clear: as my
seul ce cœur t'a re-con - nu: dès l'ins -
Vc.
CB.

2 Fl.
cresc.
2 Hob.
cresc.
Cl.3 (A)
cresc.
2 Hör. (E)
cresc.
Fag. 1.
p cresc.
Fag. 2.
cresc.
Fag. 3.
cresc.
cresc.
dim.
Viol.
cresc.
mf
dim.
Br.
cresc.
dim.
Siegl.
Au - ge dich sah, war'st du mein Ei - - - - - -
eyes on thee fell, mine wert thou on - - - - - -
-tant où tu vins, mien fut ton ê - - - - - -
Vc. (Bog.)
p
cresc.
mf
dim.
CB.
(immer pizz.)
cresc.
mf

2 Fl.
2 Hb.
Cl. 3.
Hr. 1 u. 2. (E)
Fag.
dim.
Allmählig bewegter.
Viol.
Br.
Siegl.
gen; was im Bu - sen ich barg, was ich
ly: all I hid in my heart, all I
-tre: Le se - cret de mon sein, tout mon
Vc.
CB.
(immer pizz.)
Cl. 1 u. 2. (B)
Hör.
1. (F)
2 Fag.
Viol.
Br.
poco cresc.
Siegl.
bin, hell wie der Tag taucht' es mir
am, bright as the day dawned on my
cœur, clair comme l'aube luit à mes
Vc.
CB.
poco cresc.

2 Fl.
mf
p
2 Hob.
2 Cl. (B)
cresc.
Hör. (F)
2. (F)
3 Fag.
Bs. Cl. (B)
Harfe.
cresc.
Viol.
Br.
Siegl.
auf, wie tö - - - - - nen-der Schall
sight, like e - - - - - cho-ing tones
yeux; des sons ont chan-té
Vc.
CB.
(Bog.)

3 Fl. (zu 3)
3 Hob. (zu 3)
2 Cl.
Engl. Hr.
2 Hör. (F)
3 Fag.
Bs. Cl.
Harfe.
più
Viol.
(weich)
cresc.
Br.
Siegl.
schlug's
struck
tels
an mein Ohr,
on my ear,
qu'un é - cho,
als in
as in
quand sur
fro - stig ö - der
win - ter's frost - y
l'âpre et froi - de
Vc.
CB.

2 Fl.
2 Hob.
2 Cl. (B)
1 u. 2. (F)
Hör.
3 u. 4.
(F)
Fag. 1 u. 2 (allein)
Harfe.
Viol.
Br.
Siegl.
Frem - de zu - erst ich den Freund
des - ert my eyes first be - held
ri - ve, tu vins, seul a - mi,
Vc.
CB.
pizz.
(Bog.)
cresc.

2 Fl.
zu 2
cresc.
f
più f
2 Hob.
2 Cl.
Hör.
mf
3 Fag.
più p
Harfe.
Viol.
Br.
(Sie hängt sich entzückt um seinen Hals
und blickt ihm nahe in's Gesicht.)
Siegl.
er - sah'.
the friend.
vers moi!
Vc. u. CB.

2 Fl.
2 Hcb.
2 Cl.(B)
Engl. Hr.
cresc.
Hör.(F)
3 Fag.
Harfe.
Viol.
Br.
cresc.
Siegm. (Mit Hingerissenheit)
O sü - - sseste Won - ne! Se - - ligstes
O sweet - est en-chant - ment! wo - - man most
Su-a - - ves de-li - ces! joie, de mon
Vc. u. CB.
dim.
cresc.

Fl. 1.
cresc.
dim.
Hob. 1.
Cl. (B)
dim.
Engl. Hr.
dim.
ten.
Hör.
Fag. zu 3
1. u. 2.
Viol.
(mit Dämpfern)
Br.
(mit Dämpfern)
(geth.)
(Dicht an seinen Augen)
Siegl.
O lass' in
O let me
Oh! viens, ap -
Siegm.
Weib!
blest!
cœur!
Vc.
(mit Dämpfern)
CB.
(nur die 4 ersten CB.)
pizz.

Fl. 1.
Cl. 1. (B)
Cl. 2. (B)
Cl. 3. (B)
ten.
Hör. (F)
2 Fag.
Viol. 2.
Br.
Siegl.
Nä - he zu dir mich nei - gen,
clo - ser to thee still press me,
-pro - che, ap-pro - che en - co - re,
Vc.
CB.
(nur 4)
pizz.

Fl. 1.
p
1.
p (dolce)
2 Hob.
2.
p (dolce)
Cl. 1.
p
Cl. 2.
p
Cl. 3.
Engl. Hr.
p (dolce)
Hör.
2 Fag.
Viol. 2.
p
p
Br.
Siegl.
dass hell ich schau - e den heh - - - - - ren
and see more clear - ly the ho - - - - - ly
que mieux j'ad - mi - - re le pur é -
Vc.
CB.
(Bog.)
p

Fl. 1.
2 Hob.
3 Cl. (B)
Engl. Hr.
Hör. (F)
2 Fag.
Viol. 2.
Br.
Siegl.
Vc.
CB.
p
cresc.
poco cresc.
pizz.
Schein,
light
-clat,
der dir
that forth
pa - rant
aus Aug'
from eyes
tes yeux,

Fl.
2. u. 3.
dim.
Hob.
3 Cl.
dim.
Engl. Hr.
Hör.
3 Fag.
Viol. 2.
(immer mit Dämpfer)
Br.
pizz.
Siegl.
und Ant - litz bricht und so süss die Sin - ne mir
and face doth break and so sweet - ly sways all my
tes traits si beaux, et qui char - me mes sens sub-ju -
Vc.
pizz.
(immer noch Dämpfer)
CB.

Fl. 2 u. 3.
1.
pp
p (dolce)
2 Hob.
pp
p
(dolce)
3 Cl. (B)
3.
Engl. pp
Hr.
pp
p
Hör. (F)
p
pp
3 Fag.
p
(ohne Dämpfer)
p
Viol.
(immer pp)
Br.
(Bog.)
(immer pp)
Siegl.
zwingt.
sense.
-gués!
Siegm.
In Len - - zes - mond
Be neath spring's moon
La lu - - ne luit,
Vc. (Bog.)
p
CB. pizz.
p
p

Fl. 1.
p
2 Hob.
1.
p
3 Cl.
Engl.Hr.
2 Fag.
3
Viol.
pp
Br.
pp
Siegm.
leuch - - test du hell;
shin - est thou bright;
blan - - che, sur toi,
hehr um - -
wrapped in
frô - - - le le
Vc.
CB.

Fl. 1.
cresc.
1.
poco cresc.
Hob.
2.
p
poco cresc.
poco cresc.
3 Cl. (B)
poco cresc.
Engl. Hr.
poco cresc.
2 Fag.
poco cresc.
poco cresc.
Viol.
poco cresc.
Br.
poco cresc.
Siegl.
web' dich das Wel - - len haar:
glo - - ry of wav - - ing hair:
flot de tes fins che - veux:
Vc.
p poco cresc.
CB.

Fl. 1.
2 Hob.
3 Clar.
Engl. Hr.
2 Fag.
pizz.
Viol.
Br.
Siegm.
was — mich be-rückt, er - rath' — ich nun
what has ensnared me now — well I
tout ce qui m'é-mut s'ex - pli - - que pour
Vc.
pizz.
CB.
mf
dim.

Fl. 1.
1.u.2.
più p
2 Hob.
p (dolce)
Engl.Hr.
3 Clar.(B)
Hr. 1 u. 2. (F)
p (dolce)
p (weich)
Hr. 3. (F)
Hr. 4. (F)
3 Fag.
Viol.
(Bog.)
(ohne Dämpfer.)
pp
Br.
Siegm.
leicht: denn won - - - - - - nig wei - - - - - - det mein
know in rap - - - - - ture feast - - - - - - eth my
moi. su - a - - - - ve, tu char - - - - - - - mes mes
Vc.
CB.
(alle Contrab.)
pizz.

Fl. 1 u. 2.
p (dolce)
Hob. 1.
pp
Engl. Hr.
pp
Cl. 1 u. 2.
p (dolce)
pp
(sehr weich)
Hr. 1 u. 2.
più p
pp
Hr. 3.
più p
pp
Hr. 4.
più p
pp
pp (sehr weich)
3 Fag.
più p
pp
pp
p
(sehr weich)
Viol.
pp
pp
pp
(sehr weich)
Br.
pp
pp
pp
Siegl.
(Sie schlägt ihm die Locken von der Stirn
zurück und betrachtet ihn staunend.)
Wie dir die Stirn so of-fen steht, der A-dern Ge-
How broadly shines thy o-pen brow, the wandering
Combien ton front est large et beau! un sang gé-né-
Siegm.
Blick.
look.
yeux!
Vc.
più p
pp
CB.
più p
pp

2 Clar. (B)
2 Fg.
poco cresc.
Viol.
Br.
Siegl.
äst
veins
-reux
in den Schläfen sich schlingt!
in thy temples en-twine!
à tes tempes fré-mit!
Mir zagt es
I trem-ble
Je trem-ble,
vor der Won-ne,
with the rap-ture
dans l'ex-ta-se
Vc.
CB.
2 Clar. (B)
2 Fag.
Hr. 1. (E)
Hr. 3. (E)
Hr. 2. (E)
Hr. 4. (E)
più p
Viol.
Br.
Siegl.
die mich ent-zückt.
of my de-light!
qui me ra-vit!
Ein Wun-der will mich ge-mah-nen:
A mar-vel wakes my re-membrance:
Pro-di-ge dont je tres-sail-le:
Vc. u. CB.

Fl.
Hob.
Engl. Hr.
Fag. 1 u. 2.
Hr. 1.
Hr. 3.
Hr. 2.
Hr. 4.
Br.
Siegl.
den heut' zu - erst ich er - schaut, mein Au - ge sah dich schon!
my eyes be - held thee of old whom first I saw to - day!
l'a - mi qui vient aujour - d'hui, mes yeux l'ont vu dé - jà!
Vc.
CB.
pp

Fl.
cresc.
p (dolce)
p
Hob.
pp
Clar. (B)
1.
2 u. 3.
(dolce)
Engl. Hr.
pp
Fag. 1 2.
Hr. 3.
(C)
Hr. 2. (E)
Hr. 4.
Fag. 3.
Viol.
Br.
Siegm.
Ein Min-netraum ge-mahnt auch mich: in hei - - ssem Seh - nen
A lovedreamwakes in me thethought: in fier - - y long - ing
L'a-mour rê-vé re - vit pour moi: mes vœux ar - dents te
Vc. u. CB.
27002 a
E. E. 6119

Viol.
dim.
più p
Br.
dim.
più p
dim.
più p
Siegl.
Im Bach' er-
The stream has
J'ai vu dans
Siegm.
sah ich dich schon.
cam'st thou to me!
vi - rent ja - dis!
Vc.u.CB.
dim.
più p
Viol.
pp
Br.
pp
pp
Siegl.
blickt' ich mein ei-gen Bild, und jetzt ge-wahr' ich es
shewn me my pictured face__ and now a - gain I be-
l'on - de mes propres traits,__ et là, ils vi - vent fi -
Vc.u.CB.
pp
Viol.
un poco cresc.
poco cresc.
Br.
poco cresc.
Siegl.
wie-der; wie einst dem Teich___ es enttaucht, bie- - - test mein
hold it: as from the wa - ter it rose, show'st thou my
- dè - les: comme au - tre - fois___ dans les flots, luit mon i -
Vc.u.CB.
poco cresc.

Hob.1.
Hr. 2 u. 4.
(C)
cresc.
3 Fag.
Viol.
Br.
Siegl.
Bild mir nun du!
im - - - age a - new!
-mage en tes traits!
Vc. u. CB.
2 Cl. (B)
Engl. Hr.
Hr. 3 (F)
Hr. 2 u. 4. (C)
più p
dim.
(trem.)
O still!
O hush!
Tais-toi!
Siegm.
Du bist das Bild, das ich in mir barg.
Thou art the im - - - age I held in my heart.
C'est toi l'i - ma - - - ge ca - chée en mon cœur!
Vc.
CB.
più

Engl. Hr.
Hr. 1 (F)
(mit Dämpfer)
Hr. 3 (F)
Hr. 4 (D)
3 Fag.
(nur 8)
Viol.
(nur 8)
Br.
(nur 6)
Siegl. (den Blick schnell abwendend)
lass mich der Stimme lauschen: mich dünkt, ihren Klang
again the voice is sounding: I heard it, methinks,
permets qu'en moi j'écoute: ta voix, autrefois, m'é-
Vc.
(allein)
(nur 6)
Hob. 1. ritenuto a tempo
Clar. 1.
Fag. 1. 2.
(nur noch 4)
(alle) (trem.)
Viol.
(nur noch 4)
Br.
Siegl.
hört' ich als Kind; doch nein! ich hörte sie neulich, als
once as a child but no! of late I have heard it yes,
-mut toute enfant Mais non! naguère encore, quand
Vc.
(nur noch 3)
(alle)
CB.
pizz.
ritenuto a tempo

1.
3 Fl.
(2.u.3.) (zu 2)
Hob.1.
Hob.2.
Hob.3.
Clar.1.(B)
Clar.2.(B)
Clar.3.(B)
Engl.Hr.
Hr.1. (ohne Dämpf.) (F)
Hr.3.
(F)
3 Fag.
Viol.
Br.
Siegl.
mei-ner Stim-me Schall mir wie-der-hall-te der Wald.
when the e-cho's sound gave back my voice in the woods.
de ma voix l'é-cho me fut re-dit par-les bois!
Siegm.
Vc.
CB.
(Bog.)
p f mf cresc. più f più cresc. molto cresc.

3 Fl.
dim.
3 Hob.
3 Clar.
(2. allein)
più p
pp
Engl.Hr.
4 Hör. (F)
dim. p
più p
3 Fag.
Bss Cl. (in A)
Bss Tromp. (D)
pp (aber bestimmt)
Viol.
dim.
Br.
(gut gehalten)
(Sieglinde ihm wieder in die Augen spähend.)
Siegl.
Deines
Thine
Ton re-
Siegm.
lieb- - lichste Lau - te, de- - nen ich lau - sche!
love- - li-est song that sounds as I lis - ten!
chè - re harmo - ni - e, toi — qui me char - me!
Vc.
pizz.
(Bog.)
(nur 4)
(gut gehalten)
CB.

Hr. 1. (E)
Hr. 3. (E)
Hr. 2. (E)
Hr. 4. (E)
Bss Tromp. (D)
poco cresc.
3 Fag.
dim.
Br.
poco cresc.
Siegl.
Au - ges Gluth er - glänz - te mir schon: so blick - te der Greis
eyes' bright glow ere - while on me shone: the stran - ger so glanced,
- gard si clair m'é - mut en ce temps: ain - si du vieil - lard
Vc.
(alle)
CB.
(nur 4) poco cresc.
(4)
accel.
Hr. 1.
più p
Hr. 3.
Hr. 2.
Hr. 4.
Viol.
poco a poco cresc.
Br.
Siegl.
grü - ssend auf mich, als der Trau - ri - gen Trost er gab.
greet - ing the wife, as he soothed with his look her grief.
l'oeil é - tait doux, et rem - pli de pi - tié pour mes pleurs.
Vc. u. CB.

1.2.
poco cresc.
3.4 Hör.
poco cresc.
Viol.
Br.
Siegl.
An dem Blick — erkannt' ihn sein Kind —
By his glance then knew him his child —
Au re-gard son en-fant l'a con - nu
schon wollt' ich beim Na - men ihn
al-most by his name did I
son nom me ve - nait sur les
Vc.
CB.
(alle)
Langsamer.
Belebt.
4 Hr. più cresc.
più cresc.
Engl. Hr.
p
3 Fag.
p tempo I.
accel.
molto cresc.
Viol.
molto cresc.
Br.
molto cresc.
Siegl.
Einhaltend.
nen-nen!
call him!
lè - vres!
Weh-walt heisst du für - wahr?
Weh - walt art thou in truth?
„Weh-walt," est - ce ton nom?
Belebt.
Siegm.
Nicht heiss mich
Ne'er call me
J'en veux chan-
Vc.
più cresc.
CB.
più cresc.

Clar. 1 u. 2. (A)
Hr. 1 u. 2. (E)
Viol.
Br.
Siegl.
Und
And
Et
Siegm.
so, seit du mich liebst; nun walt'ich der hehr - sten Won - nen
so, since thou art mine: now won is the high - est rap - ture!
- ger, puis - que tu m'aimes: ma vie est la joie su - prê - me!
Vc.
CB.
p (dolce)
dim.
pizz.
Clar. 1 u. 2.
Hr. 1.
Fag. 1 u. 2.
Langsamer.
Lebhafter.
Friedmund darfst du froh dich nicht nen-nen?
Friedmund may'st thou glad - ly not name thee?
„Friedmund" dois je, heu - reu - se, te di - re?
Nen - ne mich du, wie du liebst dass ich
Call me, thy - self, as thou wouldst I were
Dis de quel nom il te plaît qu'on m'ap-
Vc. (allein)
pp

Mässig.
4 Hör. (F)
(dolce)
Viol.
dim.
Br.
più p
Siegm.
heisse: den Na- - men nehm' ich von dir.
called: my name I take but from thee!
-pel - le: ce nom— me vien - ne de toi!
Vc.
CB.
(Bog.)
(E)
Siegl.
Doch nanntest du Wolfe den Va-ter?
Yet calledst thou Wolfe thy father?
Tu dis que le Loup fut ton pè-re?
Ein Wolf war er fei-gen Füchsen; doch dem so
Wolf was he to fearful foxes! But he whose
Un Loup aux renards qui tremblent! Mais lui, dont

4 Hör.(E)
poco cresc.
poco cresc.
Viol.
poco cresc.
poco cresc.
Br.
poco cresc.
Siegm.
stolz strahl - te das Au - - ge, wie, Herr-li-che, hehr dir es
eye proud - ly did glis - - - ten, as, fair-est one, glis - tensthine
l'œil plein de lu - miè - - re, en l'œil ai-mé luit de-vant
Vc.u.CB.
poco cresc.
Lebhafter.
(E)
4 Hör.
(E)
Pos.
Lebhafter.
Viol.
Br.
Siegl.
Siegl. (ausser sich)
War
Was
Si
Siegm.
strahlt, der war: Wäl - - - - se ge - nannt.
own, of old, Wäl - - - - se was named.
moi, a-vait: Wäl - - - - se pour nom!
Vc.u.CB.

4 Hör. (F)
Viol.
Br.
Siegl.
Wäl - se dein Va - ter, und bist du ein Wäl - sung; stiess er für dich sein
Wäl - se thy fa - ther, and art thou a Wäl - sung? Struck was for thee the
Wäl - se est ton pè - re, tu es donc un Wäl - sung, c'est toi qu'attend au
Vc. u. CB.
Fl. 1.
Hob. 1 u. 2.
Hob. 3.
Clar. 1 u. 2. (in A)
Engl. Hr.
Hr. 3 u. 4. (E)
3. (allein)
3 Fag.
Viol.
Br.
Siegl.
Schwert in den Stamm — so lass' mich dich hei - ssen wie ich dich lie - be: —
sword in the stem, so let me now name thee as I have loved thee:
frê - ne le fer — en - fin je te nom - me comme je t'ai - me:
Vc. u. CB.
poco cresc.
più cresc.
cresc.

Sehr schnell.
Fl. 1.
1.u.2.
Fl. 3.
3 Hob.
3 Clar. (A)
Engl. Hr.
4 Hör. (E)
3 Fag.
Viol.
pizz.
Sehr schnell.
(Bog.)
Br.
Siegl.
Sieg - mund, so nenn' ich dich!
Sieg - mund, so name I thee!
Sieg - mund, tel est ton nom!
(Siegmund springt auf.)
Vc.
CB.

3 Fl.
3 Hb.
3 Cl.
4 Hr.
3 Fag.
Trp. 1 (in E)
(bestimmt)
Bss Trp. (D)
Pos. 1 (allein)
(bestimmt)
Viol.
Br.
Siegm.
Sieg - - mund heiss' ich, und Sieg - - mund
Sieg - - mund call me for Sieg - - mund
Sieg - - mund dis - je, et Sieg - - mund
Vc.
CB.

3 Fl.
3 Hob.
3 Clar. (A)
(E)
4 Hör.
(E)
3 Fag.
Bss Trp. (D)
(bestimmt)
Viol.
Br.
Siegm.
bin ich! Be - zeug' es diess Schwert, das zag - los ich hal - te:
am I! Be wit - ness this sword I hold now un - daunted!
suis - je! ma preuve est l'é - peé, que j'o - se re - prendre!
Vc. (allein)
dim.
p

Trp. 2 (in F)
Bstr.
Hr. 3 (allein)
(bestimmt)
p
Viol.
p fp fp
Br.
p fp fp
Siegm.

Wäl - se ver- hiess mir in höch - ster Noth fänd' ich es
Wäl - se fore-told me in sor - est need this should I
Wäl - se m'en ar - me au jour du dan - ger, telle elle at -

Vc. u. CB.
p fp fp

Trp. 2.
(bestimmt)
cresc. f
4 Hör. (F)
f
3 Fag.
f
Viol. cresc.
ff sf
cresc.
ff p cresc. sf
Br.
cresc. ff p cresc. sf
Siegm.

einst; ich fass' es nun!
find: I grasp it now!
- tend: ma main l'é - treint!

Vc. u. CB.
molto cresc. ff sf

2 Ten. Tub. (Es)
2 Bss Tub. (B)
CB Tub.
Viol.
Br.
Siegm.
Hei - lig - ster Min - ne höch - ste Noth, seh - nen - der Lie - be seh - ren - de
Ho - li - est love's most high - est need, love - long - ing's pierc - ing pas - sion - ate
D'un saint a - mour su - prême an - goisse, d'un âpre a - mour ar - den - te dé -
Vc. u. CB.
4 Tub.
CB Tub.
Viol.
Br.
Siegm.
Noth, brennt mir hell in der Brust, drängt zu That und
need, burn - ing bright in my breast, drives to deeds and
tresse, brû - le claire en mon cœur, gronde au duel de
Vc. u. CB.

4 Tub.
CB Tub.
Viol.
Br.
Siegm.
Tod: Noth - ung! Noth - ung! so nenn' ich dich Schwert:
death: No - thung! No - thung! so name I thee, sword,
mort „No - thung!" „No - thung!" ce nom soit le tien
Vc.u.CB.
4 Tub.
CB Tub.
Viol.
Br.
Siegm.
Noth - ung! Noth - ung! neid - li - cher Stahl! Zeig' dei - ner
No - thung! No - thung! con - quer - ing steel! Shew now thy
„No - thung!" „No - thung!" glai - ve rê - vé! Mon - tre ta
Vc.u.CB.

(Es)
4 Tub. (B)
CB Tub.
Viol.
Br.
Siegm.
Schär - fe schnei - den-den Zahn! Her - aus aus der Schei - de zu
bit - ing se - ver-ing blade! come forth from thy scab - bard to
la - me, fer dé - vo - rant: jail - lis de la gai - ne, à
Vc.
CB.
Hr. 3 u. 4. (E)
Trp. 1. 2. (E)
molto cresc.
molto cresc.
(die 2. allein)
4 Tub.
1. u. 2. Bss Tub.
Harfe 4. 5. u. 6.
(zu 3)
più f
Viol.
molto cresc.
Br.
molto cresc.
Siegm.
molto cresc.
mir!
me!
moi!
Vc.
CB.
molto cresc.

Mässig schnell.
Fl.1.u.2.
Fl.3.
Hb.1.
Hb. 2.u.3.
4 Hr. (E)
Trp. 1 u. 2. (E)
Trp. 3 (in C)
Btr.
(D)
3 Pos.
CB Pos.
4 Tub.
Pauk. (C) Mässig schnell.
(zu 3)
Hrf. 1 2 u. 3.
Hrf. 4 5 u. 6.
Viol.
Br.
(Siegmund zieht mit einem gewaltigen Zuck das Schwert aus dem Stamme, und zeigt es der von Staunen und Entzücken erfassten Sieglinde.)
Vc.
CB.
Mässig schnell.
cresc.

218 219

3 Fl.

f *più f*

3 Hob.

f *più f*

4 Hör. (E)

f *più f*

1. u. 2. Trp. (E)

ff *dim.* *p*

3. Trp. (C)

ff *dim.* *p*

Btr. (D)

ff *dim.*

3 Pos.

ff *dim.* *p*

CB Pos.

Pk. *ff* *tr*

27002 a

E. E. 6119

220 221

3 Fl.

Cl. 1. (A)

Cl. 2. u. 3. (A)

3 Fag.

Bss Cl. (A)

2 Trp. (E) (E) (bestimmt)

Bstrp. (D)

3 Pos.

Pk. (E) *tr*

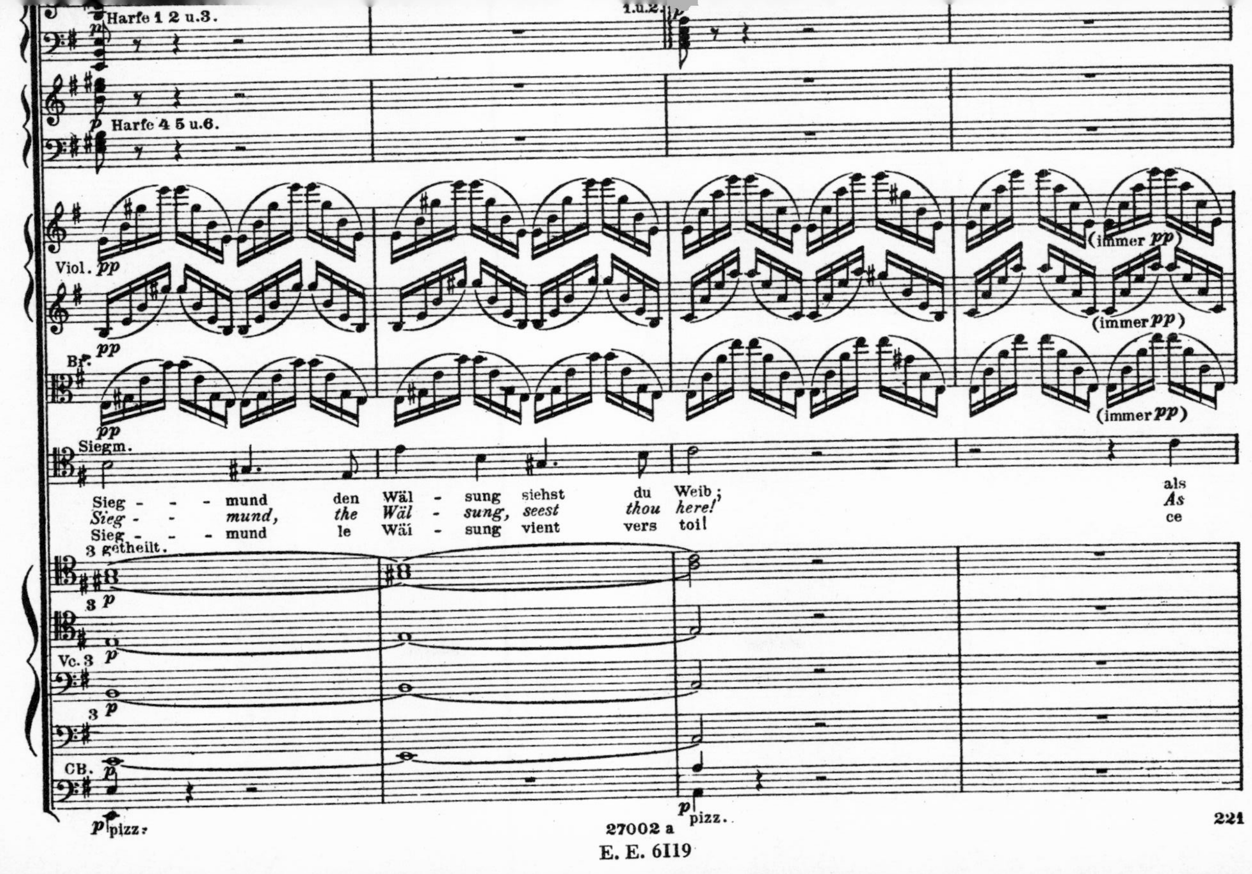
Harfe 1 2 u.3.
1.u.2.
Harfe 4 5 u.6.
Viol.
(immer pp)
(immer pp)
Br.
(immer pp)
Siegm.
Sieg - - - mund den Wäl - sung siehst du Weib; als
Sieg - - mund, the Wäl - sung, seest thou here! As
Sieg - - mund le Wäl - sung vient vers toi! ce
3 getheilt.
Vc. 3
CB.
pizz.
pizz.

Fl.1.u.2.

Hob.1.

Hob.2.

4 Hor. (E)

Bss.Cl.(A)

1.(E)

3 Tromp.

2.(E)

Bsstrp.(D)

3 Pos.

Harfe.

2 Pauk. p (Fis) tr p

Viol.

Br.

Siegm.

Braut - - - ga - - be bringt er dies Schwert. So

bride - - - gift he brings thee this sword, so

glaive est son ga - - - ge d'a - - mour: l'a - -

p p p Vc. p p pizz.

CB. p pizz. p pizz. pizz.

3 Fl.
1. u. 2.
3 Hb.
1. u. 2. (A)
3 Cl. (A)
Hr. 3. (allein) (E)
3 Fag.
Bs Cl. (A)
1. (E)
3 Tromp.
3. (in E)
Bstr. (D)
3 Pos.

Harfe. 1 u. 2.

Pk. 1. (H) tr

p

Viol.

Br.

Siegm.

freit er sich die se - - - - - lig - ste Frau; dem

wins for him the wo - - - - - man most blest; from

- mant conquiert l'a - mante ———— ain - si; il

p

p

Vc.

p

p pizz.

p

CB. pizz.

p

pizz.

pizz.

(2. allein)

3 Fl.

3 Hb.

3 Cl.(A)

4 Hör.(E)

3 Fg.

Bs Cl.(A)

(2. allein)

3 Tromp.(E)

Bstr.(D)

27002 a

E. E. 6119

228 229 1. u. 2. (zus.)

p(dolce)

3 Fl.

pp

pp

tr

pp

3 Hb. p

p(dolce)

pp

3 Cl.(A)

pp

p(dolce)

1. (allein)

p(dolce)

pp

4 Hör. (E) pp

3. (allein)

pp

pp

3 Fag.

pp

Bs. Cl.(A)

pp

pp

3 Tromp.(E)

3. (E)

27002 a
E. E. 6119

3 Fl.

3 Hb.

Cl. 3.(A)

4 Hör.(E)

3 Fg.

Bs Cl.(A)

1.(E)

Tromp.(E)

pp

dolce

Bs tr.(D)

Harfe.
Viol.
Br.
Siegm.
Len - - - - zes la - - chen - des Haus! Dort schützt dich
laugh - - - - ing house of spring: there guards thee
-lais ri - ant du prin - - temps, gar - dée par
(geth.)
(geth.)
p
p
p
p
Vc.
CB.

232 233
3 Fl.
cresc.
cresc.
3 Hb.
cresc.
Engl. Hr.
p
cresc.
p
cresc.
3 Cl.(A)
p
cresc.
(E)
4 Hörn.(E)
p
cresc.
9.(allein)
p cresc.
3 Fag.
cresc.
Bs Cl.(A)
cresc.
cresc.
Tromp. 1.(E)
Tromp. 3.(E)

27002 a
E. E. 6119

3 Fl.
3 Hb.
Engl. Hr.
3 Cl.(A)
Hr. 1.2.(E)
Hr. 3.(E)
3 Fag.
Bs Cl.(A)
f
dim.
p
più p
pp

27002 a
E. E. 6119

2 Hob. Sehr belebt.
Cl. 1. u. 2.
(A)
(E)
p
cresc.
Hör.
(E)
p
cresc.
3 Fag.
p
cresc.
Sehr belebt.
p cresc.
Viol.
fp cresc.
Br.
fp cresc.
Siegl. (reisst sich in höchster Trunkenheit von ihm los und stellt sich ihm gegenüber.)
Bist du Sieg-mund, den ich hier se - he:
Art thou Sieg-mund, standing be - fore me?
Est ce Sieg-mund que je con - tem - ple,
Siegm. (Er hat sie umfasst, um sie mit sich fort zu ziehen.)
lag.
love.
-cu.
Vc.
CB. (Bog.)
fp

2 Fl.
cresc.
2 Hob.
cresc.
2 Cl.
cresc.
Hör.
cresc.
3 Fag.
cresc.
Viol.
cresc.
molto
Br.
molto
Siegl.
Sieg - - - - - lin-de bin ich, die dich er-sehnt: die
Sieg - - - - - lin-de am I, who for thee longed: thine
Sieg - - - - - lin-de suis-je, qui t'at-ten-dais: ta
Vc. u. CB.
molto cresc.

Immer schneller.
2 Fl.
(zu 3)
più f
f
2 Hb.
(zu 2)
più f
f 3
Cl.(A)
(zu 2)
più f
f 3.
più f
Hörn.(E)
più f
più f
3 Fag.
più f
Immer schneller.
molto cresc.
Viol.
cresc.
Br.
cresc.
Siegl.
(Sie wirft sich ihm an die Brust.)
eig' - ne Schwester gewannst du zu eins mit dem Schwert!
own twin sis- ter thou win-nest at once with the sword!
pro - pre sœur est à toi, comme à toi est l'é - pée!
Vc. u. CB.

3 Fl.
3 Hb.
3 Cl.
Hör.
2 Fag.
Viol.
Br.
Siegm.
Braut und Schwe - - ster
Bride and sis - - ter
Sœur, é - pou - - - se,
Vc.u. CB.
3 Fl.
3 Hb.
3 Cl.
Hör.
2 Fag.
Viol.
Br.
Siegm.
bist du dem Bru - - - - der so blü - he denn
be to thy bro - - - - ther: then flour - ish the
sois à ton frè - - - - re! fleu - ris - se donc,
Vc.u.CB.
più f
ff

(zu 2)
2 Fl.
3 Hb.
1. u. 2. (allein)
(zu 2)
3 Cl.(A)
1. u. 2. (allein)
(zu 2)
Hör(E)
3 Fag.
Tromp. (E)
1. u. 2.
Bs tromp. (D)
3 Pos.
(zu 3)
CB. Pos.
2 Ten. Tub. (Es)
2 Bs Tub. (B)
Viol.
ff (wüthend)
ff (wüthend)
Br.
Siegm.
(Er zieht sie mit wüthender Gluth an sich.)
Wäl-sun-gen Blut!
Wälsungs for aye!
Wäl-se, ton sang!
Vc. u. CB.

Fl.1.
Fl.2.
Fl.3.
Hb.1.
Hb.2.
Hb.3.
Cl.1.
Cl.2.
Cl.3.
Engl.Hr.
Hör.
3 Fag.
Tromp.1.u.2.
Tromp.3.
Bstromp.(D)
3 Pos.
CB.Pos.
(Der Vorhang fällt schnell.)
Viol.
Br.
Vc.u.CB.

Fl. 1.
Fl. 2.
Fl. 3.
Hb. 1.
Hb. 2.
Hb. 3.
Cl. 1.
(A)
Cl. 2.
(A)
Cl. 3. (A)
Engl. Hr.
Hör. (E)
3 Fag.
3 Pos.
CB. Pos.
3. (allein)
Pk. 1. (D)
Viol.
(immer ff)
(immer ff)
Br.
Vc.
CB.

Fl. 3.
più f
Hb. 1.
più f
Hb. 2.
più f
Hb. 3.
più f
Cl. 1.
più f
Cl. 2.
più f
Cl. 3.
Hr. 1.
più f
Hr. 2.
più f
Hr. 3.
più f
Hr. 4.
più f
più f
3 Fag.
più f
Pos. 3.
più f
CB. Pos.
più f
Pauk.
tr
più f
più f
Viol.
più f
Br.
più f
Vc.
più f
C B.
più f

Ende des 1ten Aufzuges.

Zweiter Aufzug.

Vorspiel und erste Scene.

1.
3 Fl.
2. 3.
ff
3 Hb.
ff
f
ff
f
3 Cl. (B)
ff
f
Engl. Hr.
ff
f
ff
f
Hör.
(F)
ff
f
ff
f
3 Fag.
ff
f
Bs Cl.
(B)
ff
f
Tromp. 1. (F)
ff
Bs Tromp. (D)
ff
ff
Viol.
f
ff
f
ff
f
Br.
ff
f
Vc.
ff
mf
CB.
ff
mf

3 Fl.
3 Hb.
3 Cl.
Engl. Hr.
Hör.
3 Fag.
Bs Cl.
Tromp. 1.
Bs Tromp.
Viol.
Br.
Vc.
CB.
più f
ff
dim.

Fl. 1.
Fl. 2. u. 3.
Hb. 1.
1. u. 2. (zus.)
più f
Hb. 2. u. 3.
Cl. 1. u. 2. (B)
mf
Cl. 3. mf (B)
mf
mf
più f
mf
più f
Hör. (F)
mf
mf
più f
3 Fag. mf
Bs Cl. mf (B)
mf
Tromp. 1. (F)
f
meno f
più f
ff
Viol.
meno f
più f
ff
Br.
meno f
più f
ff
Vc.
meno f
più f
CB.
meno f
più f

Hb. 1. u. 2.
meno f
più f
3 Cl.
Engl. Hr.
più f
Hör.
meno f
più f
meno f
più f
3 Fag.
meno f
più f
Tromp. 1.
mf
meno f
più f
Viol.
dim. meno f
più f
Br.
dim. meno f
più f
Vc. u. C B.
dim. meno f
più f

Fl. 1. u. 2.
cresc.
(zu 2)
3 Hob.
3 Cl. (B)
Engl. Hr.
Hör. (F)
3 Fag.
Bs Cl. (B)
Tromp. 1. (F)
Bs tromp. (D)
Viol.
Br.
Vc. u. CB.

Fl.1.u.2.
3 Hob.
3 Cl.
Engl.Hr.
Hör.
3 Fag.
Bs Cl.
Tromp.1.
Bs tromp.
Viol.
Br.
Vc.u.CB.
più f
dim.
p
più p

Hb. 1.
p
cresc.
Cl. 1. (B)
cresc.
Engl. Hr.
cresc.
(F)
p
cresc.
Hör.
(C)
p
cresc.
Fag. 1.
p
cresc.
Pauk. 1. (G)
tr
pp
poco
cresc.
p
p
cresc.
Viol.
p
p
cresc.
Br.
p
cresc.
Vc.
p
p
CB.
p
pizz.
p

(zu 2)
Fl. 1.
cresc.
f
Hb. 1.
Hb. 2. u. 3.
f
Cl. 1.
f
Cl. 2. 3.
f
Engl. Hr.
f
f
Hör.
(F)
f
Fag. 1.
f
Fag. 2. 3.
cresc.
f
Bs Cl.
f
Tromp. 1. (F)
f
Tromp. 2. (F)
f
Bs Tromp.
(D)
f
Pauk.
tr
tr
tr
f
Viol.
f
f
Br.
f
Vc.
cresc.
f
CB.
cresc.
(Bog.)
f

3 Fl.
3 Hb.
3 Cl.(B)
Engl. Hr.
Hör. (F)
3 Fag.
Bs Cl.(B)
Tromp. 1.(F)
Tromp. 2.(F)
Tromp. 3.(C)
Bs Tromp. (D)
Viol.
Br.
Vc.
CB.
più f
ff
f

3 Fl.
3 Hb.
3 Cl.
2.u.3.
(zu 2)
Engl. Hr.
Hör.
1.u.2.
3 Fag.
3.(allein)
Bs Cl.
Tromp. 1.(F)
Tromp. 2.(F)
Tromp. 3.
(F)
Bs Tromp.
Viol.
Br.
Vc.
CB.
ff
f
più f

(immer ff)
3 Fl.
(immer ff)
(immer ff)
3 Hb.
(immer ff)
(immer ff)
3 Cl.(B)
(immer ff)
Engl. Hr.
(immer ff)
Hör.(F)
(immer ff)
(immer ff)
(immer ff)
3 Fag.
(immer ff)
Bs Cl.(B)

(immer ff)
Tromp. 2. (F)
Tromp. 3. (F)
Bs Tr. (D)
f
Ten. Tub. 1. u. 2. (Es)
(zu 2)
f p cresc. f
Bs Tub. 1. u. 2. (B)
(zu 2)
p cresc. f
CB. Tub.
f
Pauk. 1 (C)
f p cresc. f
(immer ff) ff
Viol.
(immer ff) ff
Br.
(immer ff) ff
Vc. u. CB.
(immer ff) ff

3 Fl.

3 Hb.

3 Cl.(B)

Engl. Hr.

Hör. (F)

3 Fag.

Bs Cl.(B)

Tromp. 2. (F)
più f
Tromp. 3. (F)
più f
Bs Tr. (D)
f
più f
Ten. Tub. 1. u. 2. (Es)
p
cresc.
f
Bs Tub. 1. u. 2. (B)
p
cresc.
f
CB. Tub.
più f
Pauk. 1 (C)
p
cresc.
f
Viol.
ff
ff
Br.
ff
Vc. u. CB.
ff

3 Fl.
3 Hb.
3 Cl. (B)
Engl. Hr.
Hör. (F)
3 Fag.
Bs Cl. (B)
ff

27002 b
E. E. 6119

3 Fl.
3 Hb.
3 Cl. (B)
Engl. Hr.
Hör. (F)
3 Fag
Bs Cl. (B)
Tromp. 1. (in E)
Tromp. 2. (F)
Tromp. 3. (F)
(in E)
(in E)
ff
p

27002 b

E. E. 6119

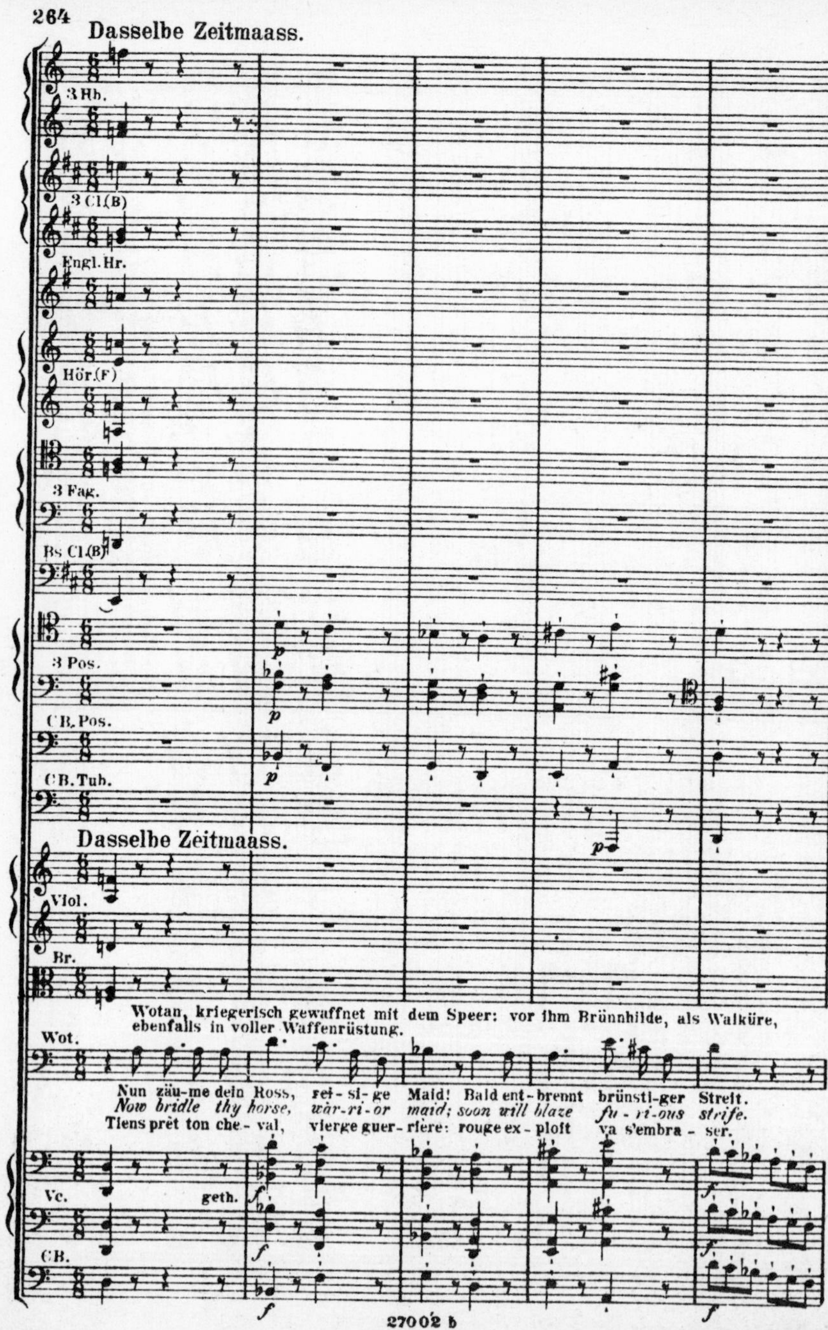
Dasselbe Zeitmaass.
3 Hb.
3 Cl.(B)
Engl. Hr.
Hör.(F)
3 Fag.
Bs Cl.(B)
3 Pos.
CB. Pos.
CB. Tub.
Dasselbe Zeitmaass.
Viol.
Br.
Wotan, kriegerisch gewaffnet mit dem Speer: vor ihm Brünnhilde, als Walküre, ebenfalls in voller Waffenrüstung.
Wot.
Nun zäu-me dein Ross, rei-si-ge Maid! Bald ent-brennt brünsti-ger Streit.
Now bridle thy horse, wår-ri-or maid; soon will blaze fu-ri-ous strife.
Tiens prêt ton che-val, vierge guer-rière: rouge ex-ploit va s'embra-ser.
Vc.
geth.
CB.

3 Pos.
CB. Pos.
CB. Tub.
Wot.
Brünn - hil - de stür - me zum Kampf;
dem Wäl - sung kie - se sie Sieg!
Brünn - hil - de, haste to the fray,
to shield the Wälsung in fight!
Brünn - hil - de vole au com - bat!
le Wäl - sung soit le vain - queur!
Vc.
CB.
Bs tromp. (D)
3 Pos.
CB. Pos.
Wot.
Hun - ding wäh - le sich,
wem er ge - hört;
nach Wal - hall
taugt er mir
There let Hunding go,
where he be - longs;
in Wal - hall
want I him
Hund - ing soit don - né
à qui l'at - tend!
le Wal - hall
n'est pas pour
Vc.
pizz.
(geth.)
CB.
(nur 4)
pizz.

Bs tromp. (D)
3 Pos.
CB. Pos.
Wot.
nicht. Drum rü - stig und rasch rei - te zur
not. Then rea - dy and fleet, ride to the
lui. Donc prompte et har - die, cours au com-
Vc.
Bog. cresc.
CB.
(alle) cresc.
più f
2 Fl.
(zu 2)
1.
Hob.
2. (allein)
3 Cl. (A)
(2. u. 3.)
Viol.
Br.
Wot.
Brünnhilde. (jauchzend von Fels zu Fels die Höhe rechts hinaufspringend.)
Wal!
field.
-bat!
Vc. u. CB.
(zus.)

3 Hob.
2.u.3.
3 Cl.(A)
Engl.Hr.
4 Hör.(E)
3 Fag.
Bs tromp.(D)
Viol.
Br.
Br.
Ho-jo-to-ho! Ho-jo-to-ho! Heia - ha! Heia-
Ho-ïo-to-ho! Ho-ïo-to-ho!
Vc.u.CB.

3 Fl. *f*

3 Hob. *f* *ff* *mf*

3 Cl.(A) *f* *ff* *mf*

Engl.Hr. *f* *ff* *mf*

Hör.(E) *f* *ff* *mf*

1. 3 Fag. *f* *ff* *mf*

2.3. *f* *ff* *mf*

Bs Cl.(A) *f*

I[a] tromp.(D) *mf* *più f*

Viol. *f*

Br. *f*

Br.

ha! ——— Ho-jo-to-ho! ——— Ho-jo-to-ho! ——— Hei-a-

Ho-jo-to-ho! ——— Ho-jo-to-ho! ———

Vc.u.CB. *ff* *f*

3 Fl.
3 Hb.
3 Cl.
Engl. Hr.
Hör.
3 Fag.
Bs Cl.
2 Tromp. (E)
Bs Tromp. (D)
Viol.
Br.
Br.
ha! Hei-a - ha!
Ho-jo-to-ho!
Ho-io-to-ho!
Vc.
CB.
cresc.
1. u. 2.
3.
cre-

3 Fl.

3 Hb.

3 Cl. (A)

Engl. Hr.

Hör. (E)

1. u. 2.

3 Fag.

3.

Bs Cl. (A)

2 Tromp. (E)

Bs Tromp. (D)

Viol.

Br.

Br.

Vc.

CB.

scen - - - do

cresc.

Ho-jo-to-ho! Ho-jo-to-ho! Ho-jo-to-ho!

Ho-io-to-ho! Ho-io-to-ho! Ho-io-to-ho!

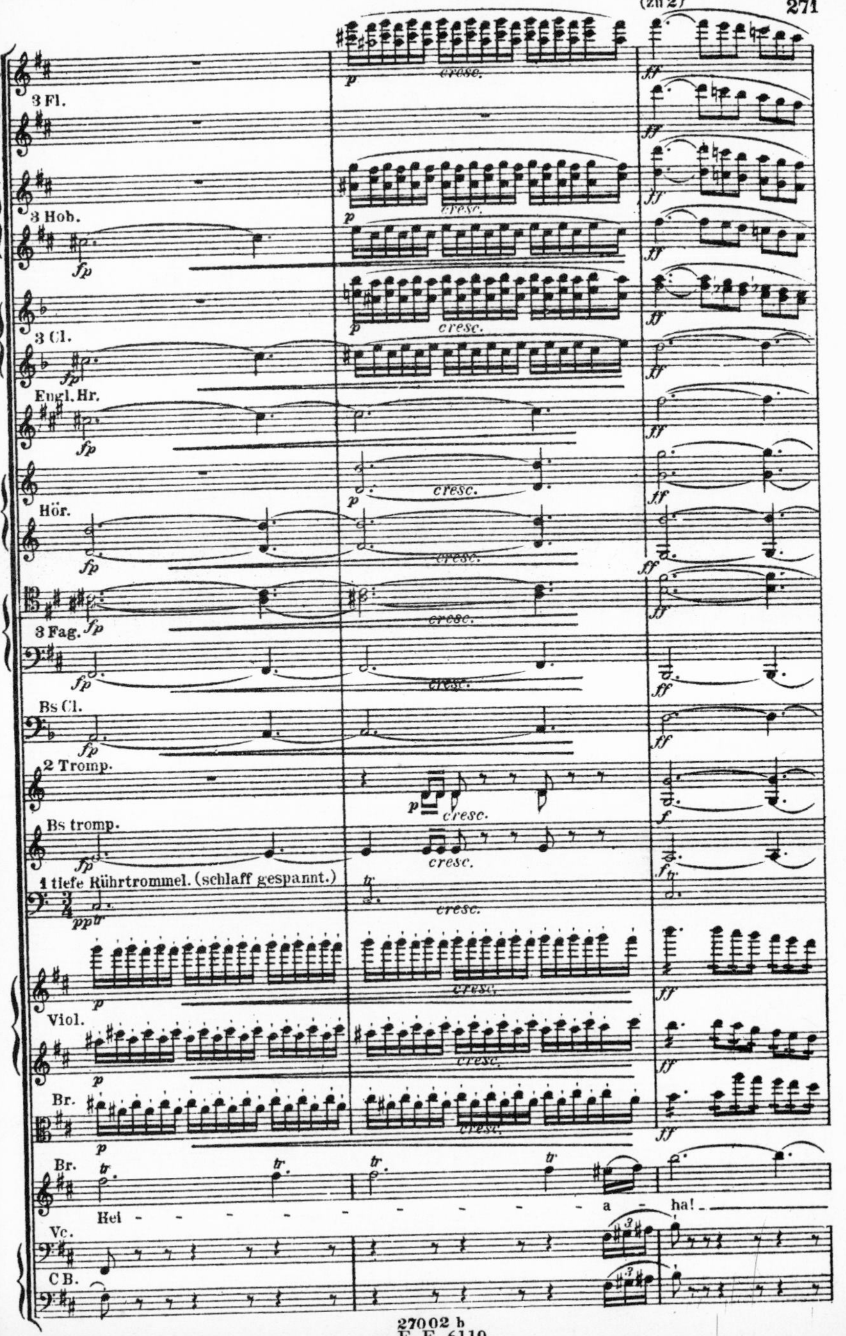
(zu 2)
3 Fl.
cresc.
3 Hob.
3 Cl.
Engl. Hr.
Hör.
3 Fag.
Bs Cl.
2 Tromp.
Bs tromp.
1 tiefe Rührtrommel. (schlaff gespannt.)
Viol.
Br.
Br.
Hei - - - - - - - - a - ha!
Vc.
CB.

zu 2
3 Fl.
3 Hob.
3 Cl. (A)
Engl. Hr.
Hör.
(E)
3 Fag.
Bs Cl. (A)
2 Tromp. (E)
Bs tromp. (D)
Rührtr.
più f
dim.
dim.
Pauk. 1. (G. u. A.)
pp
Viol.
Br.
Br.
ha!
Ho - ho - ho!
Ho - ho - ho!
Vc. u. CB.
ff

Dasselbe Zeitmaass.

274
Hob. 1.
Engl. Hr.
2 Fag.
Pauk. 1.
Pauk. 2. (H)
(G)
Viol.
Br.
Br.
cresc.
schwingt! Die ar - men Thie-re äch - zen vor Angst; wild rasseln die
scourge! The wretched beasts are groaning with fear; wheels furious-ly
d'or! Les pauv - res bê - tes tremblent de peur; fort grondent les
Vc. u. CB.
2 Hob.
Engl. Hr.
2 Fag.
Pauk. 1.
Pauk. 2.
(H)
Viol.
Br.
Br.
Rä-der: zor - nig fährt sie zum Zank!
rat-tle; fierce she fares to the fray.
roues, dur s'annon - ce l'as - saut!
Vc. u. CB.
più f
27002 b
E. E. 6119

Hb. 1.u.2.
Engl. Hr.
2 Fag.
Pauk. 2.
Viol.
Br.
Br.
In sol-chem Strausse streit' ich nicht gern, lieb' ich auch mu-thi-ger Män-ner
In strife like this I take no de-light, sweet though to me are the fights of
Pa-reil-le lut-te n'est pas mon fait, moi qui me plais aux vi-rils com-
Vc.
CB.
1.u.2.(E)
Hör.
3.u.4.(E)
Viol.
Br.
Br.
Schlacht; d'rum sieh wie den Sturm du be-stehst: ich Lu-sti-ge lass' dich im
men; then take now thy stand for the storm: I leave thee with mirth to thy
bats: voy-ons ta dé-fense à l'as-saut, l'es-piè-gle te lais-se en
Vc.

Fl. 1.u.2.

Hob. 1.

Hob. 2.

Hob. 3.

Cl. 1.(A)

Cl. 2.(A)

Cl. 3.(A)

Engl. Hr.

Hör. (E)

Fag. 1.u.2.

Bs tromp. (in D)

mf piùf

Viol.

p cresc.

Br.

Br.

Stich! fate. plan!

Ho-jo-to-ho! — Ho-jo-to-ho! — Hei-a-

Ho-Yo-to-ho! — Ho-Ÿo-to-ho! —

Vc. u. CB.

Zus.

Fl. 1.
Fl. 2 u. 3.
Hob. 1.
Hob. 2 u. 3.
Clar. 1.
Clar. 2 u. 3.
Engl. H.
Hör.
Fag. 1.
Fag. 2 u. 3.
Bs. Clar. (in A)
Bs. tromp. (in D)
Viol.
Br.
Brünnh.
ha!
Hei-a - ha!
Ho-jo - to - ho!
Ho-jo - to - ho!
Vc. u. CB.
cresc.
più

Fl. 1.
Fl. 2 u. 3.
Hob. 1.
Hob. 2 u. 3.
Clar. 1. (A)
Clar. 2 u. 3. (A)
Engl. H.
Hör. (E)
3 Fag.
Bs. Clar. (A)
Bs. tromp. (D)
Viol.
Br.
Brünnh.
Ho-jo-to-ho Hei-a - ha! Hei-a - ha!
Ho-ïo-to-ho
Vc.
CB.
cresc.

Fl.1.
Fl.2 u.3.
Hob.1.
Hob.2 u.3.
Clar.1.
Clar.2 u.3.
Engl.H.
Hör.
Fag.1.
Fag.2 u.3.
Bs.Clar.
2 Tromp.(E)
Bs.tromp.
Viol.
Br.
Brünnh.
Ho-jo-to-ho! Ho-jo-to-ho! Ho-jo-to-ho! Ho-jo-to-ho!
Ho-io-to-ho! Ho-io-to-ho! Ho-io-to-ho! Ho-io-to-ho!
Vc.
CB.
cresc.

Fl.1
Fl.2 u.3.
Hob.1 u.2.
Hob.3.
Clar.1 u.2.(A)
Clar.3.(A)
Engl.H.
Hör.(E)
Fag.1 u.2.
Fag.3.
Bs.Clar.(A)
2 Tromp.(E)
Bs.tromp.(D)
Rührtrommel.
Viol.
Br.
Brünnh.
(Brünnhilde verschwindet
Hei - - - - - - - - - - - - - - a - ha!
Vc.
CB.
cresc.
dim.
poco cresc.

Fl.1.
Fl.2 u.3.
Hob.1 u.2.
Hob.3.
Clar.1 u.2.
Clar. 3.
Engl.H.
Hör.
Fag.1 u.2.
Fag.3.
Bs.Clar.
2 Tromp.
Bs.tromp.
Rührtrommel.
dim.
più p
pp
Viol.
Br.
hinter der Gebirgshöhe zur Seite.)
(verhallend)
Brünnh.
ha!
Vc.
(gleichmässig p)
CB.
(gleichmässig p)

Engl. H.
Clar. 1. (A)
Clar. 2. (A)
Fag. 3.
Bs. Clar. (A)
Bs. tromp. (D)
3 Pos.
CB. Pos.
Pauk. 1. (in D u. A)
Viol.
Br.
Vc.
CB.
p
cresc.
f
dim.
poco cresc.
mf dim. p
(In einem mit zwei Widdern bespannten Wagen langt Fricka aus der Schlucht auf dem Felsjoche an: dort hält sie rasch an und steigt aus.)

Sehr bewegt.
3 Hob.
Engl.H.
Hr. 1 u. 2. (F)
Fag. 1 u. 2.
Fag. 3.
Viol.
Br.
(Fricka schreitet heftig in den Vordergrund auf Wotan zu.)
Vc. u. CB.
cresc.
ritard.
(Je näher sie kommt, mässigt sie den Schritt, und
(zurückhaltend)
Wotan.
Der al - te Sturm, die al - te Müh'! Doch Stand muss ich hier
The wont - ed storm, the wont - ed strife! But firm here must I
L'o - ra - ge an - cien, l'an - cien sou - ci! Pour - tant j'y tiendrai
Vc.
CB.
dim.
ritard.

Etwas breit.
Hob. 1 u. 2.
Engl. H.
2 Clar. (in B)
4 Hör. (in F)
3 Fag.
Viol.
Br.
Fricka.
Wo in Ber-gen du dich birgst, der
Where in mountain wilds thou hid'st, to
En ces monts où tu te caches, fuy-
Wot. stellt sich mit Würde vor Wotan hin.)
hal-ten.
hold me!
tê-te!
Vc.
Viol.
Br.
Fr.
Gat-tin Blick zu ent-geh'n, ein-sam hier such' ich dich auf, dass
shun the eyes of thy wife, lone-ly here seek I thee out, that
-ant les yeux de l'é-pouse, seule i-ci je t'ai cher-ché comp-
Vc.

Viol.
Br.
Fr.
Hil - fe du mir ver - hies-sest.
help to me thou may'st pro-mise.
tant sur ton as-sis - tan-ce!
Wotan.
Was Fri-cka küm-mert, kün-de sie frei.
What trou-bles Fri-cka free-ly be told.
Que Fri-cka di - se tous ses griefs!
Vc.
1. (allein)
Hör. (in F)
3. (allein)
Fag. 1 u. 2.
Viol.
Br.
Fr.
Ich ver-nahm Hunding's Noth, um
I have heard Hunding's cry, for
Jus-qu'à moi Hunding crie, ven-
Vc.
CB.

4 Hör.(F)
2 Fag.
Viol. 2.
Br.
Fr.
Ra-che rief er mich an: der E-he Hü-ter-in hör-te ihn,
ven-geance called he on me, and wed-lock's guar-dian gave ear to him:
-geance est due à son droit: c'est moi qui gar-de les liens sa-crés;
Vc.
3 Hob. (zu 3)
Engl. H.
4 Hör.
2 Fag.
Viol.
Br.
Fr.
ver-hiess streng zu stra-fen die That des frech fre-veln-den Paar's, das
I made oath to pu-nish the deed of this in-fa-mous pair who
je veux sans fai-bles-se pu-nir l'af-front grave et har-di, l'of-
Vc.
CB.

Viol.
dim.
p
f
(6)
Br.
Fr.
kühn den Gat - ten ge - kränkt.
rash-ly wrought him a wrong.
-fen - se faite à l'é - poux.
Wotan.
Was so schlim-mes schuf das Paar, das
What so e - vil wrought the pair whom
De quel crime est - il char - gé, le
Ve.
p (dol.)
CB.
Br.
Wot.
lie - bend ein - te der Lenz? Der Min - ne Zau - ber ent - zück - te sie: wer
spring u - ni - ted in love? 'Twas love's en-chantment en - rap - tured them; I
couple u - ni par l'A - vril? L'a - mour char-meur en - chan - ta leurs sens: com -
Vc.
dim.

Viol.
Br.
Fricka.
Wie thö - rig und taub du dich stellst, als
Thou feign'st to be fool - ish and deaf, as
Tu veux
sourd à ma voix, a -
Wot.
büsst mir der Min - ne Macht?
rule not where love doth reign.
-ment châ - ti - er l'A - mour?
Vc.
CB.
Engl.H.
Hr 2 u.4. (F)
(F)
2 Fag.
dim.
(ten.)
cresc.
pizz.
Viol.
Br.
Fr.
wüss - test für - wahr du nicht, dass um der E - he hei - li-gen Eid, den
though thou knew'st not, in sooth, that now for wed - lock's ho - ly oath, pro -
-lors que tu sais pour - tant que pour le saint ser - ment con - ju - gal, par
Vc.
CB.

2 Hob.
Engl.H.
2 Clar.
4 Hör.
3 Fag.
1.u.2.
(Bog.)
Viol.
Br.
Fr.
hart ge-kränk-ten, ich kla - ge!
faned so rude-ly, I call thee!
eux bles-sé, je ré-cla - me!
Wotan.
Un - hei - lig
Un - ho - ly
Nuls sont pour
Vc.
CB.
pizz.
2 Hob.
2 Clar.
4 Hör.
3 Fag.
Viol.
Br.
Wot.
acht' ich den Eid, der Un - lie-ben-de eint; und mir wahr-lich mu-the nicht zu,
hold I the oath that binds un-lov-ing hearts, from me, pri-thee do not de-mand
moi les serments des cou - ples sans a - mour; n'es - pè - re donc pas m'o-bli-gér
Vc.u.CB.

3 Pos.
CB. Pos.
Viol.
Br.
Wot.
dass mit Zwang ich hal-te, was dir nicht haf-tet: denn wo kühn Kräf-te sich
that by force I hold what with stands thy po-wer: for where bold spi-rits are
d'at-ta-cher de for-ce ce qui t'é-chap-pe: où l'ef-fort li-bre s'af-
Vc.u.CB.
Schnell.
Mässig.
Hör.
cresc.
Fricka.
Ach-test du rühmlich der E-he
Deemest thou praise worthy wedlock's
Puis-que tu loues l'a-dul-tère a-
Wotan.
re-gen, da rath' ich of-fen zum Krieg.
mov-ing, I stir them e-ver to strife.
-fir-me, ma voix l'ex-ci-te aux luttes!

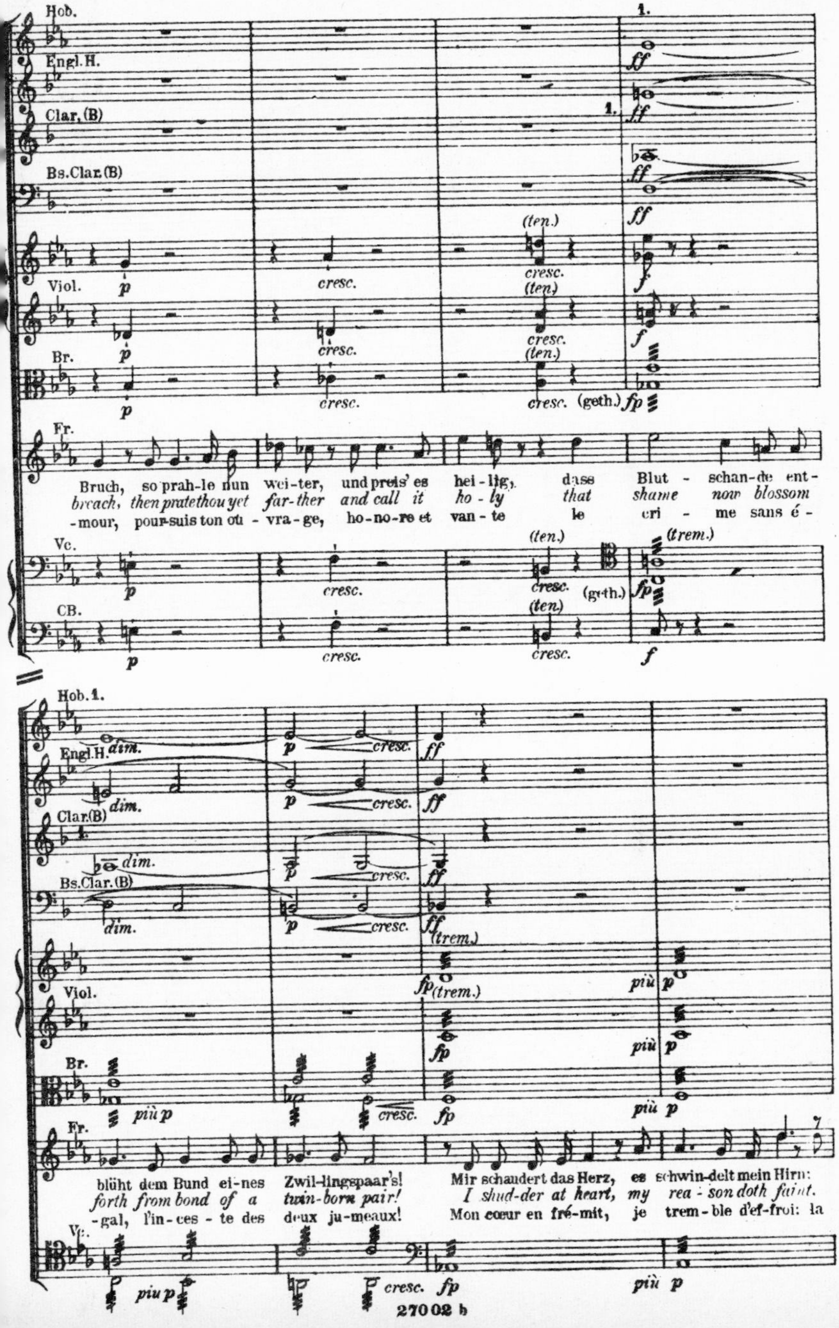
Hob.
Engl. H.
Clar. (B)
Bs. Clar. (B)
Viol.
Br.
Fr.
Bruch, so prah-le nun wei-ter, und preis' es hei-lig, dass Blut-schan-de ent-
breach, then prate thou yet far-ther and call it ho-ly that shame now blossom
-mour, pour-suis ton ou-vra-ge, ho-no-re et van-te le cri-me sans é-
Vc.
CB.
Hob. 1.
Engl. H.
Clar. (B)
Bs. Clar. (B)
Viol.
Br.
Fr.
blüht dem Bund ei-nes Zwil-lingspaar's! Mir schaudert das Herz, es schwin-delt mein Hirn:
forth from bond of a twin-born pair! I shud-der at heart, my rea-son doth faint.
-gal, l'in-ces-te des deux ju-meaux! Mon cœur en fré-mit, je trem-ble d'ef-froi: la
Vc.

Hob.
Engl.H.
Clar.(B)
Hr. 1 u.2 in D.
Bs.Clar.(B)
2 Fag.
Viol.
Br.
Fr.
bräut-lich um-fing die Schwe-ster den Bru - - - - der!
bro - ther embraced as bride his own sis - - - - ter!
sœur s'a-bandonne aux bras de son frè - - - - re!
Vc.
CB.
Viol.
Br.
Fr.
Wann ward es er-lebt, dass leib-lich Ge-schwi-ster sich lieb - ten?
When was it e'er known that bro-ther and sis-ter were lov - ers?
Quand donc a-t-on vu que sœur et frè-re s'u - nis - sent?
Vc.u.CB.
cresc.
ff
mf

Mässig langsam.

Hör (F)
Br.
poco cresc.
Wot.
Rath: soll sü - sse Lust dei-nen Se - gen dir loh-nen, so
hear: that sweet - est bliss for thy bless - ing re - ward thee, with
-seil: veux - tu bé - nir le bon - heur et l'i - vres-se? bé-
Vc.
CB.
(nur 4)
Sehr lebhaft.
p (dol.)
pizz.
(Bog.)
p molto cresc.
seg-ne, la-chend der Lie - be, Sieg-mund's und Sieg - lin - des Bund!
lov-ing laugh-ter bless thou Sieg-mund's and Sieg - lin - de's bond.
-nis, ri-ant à leur ten - dres - se, Sieg-mund et Sieg - linde u - nis!

Hob.
Engl. H.
(F)
Hör.
(D)
Viol.
molto cresc.
Br.
dim.
Fricka (in höchste Entrüstung ausbrechend.)
So ist es denn aus mit den e - wi-gen Göt-tern, seit du die
Is all, then, at end with the glo - ry of god-hood since thou be-
Ain-si, c'est fi - ni du pou - voir é-ter - nel, de-puis que tu
Vc.
CB.
(Alle)
(Bog.)
Viol.
Br.
Fr.
wil - den Wäl-sun-gen zeug-test? Heraus sag' ich's; traf ich den Sinn?
gatt'st the ri - o-tous Wäl-sungs? I now speak it; pierced is thy thought?
fis ces Wäl-sun-gen fau - ves? C'est là ton but... t'ai - je com - pris?
Vc. u. CB.

Hr. 1 u. 2. (in F)
Viol.
Br.
Fr.
Nichts gilt dir der Hehren hei-li-ge Sip-pe;
Nought worth is to thee the race of e-ter-nals!
Tu comp-tes pour rien la ra-ce su-bli-me!
Vc.
CB.
Hr. 1 u. 2. (in F)
Viol.
Br.
Fr.
hin wirfst du Al-les, was einst du ge-ach-tet, zer-reis-sest die
A-way thou cast-est what once thou didst hon-our; thou break-est the
Tu nies les lois qui gui-daient ta con-dui-te, tu bri-ses les
Vc.
CB.

Viol. più f
Br. più f
Fr. più f
Ban - de, die selbst du ge - bun - den, lö - sest la - chend des Him - mels
bonds thou thy-self hast or - dain - ed, loos - est laugh - ing all hea - ven's
liens é - ta - blis par toi - mê - me, romps en ri - ant le pou - voir des
Vc. u. CB.
più f
2 Fl.
ff
2 Hob.
ff
2 Clar. in A.
ff
Hr. 1 u. 2 in E.
ff
Hr. 3 u. 4 in D.
ff
3 Fag.
ff
Tromp. 1 in D.
f
Viol.
ff
p
Br.
Fr.
Haft:
hold,
cieux, —
dass nach Lust und Lau - ne nur wal - te diess
that in wan ton freedom may flourish this
pour la li - bre joie et l'humeur de ces
Vc.
CB.

3 Hob.
3.
cresc.
Hr. 1 u. 2. (in F)
Hr. 3 u. 4. (in F)
p
cresc.
Fag. 1 u. 2.
p
cresc.
Fag. 3.
Bs. Clar. (in A)
cresc.
Viol.
più p
più p
Br.
più p
Fr.
fre-veln-de Zwil - lingspaar, dei-ner Un-treu-e zucht-lo-se Frucht.
in-so-lent twin - born pair, of thy false-ness the un-ho-ly fruit.
deux trop har-dis ___ jumeaux, re-je - tons que ton crime a cré - és!
Vc.
più p
sf cresc.
CB.
più p

2 Fl.
3 Hob.
3 Clar. (in A)
Hr. 1 u. 2. (in F)
Hr. 3 u. 4. (in F)
Fag. 1 u. 2.
Fag. 3.
Bs. Clar. (in A)
Viol.
Br.
Fr.
O, was klag' ich um E - he und Eid, da zu-
O why wail I o'er wed-lock and vows which thy
Ah! que dis - je du lien con - ju - gal, tout d'a-
Vc.
CB.
più f
cresc.
dim.

Hob. 1 u. 2.
Clar. 1. (A)
Clar. 2. (A)
Clar. 3. (A)
Engl. H.
2 Fag.
Viol.
Br.
Fr.
erst du selbst sie ver-sehrt. Die treu - - - e Gat-tin tro-gest du
self thou first hast pro-faned. The tru - - - est wife thou still hast be-
-bord par toi pro-fa-né! L'é-pou - - - se sû-re, l'époux la trom
Vc.
CB.
cresc.
dim.

Hob.
p
cresc.
più f
Clar. 1.
cresc.
più f
Clar. 2.
cresc.
più f
Clar. 3.
cresc.
più f
Engl. H.
cresc.
più f
2 Fag.
più f
cresc.
Viol.
cresc.
f
dim.
Br.
cresc.
f
dim.
Fr.
stets; wo ei-ne Tie - - fe, wo ei-ne Hö - he, da-hin
trayed; ne - ver a deep, and ne - ver a height, but there turned
-pa; par les a - bî - - mes, par les mon - ta - gnes, par-tout
Vc.
p
cresc.
sf
CB.
p
cresc.
sf

Fl. 1.
tr
p (dolce)
Fl. 2 u. 3.
p (dolce)
Clar. 1. (A)
p
Clar. 2. (A)
p
Clar. 3. (A)
p
Hr. 2. (in F)
p
2 Fag.
p
p (weich)
Viol.
p
(dolce)
Br.
p
(dolce)
Fr.
lug - te lüs - tern dein Blick, wie des Wech - sels Lust du ge -
thirst - ing e - ver thy looks, as thy change - ful hu - mour al -
ont cher - ché tes dé - sirs, pour se plaire en d'au - tres ten -
Vc.
pizz.
p
CB.
p

3 Fl.
3 Hob.
Clar. 1.
Clar. 2 u. 3.
Engl. H.
Hör. (F)
3 Fag.
Bs. Clar. (A)
Viol.
Br.
Fr.
wän-nest, und höh-nend kränk-test mein Herz.
lured thee, and stung my heart with thy scorn.
-dres-ses, et mieux rail-ler mon mal-heur!
Vc.
CB.
cresc.
dim.
pizz.
(Bog.)

3 Fl.
3 Hob.
Clar. 1. (A)
Clar. 2 u. 3. (A)
Engl. H.
Hör. (F)
3 Fag.
Bs. Clar. (A)
Viol.
Br.
Fr.
Trau - - ern-den Sin - nes musst ich's er - tra - gen, zog'st du zur
Sad - - - dened in spi - rit must I be - hold thee fare to the
Toute en pleurs j'en - du - re ma pei - ne, quand au com -
Vc.
CB.
(Bog.)

Hob. 1 u. 2.
Clar. 1.
Clar. 2 u. 3.
Fag. 1 u. 2.
Tromp. 3. (in Es)
Bs. Tromp. (in Es)
Viol.
Br.
Fr.
Schlacht mit den schlim - men Mäd - chen, die wil - der Min - ne Bund dir ge -
fight with the grace - less maid - ens whom law - less love hath giv - en to
-bat tu con-duis tes fil - les, en-fants d'un lien d'a-mour cri-mi -
Vc.
CB.

Hob. 1 u. 2.

Clar. 2 u. 3. (A)

Fag. 1 u. 2.

Tromp. 2 u. 3. (in Es)

Bs. Tromp. (Es)

Viol.

Br.

Fr.

bar: denn dein Weib noch scheutest du so, dass der Wal-kü-ren
thee: for thy wife still fear-edst thou so, that the Val-ky-ries'
-nel. tu crai-gnais l'é-pou-se pour-tant, car leur grou-pe guer-

Vc. u. CB.

Viol.

Br.

Fr.

Schaar; und Brünnhil-den selbst, dei-nes Wun-sches Braut, in Ge-hor-sam der
band and Brünnhild' her-self; thine own wish-'s bride, to the god-dess as
rier, et Brünnhilde aus-si ton dé-sir vi-vant, fut par toi sous mes

Vc.

CB.

2 Fag.
p
piu p
Bs.Clar.(A)
Viol.
Br.
Fr.
Her-rin du gab'st.
hand-maids thou gav'st.
or-dres pla-cé!
Doch jetzt, da dir neu - e Na-men ge-fie-len,
But now when un-wont - ed names have ensnared thee,
De-puis, de nouveaux sur-noms te con-vin-rent,
Vc.u.CB.
pizz.
2 Fag.
più p
Bs.Clar.
als „Wäl - se" wöl-fisch im Wal - de du schwei-fest,
as „Wäl - se" wolf-ish in woods thou hast wander-ed;
et „Wälse" au bois comme un loup prit sa cour - se;
Vc.u.CB. pizz.

2 Fag.
Clar. 3. (A)
Bs. Clar. (A)
Viol.
Br.
Fr.
jetzt, da zu nied - rig-ster Schmach du dich neig - test, ge - mei - ner Men - schen ein
now that to deep - est dis - grace thou hast fal - len to fos - ter mor - tals be -
oui, tu vou - lus, con - som - mant cet - te hon - te, cre - er un cou - ple d'hu -
Vc. u. CB. (Bog.)
Engl. H.
2 Fag.
Clar. 3.
Viol.
Br.
Fr.
Paar zu er - zeu - gen: jetzt dem Wur - fe der Wöl - fin
got of thy false - ness: shamed by whelps of a wolf thou
- mains vul - gai - res; oui, le fils de la Lou - ve
Vc. u. CB.
p
cresc.
p cresc.

Hob.1.
Hob.2.
Hob.3.
Cl.1.
Cl.2.
Cl.3.
Engl.Hr.
Hörn. 3 u.4.(E)
Fag.1.
Fag.2.
Fag.3.
Viol.
Br.
Fr.
wirfst du zu Fü - ssen dein Weib!
fling'st at thy feet, too, thy wife!
va sur l'é - pou - se re - gner!
Vc.
CB.
più f

Hob. 1.
Hob. 2.3.
Cl. 1. (A)
Cl. 2.3. (A)
Engl. Hr.
Hörn. (E)
Fag. 1. u. 2.
Fag. 3.
Bss. Cl. (A)
Tromp. 1 u. 2. (E)
Viol.
Br.
Fr.
So führ' es denn
Then fin - ish thy
A chè - ve à pré-
Vc.
CB.

3 Hob.
3 Clar.
Engl.Hr.
Hörn. 1.2.(E)
3 Fag.
Bss.Cl.
Viol.
Br.
Fr.
aus; fül - le das Maass! Die Be - trog' - ne lass' auch zer -
work! Fill now the cup! The be - trayed one trample be -
- sent! Va jusqu'au bout! Tu me trom - pes, fais qu'on m'é -
Vc.
CB.

3 Flöt.
3 Hob.
3 Cl.(A)
Engl.H.
2 Tromp.(E)
Hörn. (E)
3 Fag
BssCl. (A)
Viol.
Br.
Fr.
tre- - ten!
neath thee!
cra- - se!
Vc.
CB.

Fl.
Hob. 3.
3 Cl.
Engl. Hr.
Hörn.
3 Fag.
Bss. Cl.
Etwas langsamer.
Viol.
Br.
Wotan.
(ruhig)
Nichts lern-test du, wollt' ich dich leh-ren, was
Nought learnedst thou when I would teach thee what
Rien ne t'instruit, quand je t'ex-pli-que ce
Vc.
CB.
dim.
p

Bss.Trp. (Es)
3 Pos.
CB.Pos.
Viol.
Br.
Wot.
nie du er-ken-nen kannst, eh' dir er-tag-te die That.
ne-ver canst thou dis-cern, till day has dawned on the deed.
qui t'est ca-ché tou-jours, a-vant qu'é-cla-te le fait!
Vc.
CB.
Bss.Trp.
3 Pos.
CB.Pos.
Viol.
Br.
Wot.
Stets ge-wohn-tes nur mag'st du versteh'n: doch was noch nie sich traf, da-
Wont-ed things on-ly canst thou conceive, but what ne'er yet be-fel there-
Seul, l'u-sa-ge a for-mé ton sa-voir; mais ce que nul n'a vu, c'est
Vc.
CB.

Bss Trp. (Es)

p

p (trem.)

più p

pp

pp (trem.)

Viol.

pp (trem.)

Br.

pp

Wot.

nach trach - tet mein Sinn. Ei - nes hö - re! Noth thut ein

on brood - eth my thought. This thing hear thou! Need - ed is

là tout mon dé - sir! Or, é - cou - te! Il faut un Hé -

Vc.

(trem.)

pp (trem.)

CB.

pp

Bss. Trp.

Pos. 1.

Pos. 2.

Pos. 3.

CB. Pos.

CB. Tub.

pp

Viol.

Br. (6)

p

Wot.

Held, der, le - dig göt - li - chen Schu - tzes, sich lö - se vom Göt - ter - ge -

one who, free from help of the god - head, fights free from the godhead's con -

ros, qui, li - bre d'ai - de di - vi - ne, soit li - bre des lois des

Vc.

CB.

2 Clar. (in A)
Hr. 4. (in E)
3 Fag.
Pauke 1 (H)
Bss. Trp. (Es)
Pos. 1.
Pos. 2.
Pos. 3.
CB. Pos.
CB. Tub.
Wot.
setz; so nur taugt er zu wir-ken die That, die, wie Noth sie den
trol. So a-lone were he meet for the deed which, tho' the need of our
Dieux. Seul, il peut en-tre-pren-dre l'exploit que, pres-sé de dé-
Vc.
CB.
pizz.

2 Cl. (in A)
Hr. 3 u. 4.
(E)
pp
p
(Gemessen.)
3 Fag.
pp
Pauk.
tr
più p
Br.
(Gemessen.)
pp
Wot.
Göt - tern, dem Gott doch zu wir - ken ver-wehrt.
god - hood, to a - chieve is de - nied to a god,
- tres - se, le Dieu pourtant ne peut point ten - ter!
Vc.
(Bog.)
CB.
(Bog.)
3 Fag.
Viol.
pp
cresc.
Br.
getheilt
fp
Fr.
Mit tie - fem Sin - ne willst du mich täu - schen: was Heh - res soll - ten Hel - den je
With darksome meanings wouldst thou mis - lead me: was aught of worth to he - roes e'er
Dé - tour ha - bi - le pour me sur - pren - dre! l'ex - ploit que ces hé - ros pourraient
Vc.
getheilt
CB.
cresc.

3 Pos.
CB. Pos.
(6)
Br.
(6)
Fr.
wir-ken, das ih-ren Göt-tern wä-re ver-wehr't, de-ren Gunst in ih-nen nur
grant-ed which to their gods themselves was de-nied, by whose grace a-lone they may
fai-re, tu le pré-tends trop haut pour leurs Dieux de qui l'ai-de en eux seule a-
(6)
Vc.
(6)
CB.
pizz.
3 Pos.
CB. Pos.
Viol. 2.
cresc.
Br.
cresc.
Fr.
wirkt?
work?
-git?
Wer hauch-te Men-schen ihn ein?
Who breathed their souls in-to men?
Qui l'a souff-lé dans leur cœur?
Wot.
Ih-res eig'-nen Mu-thes ach-test du nicht?
Their own spi-rit's freedom countst thou for nought?
Leur cou-ra-ge pro-pre com-pte-t-il pas?
Vc.
cresc.
CB.
Bog.
cresc.

Viol.
Br.
Fr.
Wer hell - te den Blö - den den Blick? In dei - nem Schutz schei - nen sie stark; durch dei - nen
Who lightened their pur-blind eyes? Behind thy shield bold is their mien, spurred on by
Qui sut é - clair - cir leur re - gard? par toi ai - dés, ils semblent forts, par toi pous -
Vc.
CB.
cresc.
Sta - chel stre - ben sie auf: du rei - zest sie ein - zig, die so mir Ew'- gen du
thee they strive to a - rise: thou stirr'st them a - lone whom to me thy wife - thou dost
- sés, ils vont en a - vant; toi seul fis ce zè - le, qu'ain - si tu m'o - ses van
Vc. u. CB.
mf
Lebhaft.
rühmst.
laud:
ter.
Mit neu - er List willst du mich be - lü - gen, durch neu - e Rän - ke jetzt mir ent -
With new de - ceit wilt thou now de - lude me? by new de - vi - ces wouldst thou es -
Ton cœur mé - di - te quelqu'autre leur - re, quelqu'au - tre ru - se pour me sé -

Viol.
Br.
Fr.
rin-nen; doch die-sen Wäl - sung ge-winnst du dir nicht; in ihm
cape me? but not this Wäl - sung from me shalt thou win; in him
-dui-re; mais à ce Wäl - sung tu dois re-non - cer: en lui
Vc.u.CB.
2 Hob.
Hr. 1 u. 2. (in E)
Engl. Hr.
2 Cl. (in A)
3 Fag.
Viol.
cresc.
Br.
(geth.)
Fr.
treff' ich nur dich, denn durch dich trotzt er al - lein!
find I but thee, for through thee dares he a - lone.
toi seul pa-rais, car par toi seul il a - git!
Wotan.
In wil - den
In sor - est
En d'â - pres
Vc.u.CB.

Viol.
Br.
Fr.
So
To
Que
Wot. (ergriffen)
Lei-den er-wuchs er sich selbst,
sor-row he wrought for him-self:
pei-nes, tout seul il s'est fait:
mein Schutz schirmte ihn nie.
my shield sheltered him not.
le Dieu l'a lais-sé seul.
Vc.u.CB.
Tromp 1.(C)
Viol.
Br.
Fr.
schütz' auch heut' ihn nicht!
day, then, shield him not!
seul il res - te donc!
Nimm ihm das Schwert, das du ihm ge - schenkt!
Take back the sword that thou hast be - stowed.
Prends-lui le fer don-né par ta main!
Wot.
Das
The
Le
Vc.
CB.

Tromp 1.(C)
Viol.
poco cresc.
poco cresc.
Br.
poco cresc.
Fr.
Ja, das Schwert_ das zau - ber-stark zu - cken-de Schwert, das du
Aye, the sword_ the ma - gic - al, glit - ter - ing sword, that thou,
Oui, ce fer, qu'un char - me saint a ren - du fort, et qu'au
Wot.
Schwert?
sword?
fer?
Vc.
poco cresc.
2 Hob.
Engl. Hr.
Hr. 1 u. 2. (F)
3 Fag.
Viol.
Br.
Fr.
Gott dem Soh - ne gab'st.
god, didst give thy son!
fils don - na le Dieu!
Wot.
(heftig)
(mit unterdrückt-tem Beben.)
Sieg - mund ge - wann es sich selbst in der
Sieg - mund has won it him - self in his
Sieg - mund le prit de lui - mê - me en l'an -
Vc.
CB.

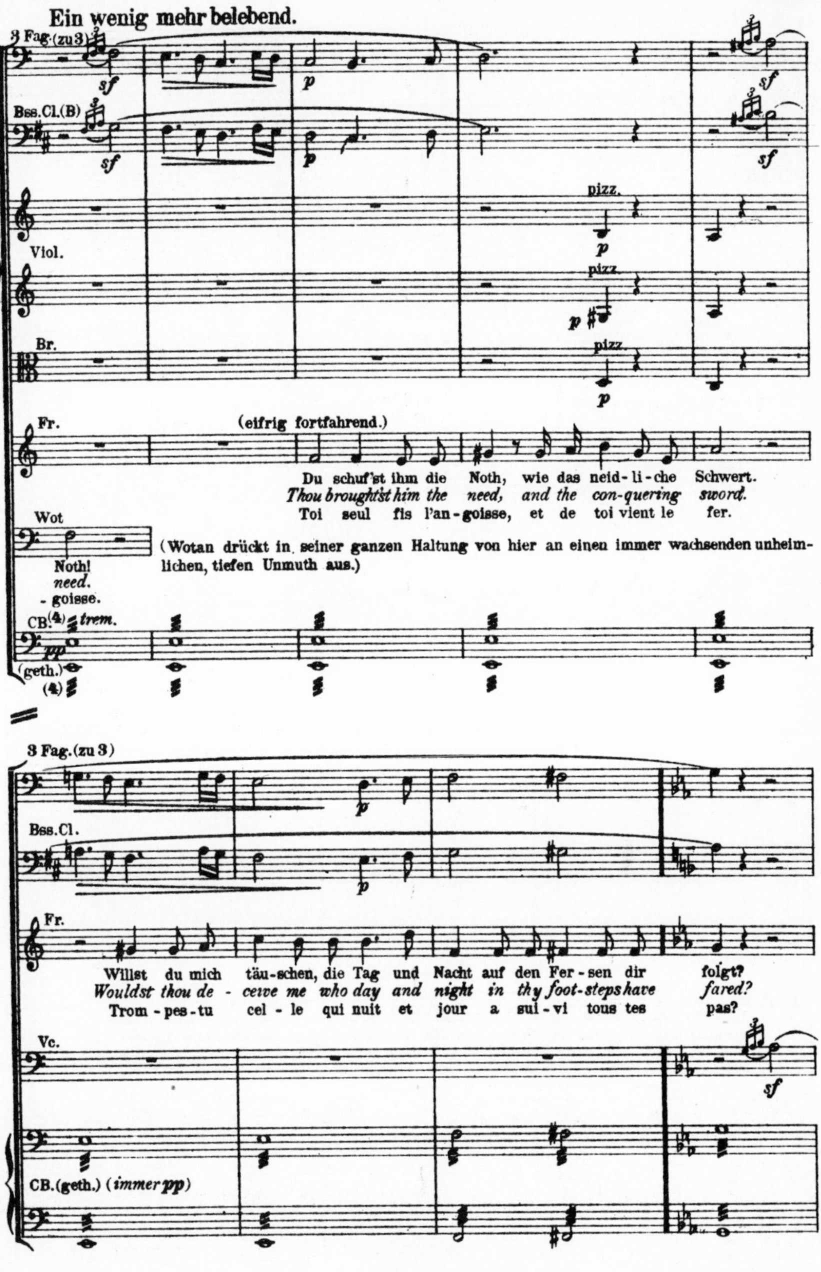

Ein wenig mehr belebend.

3 Fag.(zu 3) *sf* — *p* — *sf*

Bss.Cl.(B) *sf* — *p* — *sf*

Viol. pizz. *p* — pizz. *p*

Br. pizz. *p*

Fr. (eifrig fortfahrend.)

Du schuf'st ihm die Noth, wie das neid-li-che Schwert.
Thou brought'st him the need, and the con-quering sword.
Toi seul fis l'an-goisse, et de toi vient le fer.

Wot

Noth!
need.
-goisse.

(Wotan drückt in seiner ganzen Haltung von hier an einen immer wachsenden unheimlichen, tiefen Unmuth aus.)

CB.(4) *trem.* *pp*
(geth.)
(4)

3 Fag.(zu 3) *p*

Bss.Cl. *p*

Fr.

Willst du mich täu-schen, die Tag und Nacht auf den Fer-sen dir folgt?
Wouldst thou de - ceive me who day and night in thy foot-steps have fared?
Trom - pes-tu cel - le qui nuit et jour a sui-vi tous tes pas?

Vc. *sf*

CB.(geth.) (*immer pp*)

Viol.
Br.
Fr.
pizz.
Für ihn stie-ssest du das Schwert in den Stamm; du ver-
For him struckest thou the sword in the stem, thou didst
Pour lui tu plan-tas le fer dans le frêne; à son
Vc.
CB. (immer pp)
Hr 1u.2.(in F)
3 Fag.
hie-ssest ihm die heh-re Wehr: willst du es läug-nen, dass nur dei-ne List ihn
promise him the sacred blade; wilt thou de - ny, then, that thy craft a-lone had
bras le glai - vé fut pro-mis: ne l'as-tu pas a-me-né, par ta ru - se
cresc.

2 Hob.
Engl. Hr.
Hr.1 u.2.(in F)
cresc.
3 Fag.
cresc.
cresc.
ff
(Bog.)
Viol.
(Bog.)
Br.
(Bog.)
dim.
Fr.
lock-te, wo er es fänd'?
lured him where it lay hid?
seu-le, au point mar-qué?
(Wotan fährt mit einer grimmigen Gebärde auf.)
Vc.
CB.
Hr. 2 u. 4. (in F)
3 Fag. (zu 3)
Bss. Cl. (B)
Viol.
Br.
Fr.
(immer sicherer, da sie den Eindruck gewahrt, den sie auf Wotan hervorgebracht.)
Mit Un-frei-en strei-tet kein
The gods do not bat-tle with
Le Li-bre dé-dai-gne l'Es-
Vc. u. CB.
dim.
più p

Viol.
Br.
Fr.
Ed - ler; den Frev - ler straft nur der Frei - e.
bonds - men, the free but pun - ish trans-gres - sors.
- cla - ve, mais doit pu - nir sa ré - vol - te.
Vc.u.CB.
2 Hob.
Cl 1.(in B)
Engl. Hr.
Hr. 1 u. 2. (in F)
2 Fag.
Viol.
Br.
Fr.
Wi-der dei - ne Kraft führt' ich wohl Krieg: doch Sieg -
Tho' against thy might war have I waged: yet Sieg -
Contre ton pou - voir j'ai combat - tu: mais Sieg -
Vc u. CB.

Hob.1 u.2.
Hob.3.
Cl.1
Cl.3.
Engl.Hr.
4 Hörn. (in F)
Fag.1 u.2.
Fag.3.
Bss. Cl.(B)
2 Tromp. (Es)
Heftig.
Viol.
Br.
Fr.
- mund ver - fiel mir als Knecht!
- mund shall fall as my slave.
- mund, l'Es - cla - - ve, est mien!
(Neue heftige Gebärde Wotan's, dann das Versinken in das Gefühl seiner Ohnmacht.)
Vc.
CB.

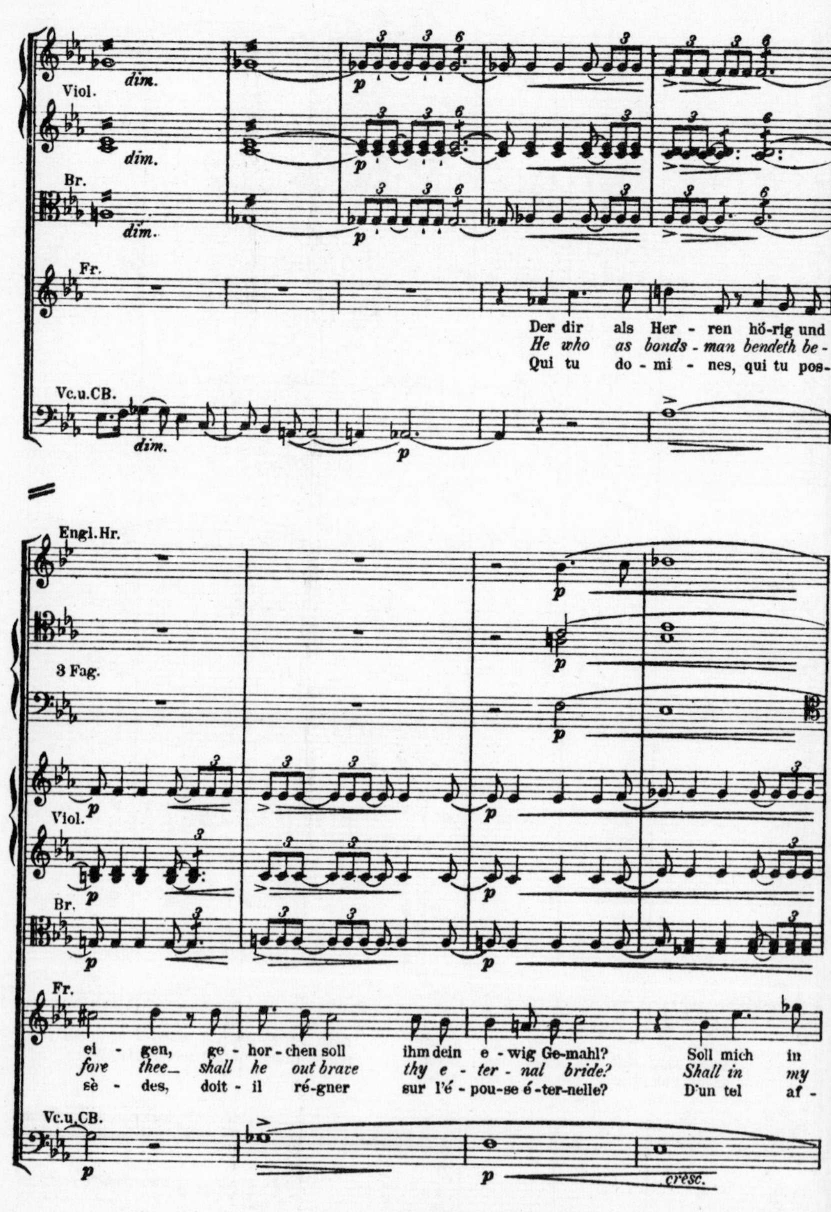
Viol.
dim.
dim.
Br.
dim.
Fr.
Der dir als Her - ren hö-rig und
He who as bonds - man bendeth be -
Qui tu do - mi - nes, qui tu pos -
Vc.u.CB.
dim.
Engl.Hr.
3 Fag.
Viol.
Br.
Fr.
ei - gen, ge - hor-chen soll ihm dein e - wig Ge-mahl? Soll mich in
fore thee_ shall he out brave thy e - ter - nal bride? Shall in my
sè - des, doit - il ré-gner sur l'é - pou-se é - ter-nelle? D'un tel af -
Vc.u.CB.
cresc.

Hob.
Cl.
Engl.Hr.
Hr.1u.2.(in F)
3 Fag.
Viol.
Br.
Fr.
Schmach der Nied-rig-ste schmä - hen, dem Fre-chen zum Sporn, dem
shame the bas-est one scorn me? to the fro-ward a spur, a
-front au-rai-je l'op-pro - bre, ap-pel aux for-faits, mé-
Vc.u.CB.
Hob.
Cl.
Engl.Hr.
Hr 1u.2.(in F)
3 Fag.
Viol.
Br.
Fr.
Frei - en zum Spott? Das kann mein Gat-te nicht wol-len, die
scoff to the free! That can my hus-band not wish me, not
-pris des cœurs fiers? Mon é-poux ne veut tel ou-tra-ge, à l'é-
Vc.u.CB.

Hob.
più f
Cl.(B)
più f
Hörn. più f
(F)
3 Fag.
più f
ff
f
pizz.
(Bog.)
Viol.
Br.
Fr.
Göt - - - - tin ent - weih't er nicht so!
so shall a god - dess be shamed.
pou - - - - se il lais - se l'hon-neur!
Vc.u.CB.
pizz.
(Bog.)
3 Hob. Langsamer.
Lebhaft.
3 Cl.
Engl Hr.
4 Hörn. (in F)
3 Fag.
Fr. Langsamer.
Lebhaft.
Lass' von dem
Shield not the
Quit - te le
Wot.
(finster)
Was verlang'st du?
What demand'st thou?
Que te faut - il?
Vc.u.CB.
p
più p
pp

Langsamer.
Fr.
Wäl - sung!
Wäl - sung!
Wäl - sung!
(mit gedämpfter Stimme.)
Wot.
Er geh' sei-nes
His way let him
Qu'il suive son che -
Vc.
dim.
più p
CB.
dim.
più p
Etwas lebhafter.
Viol.
cresc.
cresc.
Br.
cresc.
Fr.
Doch du, schü-tze ihn nicht, wenn zur Schlacht ihn der Rä - cher ruft!
But thou shel-ter him not, when to arms the a-ven - ger calls!
Mais toi, lais-se-le seul, au mo-ment du com-bat vengeur!
Wot.
Weg's.
go.
- min!...
Etwas lebhafter.
Vc. pizz.
(Bog.)
cresc.
CB. pizz.
(Bog.)
cresc.

Langsamer.
3 Fag. (zu3)
Belebter.
Bss.Cl.(B)
dim.
Viol.
pizz.
(Bog.)
Br.
Fr. Langsamer.
(belebter)
Sieh' mir in's Au - ge; sin - ne nicht
Seek not to trick me, look in my
Par - le sans fein - te, point de men -
Wot.
Ich schü - tze ihn nicht.
I shel - ter him not.
Je... le laisserai... seul!
Vc.u.CB.
3 Fag.
Bss.Cl.
Langsamer.
(zu3)
cresc.
Viol.
Br.
Fr.
Trug: die Wal - kü - re wend' auch von ihm!
eyes: the Val - ky - rie turn, too, from him!
- songe! la Wal - kü - re soit con - tre lui!
Wot.
Langsamer.
Die Wal - kü - re
The Val - ky - rie
La Wal - kü - re
Vc.
CB.

Lebhafter.
Bss.Cl.
più p
Fg.1u.2.
più p
Fg.3.
più p
pizz.
(Bog.)
fp
Viol.
pizz.
(Bog.)
Br.
pizz.
(Bog.)
cresc.
Fr.
Nicht doch! Dei-nen Wil-len voll-bringt sie al-lein: ver-
Not so; for a-lone thy com-mand she o-beys: give
Non pas! Ton vou-loir rè-gle seul tous ses actes: dé-
Wot.
wal-te frei!
free shall choose.
marche libre!
Vc.
CB.
Immer belebter.
(zu 3) accelerando
3 Cl.
Bss.Cl.
3 Fag.
sf
cresc.
Viol.
accelerando
Br.
bie-te ihr Siegmunds Sieg!
or-der that Siegmund fall.
-fends lui donc Siegmund vainqueur!
Wotan (in heftigen innern Kampf ausbrechend)
p (trem.)

Engl. Hr.
Cl.(B) zu 3.
cresc.
sf
p
Hörn. (in F)
Bss. Cl. (B)
(zu 2)
3 Fag.
Bss Tromp. (D)
mf
Viol.
Br.
Wot.
Ich kann ihn nicht fäl - len, er fand mein
I can - not o'er - throw him, he found my
Je ne puis pas le per - dre; il prit mon
Vc.
molto cresc.
CB.

Engl. Hr.
Bss. Cl.
3 Fag.
Bss. tromp.
Pauk.
Viol.
Br.
Wot.
Fricka.
Schwert!
sword.
glaive!
Ent-zieh' dem den Zau-ber, zer-
Des-troy then its ma-gic, be
Re-ti-re le char-me et
Vc.
CB.

Hob.
cresc.
f
Cl.(B)
Engl.Hr.
fp
Hörn. 1u.2. (in E)
1u.3.
p
Bss.Cl.(B)
3 Fag.
Viol.
Br.
Fr.
knick' es dem Knecht! Schutz - los find' ihn der
shat - tered the steel! Shield - less let him be
bri - se le fer! Sieg - mund soit désar-
Vc.u.CB.

Horn 1 u 3. (in E)
Viol.
Br.
cresc.
Heiaha!
Heiaha!
Heiaha!
Fr.
(Man vernimmt Brünhilde's Ruf von der Höhe her.)
Feind!
found!
- mé!
Vc. u. CB. pizz.
Tromp. 3. (in E)
Horn 1 u 3.
dim.
più p
Ho-jo - to-ho!
Ho-jo - to-ho!
Ho-io - to-ho!
Dort kommt deine küh - ne Maid: jauchzend jagt sie da-
There comes now thy val - iant maid; shout-ing hith-er she
Voi - ci ta vaillan - te en-fant, fière et gaie elle ac-
Vc.

Tromp. 3 (in E)
cresc.
Hr. 1 u. 3. (E)
Viol.
Br.
p
cresc.
Br.
Heiaha!
Heiaha!
Heiaha!
Heiaha!
Heiaha!
Heiaha!
Hojo-ho
Hojo-ho
Hoïo-ho
Fr.
her.
fares.
court!
Wot.
Ich rief sie für Sieg - mund zu
I called her for Sieg - mund to
Mon or - - - dre pour Sieg - mund l'ar -
Vc.
(Bog.)
p
cresc.
Tromp. 3
dim.
mf
p
Viol.
cresc.
cresc.
Br.
cresc.
f
p
cresc.
Br.
tr
to - jo - ho to - jo - ha!
to - jo - ho to - jo - ha!
to - io - ho to - io - ha!
Wot.
Ross!
horse!
- ma!
(Brünhilde erscheint mit ihrem Ross auf dem Felsenpfade rechts.)
Vc.
cresc.
f

rallent.
3 Hob.
1s (F)
Hörn.
3u.4.(F)
3 Fag.
2 Tromp.
2u.3.(E)
3.
rallent.
Viol.
Br.
Br.
(Als sie Fricka gewahrt, bricht sie schnell ab, und geleitet ihr Ross still und langsam während des Folgenden den Felsweg herab; dort birgt sie es dann in einer Höhle.)
Vc.
pizz.
CB.
pizz.
Mässiges Zeitmass.
Hörn.
più p
più p
p (sehr ruhig)
Viol.
p (sehr ruhig)
Br.
p (sehr ruhig)
Fr.
Dei-ner ew'-gen Gat-tin hei-li-ge Eh-re be-
Thy e - ter-nal con-sort's hol-i-est honour her
Mon hon - neur sa-cré d'é-pouse é-ter-nel-le, par
(Bog.)
Vc.
(sehr ruhig)
CB.
(Bog.)

Fag.1u.2.
Viol.
Br.
Fr.
schir - me heut' ihr Schild! Von Men-schen ver-lacht, ver - lu - stig der Macht,
shield shall guard to - day! De - rid - ed by men, de - prived of our might,
el - le soit gar - dé! Rail - lés des hu-mains, dé - chus du pou-voir,
Vc.u.CB.
Cl.(B)
Engl.Hr.
Fag.1u.2.
Viol.
Br.
Fr.
gin-gen wir Göt-ter zu Grund: wür-de heut' nicht hehr und herr-lich mein Recht ge -
sure-ly we gods were o'er-thrown, were to - day my right, re - splendent and pure, not a -
tous les Dieux vont à leur fin, si mon droit ro - yal n'est pas plei - ne-ment ven -
Vc.u.CB.

Breit.
3 Fl.
(zu 3)
2 Hob.
Cl. 1.
Cl. 2.
Cl. 3.
Engl. Hr.
Hr. 1. (F)
Hr. 2. (F)
Hr. 4. (F)
3 Fag.
4 Pos.
Pauk. 1 (B)
Viol.
Br.
Fr.
rächt von der mu-thi-gen Maid.
venged by thy val-our-ous maid.
- gé par ta fille au-jour-d'hui!
Der Wälsung
The Wälsung
Que Siegmund
Vc. u. CB.

Treaty
1.u.2.
4 Pos.
3.u.4.
cresc.
cresc.
Fr.
fällt meiner Eh - re:
falls for my hon - our:
tombe à ma gloi - re!
Empfah' ich von Wo - tan den Eid?
Doth Wo - tan now pledge me his oath?
Re-çois - je de Wo - tan serment?
3 Clar. (B)
1.
2.u.3.
3 Fag.
1.
2.u.3.
Viol.
Br.
Wotan (in furchtbarem Unmuth auf einen Felsensitz sich werfend.)
Nimm' den Eid!
Take the oath!
Prends le serment!
Vc. u. CB.

Hob. 1 u. 2.
p cresc.
p cresc.
Clar.
cresc.
Engl. Hr.
p cresc.
(F)
Hör.
(Es)
cresc.
3 Fag.
cresc.
cresc.
Viol.
cresc.
Br.
cresc.
dim.
dim.
(Fricka schreitet dem Hintergrunde zu: dort begegnet sie Brünnhilden und hält einen Augenblick vor ihr an.)
Vc. u. CB.
cresc.

Hob. 1 u. 2.
3 Clar. (B)
Engl. Hr.
(F)
Hör.
(Es)
3 Fag.
Viol.
Br.
Fr.
Heer - va - ter har - ret dein: lass ihn dir kün - den, wie das
War - fa - ther waits for thee: let him now tell thee how the
Wo - tan i - ci t'at - tend: Va, qu'il te di - se quels dé -
Vc. u. CB.

3 Pos.
(zu 3)
CB Pos.
CB Tub.
Pauk. 2 (tief Es)
pizz.
Viol.
Br.
(Sie fährt schnell davon.)
Fr.
Loos er ge - kiesst.
lot is de - creed.
- crets il a pris!
Vc.
CB.
Bs Clar. (B)
3 Fag. (zu 3)
3 Pos.
2 Ten. Tub. (in Es)
2 Bs Tub. (B)
CB Pos.
CB Tub.
Pauk. 2.
(Brünnhilde tritt mit verwunderter und besorgter Miene vor Wotan, der auf dem Felsensitze zurückgelehnt in finsteres Brüten versunken ist.)
Vc.
(Bog.)
dim.
più p

Zweite Scene.
Mässig.
3 Fag. (zu 3)
Bs Clar. (B)
Brünnh.
Schlimm, fürcht' ich, schloss der Streit, lach-te Fri-cka dem Loo-se.
Ill sure-ly closed the strife; Fri-cka laughs at its ending.
Mal a fi-ni l'assaut, Fri-cka semble jo-yeu-se!
Vc.
CB. pizz.
3 Fag.
Bs Clar.
Brünnh.
Va-ter, was soll dein Kind er-
Fa-ther, what woe hast thou to
Pè-re, que doit ta fille ap-
Vc.
3 Fag.
Bs Clar.
Brünnh.
fah-ren?
tell me?
-pren-dre?
Trü-be scheinst du und
Gloom-y seem'st thou and
Sombre et tris-te tu
Vc.

3 Fag.
Bs Clar.
Brünnh.
trau - rig!
cheerless!
son - ges?
(er lässt den Arm machtlos sinken und den Kopf in den Nacken fallen.)
Wot.
In eig' - ner Fes - sel fing ich
I lie in fet - ters forged by
J'ai fait les chaî - nes qui m'ont
Vc.
sf
p
dim.
3 Fag.
Bs Clar.
più p
Wot.
mich, ich un - frei - e - ster Al - ler!
me, I, least free of all liv - ing!
pris, moi, l'ê - tre - le moins li - bre!
più p
Brünnh.
So sah ich dich nie: was nagt dir das
Ne'er saw I thee so: what gnaws at thy
Tel tu ne fus ja - mais: quelle af - fre t'é
Vc.

Immer belebter.
Bs Tromp. (in Es)
2 Ten. Tub. (in Es)
2 Bs Tub. (in B)
CB Tub.
3 Fag.
Immer belebter.
(zu 3.)
Pauk. (C)
Br.
(geth.)
(Bog.)
(trem.)
Brünnh.
Herz?
heart?
treint?
(Von hier an steigert sich Wotan's Ausdruck und Gebärde bis zum furchtbarsten Ausbruch.)
Vc.
CB.
(Bog.) p (trem.)
p cresc.
Immer belebter.
Bs Tr.
2 Ten. Tub.
2 Bs Tub.
CB Tub.
3 Fag.
Bs Clar.
Pauk.
Br.
Wot.
O hei - - li - ge Schmach!
O in - - fin - ite shame!
O hon - - te sa - crée!
Vc.
CB.

Hör. 2 u. 4. (F)
(zus.)
cresc.
(zu 2)
p cresc.
mf
3 Fag.
p cresc.
mf
cresc.
Bs Clar.
cresc.
2 Tromp. (F) (zu 2)
1.
p
molto cresc.
Bs Tr.
p
molto cresc.
2 Ten. Tub.
p
molto cresc.
2 Bs Tub.
p
molto cresc.
CB Tub.
p
molto cresc.
Pauk.
tr
p
molto cresc.
Br.
p
molto cresc.
Wot.
O schmäh-li-cher Harm!
O shame-ful dis-tress!
Af-freux déshon-neur!
Vc.
sf
molto cresc.
CB.
p
molto cresc.

2 Fl.
3 Hob.
3 Clar. (B)
Engl. Hr.
(F)
4 Hör.
(F)
cresc.
3 Fag.
Bs Clar. (B)
Tromp. 1 (F)
Bs Tr. (Es)
più f

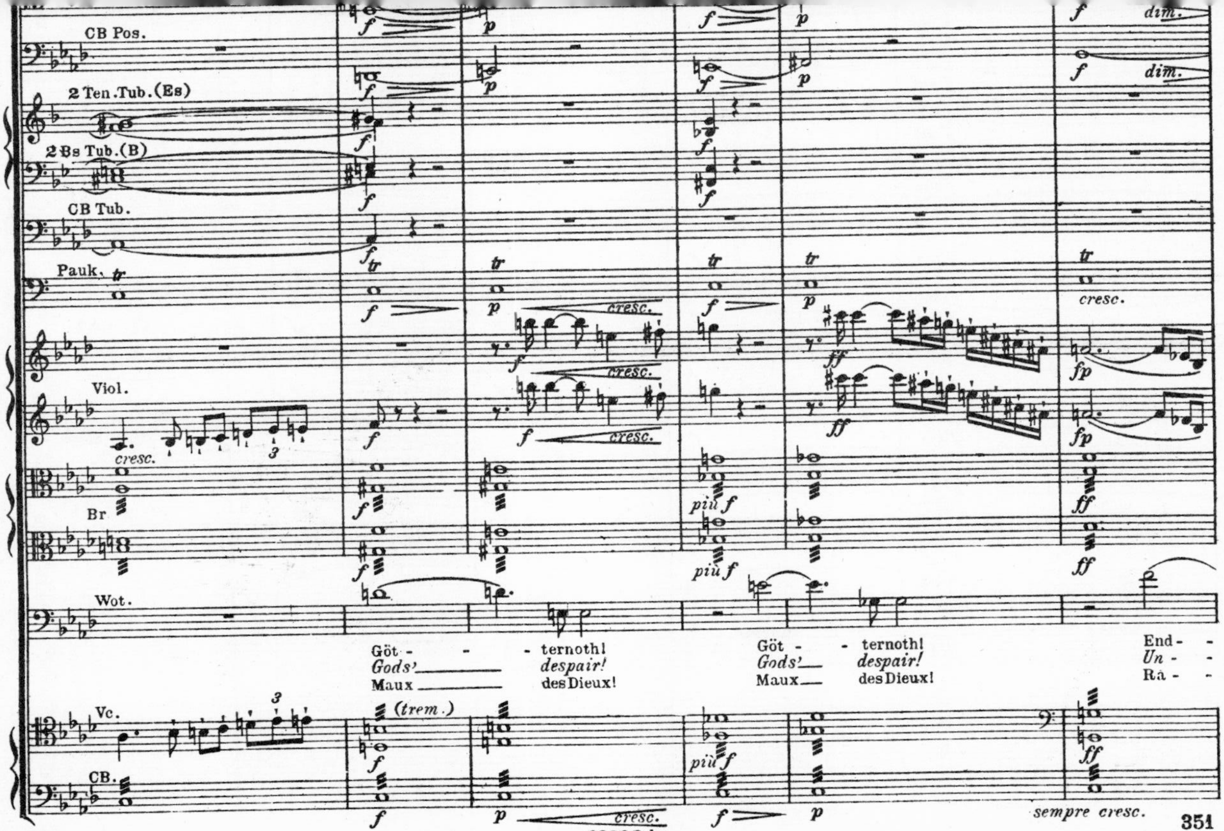

CB Pos.

2 Ten. Tub. (Es)

2 Bs Tub. (B)

CB Tub.

Pauk.

Viol.

Br

Wot.

Göt - - ternoth! Göt - - ternoth! End - -
Gods' despair! Gods' despair! Un - -
Maux des Dieux! Maux des Dieux! Ra - -

Vc.

CB.

27002 b

L. E. 6119

3 Fl.
2.u.3.
3 Hob.
3 Cl. (B)
Engl.Hr.
4 Hör. (F)
3 Fag.
Bs Clar. (B)
Tromp.
1. (F)
Bs Tr. (Es)
f
più f
cresc.
3

CB Pos.
2 Ten. Tub. (Es)
2 Bs Tub. (B)
CB Tub.
Pauk.
Viol.
cresc.
Br.
Wot.
- - lo - - sèr Grimm! E - wi - - ger Gram! Der
- bound - ed rage! Un - end - - ing grief! Most
- - ge sans fin! Deuil é - - ter - nel! Ma
Vc.
CB.
mf
più f
cresc.
ff

E. E. 6119

rallent.

Lebhaft.

3 Fl.

ff

3 Hob.

ff

(B)

3 Clar.

(B)

ff

Engl. Hr.

ff

(F)

4 Hör.

(F)

ff

3 Fag.

ff

Bs Clar.

(B)

ff

Tromp. 1

(F)

ff

Bs Tr.

(Es)

ff

3 Pos.

ff

CB Pos.

ff

Lebhaft.

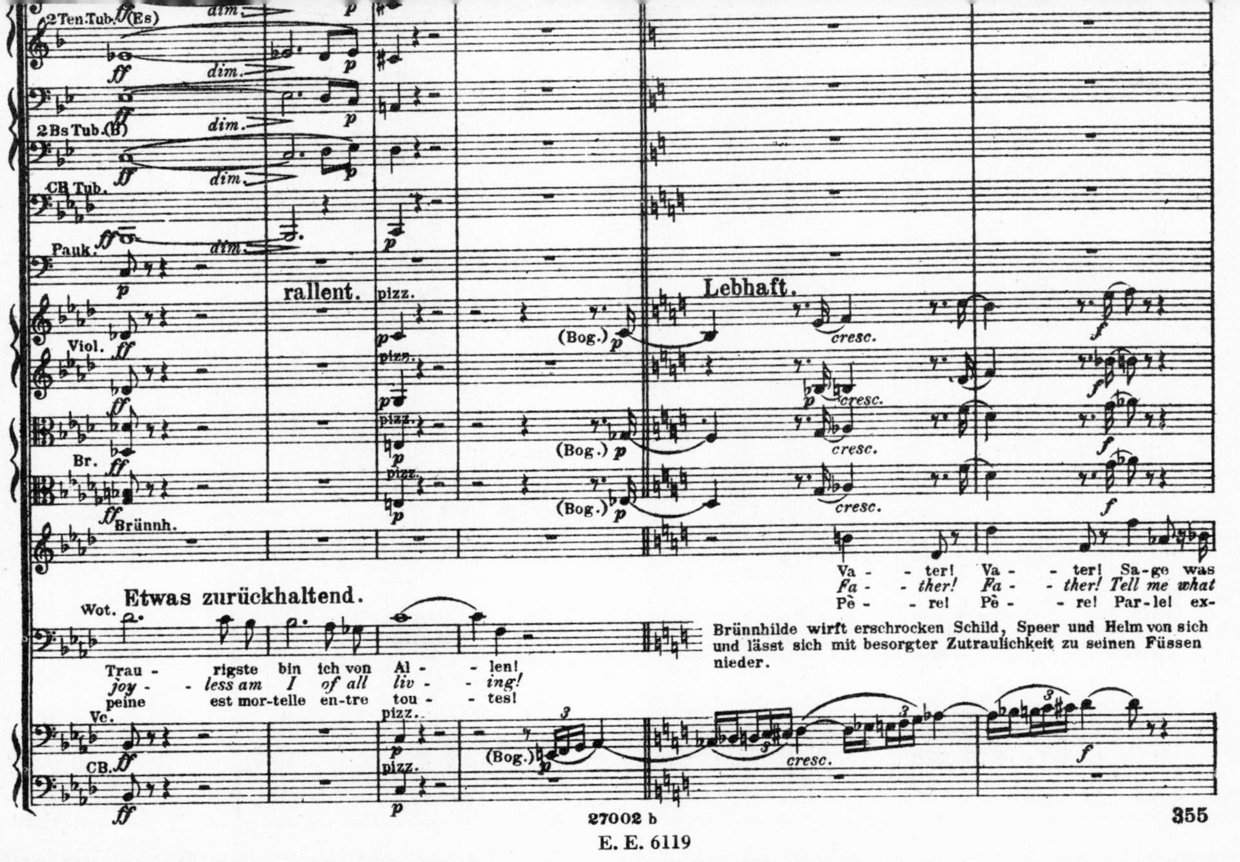
2 Ten.Tub. (Es)
2 Bs Tub. (B)
CB Tub.
Pauk.
rallent.
Lebhaft.
Viol.
Br.
Brünnh.
Etwas zurückhaltend.
Wot.
Trau - rigste bin ich von Al - len!
joy - less am I of all liv - ing!
peine est mor-telle en-tre tou - tes!
Va - ter! Va - ter! Sa-ge was
Fa - ther! Fa - ther! Tell me what
Pè - re! Pè - re! Par-le! ex-
Brünnhilde wirft erschrocken Schild, Speer und Helm von sich und lässt sich mit besorgter Zutraulichkeit zu seinen Füssen nieder.
Vc.
CB.

Viol.
f
dim.
Br.
Brünnh.
ist dir? Was er-schreckst du mit Sor-ge dein Kind! Ver-trau-e mir!
ails thee? Why so fill'st thou thy child with dis-may! Have trust in me,
-pli-que?... Oh pour-quoi ef-fray-er ton en-fant! Ra-con-te moi!...
Vc.
Bs Clar.(B)
Mässig langsam.
pp
Hr. 2 (F)
Hr. 3 u. 4 (F)
p
rallent.
Ich bin dir treu: Sieh', Brünn-hil-de bit-tet.
to thee aye true! See, Brünn-hild en-treateth.
Mon cœur est sûr: vois, Brünn-hil-de prie!
CB.
(Bog.)
(Sie legt traulich und ängstlich Haupt und Hände ihm auf Knie und Schooss.)
Vc. u. CB.

Bs Clar.
più p
(Wotan blickt ihr lange in das Auge; dann streichelt er ihr mit unwillkürlicher Zärtlichkeit die Locken. Wie aus tiefem Sinnen zu sich kommend, beginnt er endlich.)
Vc.
pp
CB.
pp
Bs Clar.
pp
Wot.
(sehr leise)
Lass ich's ver - lau - ten,
If I now tell it,
Si je l'ex - pri - me,
Vc.
ppp
CB.
ppp
Brünnh.
(sehr leise)
Zu Wo - tan's
To Wo - tan's
A ton vou -
Wot.
lös' ich dann nicht mei - nes Wil - lens hal - ten - den Haft?
shall I not loos - en my will's o'er - mas - ter - ing hold?
n'est - ce bri - ser ce qui tient en - cor mon vou - loir?
Vc.u.CB.
pp
4 Hör. (in E)
pp
Brünnh.
Wil - len sprichst du, sag'st du mir, was du willst; wer bin ich, wär' ich dein
will thou speak - est, when thou tell'st what thou wilt; what am I, if not thy
- loir tu par - les, me di - sant ton dé - sir: qui suis - je, hors ton vou -
Vc.u.CB.

4 Hör.(E)
pp
(dolce)
più p
3 Pos.
CB Pos.
Brünnh.
Wil - le nicht?
will a - lone?
- loir vi - vant?
Wot.
(sehr leise)
Was
What in
Ces
Vc. u. CB.
Kei - nem in Wor - ten ich kün - de, un - aus - ge - sprochen bleib' es denn
words to none o - ther I ut - ter, still will re - main un - spok - en for
cho - ses qu'à tous mon cœur cè - le, in - ex - pri - mées tou - jours qu'elles
CB Tub.
e - wig: mit mir nur rath' ich, red' ich zu dir.
e - ver: I speak in se - cret, speak - ing to thee.
res - tent! à moi je par - le, par - lant à toi.

Noch langsamer.
CB Pos.
pp
CB Tub.
pp
(mit gänzlich gedämpfter Stimme.)
Wot.
Als jun-ger Lie-be
When youth-ful love's de-
Du jeune A-mour la
Vc.
CB.
streng im Zeitmaass.
pp
Noch langsamer.
Wot.
Lust mir ver-blich, ver-lang-te nach Macht mein Muth: von jä-her Wün-sche
light from me fled, my spir-it yet longed for sway: by force of wild-est
joie m'a-yant fui, mon cœur sou-hai-ta le Pou-voir: l'ar-dent dé-sir gron-
CB.
Wot.
Wü-then ge-jagt, ge-wann ich mir die Welt. Un-wis-send trug-voll,
wish-es impelled, I won my-self the world; faith-less, I wrought in
-dant en ce cœur sou-mit le monde en-tier; sans le com-pren-dre,
Vc.
(nur die 6 zweiten Vc.)
CB.
(nur die 4 zweiten CB.)
pp
Wot.
Un-treu-e übt' ich, band durch Ver-trä-ge was Un-heil barg:
un-knowing false-ness, bind-ing by bar-gains what hid mis-hap;
œu-vre trom-peu-se, j'ai sous mes lois en-glo-bé le mal:
Vc.
CB.

2. Bs Tub. (B)
CB Tub.
Wot.
li-stig ver-lock-te mich Lo-ge, der schwei-fend nun verschwand.
craft-i-ly guid-ed by Lo-ge, who wan-dered then a-far.
Lo-ge m'a pris dans ses ru-ses, et puis, er-rant, a fui.
(6 erste)
Vc. 6 zweite
(ten.)
pizz.
4 CB.
2.Bs Tub.
CB Tub.
Wot.
Von der Lie-be doch mocht' ich nicht las-sen, in der
Yet the passion of love would not loose me, in my
Mais l'A-mour de-meu-rait mon en-vi-e, mon Pou-
Vc.
(Bog.)
4 CB.

Pos. 1.u.2.
Pos. 3.
CB Pos.
CB Tub.
pp
Wot.
p
Macht ver-langt' ich nach Min - ne.
might for love was my long - ing.
- voir rê - vait la ten - dres - se.
Den Nacht ge - bar, der
The child of night, the
Le fils des nuits, le
(6)
Vc. (6)
CB. (4)
Pos. 1.u.2.
Pos. 3.
CB Pos.
CB Tub.
Wot.
ban - ge Ni - be - lung, Al - be - rich, brach ih - ren Bund; er fluch - te der Lieb' und ge -
crav - en Ni - be - lung, Al - be - rich, broke from its bonds; for love he forswore and so
tris - te Ni - be - lung, Al - be - rich, s'en li - bé - ra; il mau - dit tout A - mour, et con -
Vc.
CB.

3 Pos.
pp
CB Pos.
pp
Wot.
wann durch den Fluch des Rhei-nes glän-zen-des Gold, und mit ihm maass-lo-se
won by his oath the glist'ning gold of the Rhine, and with it un-meas-ured
-quit par ce cri-me l'Or splen-di-de du Rhin, et par lui tou-te puis-
(6)
Vc.
CB.(4)
2 Fag.
p
3 Pos.
CB Pos.
Wot.
Macht.
might.
-sance.
Den Ring, den er schuf, ent-riss ich ihm listig; doch nicht dem
The ring that he wrought I craft-i-ly won me; but to the
L'Anneau qu'il forgea, ma ru-se sut le prendre; mais au
Vc.
CB.

Wot.
Rhein gab ich ihn zu-rück: mit ihm be-zahlt ich Wal-hall's Zin-nen, der
Rhine gave it not a-gain: with it I paid the price of Wal-hall, the
Rhin je ne l'ai ren-du: j'en ai pay-é le prix du Wal-hall, le
Vc.u.CB.
2 Clar. (in A)
Bs Tr. (in Es)
3 Pos.
CB Pos.
Ten. Tub. 1 u. 2. (in Es)
2 Bs Tub. (in B)
CB Tub.
Br. (geth.)
Wot.
Burg, die Rie-sen mir bauten, aus der ich der Welt nun ge-bot.
home the giants had built me, where-from I now ruled all the world.
burg. que de forts Gé-ants firent, et d'où j'ai ré-gné sur le monde.
Vc.u.CB.

2 Clar. (A)
Bs Tub. 2.
pp
CB Tub.
Br.
Wot.
Die Al - les weiss, was ein - sten war, Er - da, die
She who doth know all things that were, Er - da, the
La Tou - te - Sage au sûr sa - voir, Er - da, l'au-
2 Clar.
3 Pos.
pp
Wot.
p
weihlich wei-se-ste Wa-la, rieth mir ab von dem Ring, warnte vor e - wi-gem En-de.
wis-est hol - i - est Wa - la, spoke ill redes of the ring, told of e - ter - nal dis - aster.
- gus-te Wa-la sachan - te, m'a fait laisser cet Anneau, me pré-di-sant ruine é-ter-nelle.
CB Pos.
CB Tub.

Fag.
3.
Bs Clar. (in A)
p
pp
Wot. (etwas heftiger)
(zurückhaltend)
(belebend)
Von dem En-de wollt' ich mehr noch wissen; doch schweigend verschwand mir das Weib. Da ver-
Of the downfall I craved yet more tidings; but voice-less she van-ished from sight. Then was
Je vou-lus en sa-voir plus en-co-re... mu-et-te, la Wa-la disparut. Je per-
pizz.
(6)
Vc.
(6)
sf
(4)
pp
CB.
(4)
Fag.1.
sf
Fag.2.
p
Fag.3.
Bs Clar.
Br.
Wot.
lor ich den leich-ten Muth, zu wis-sen be-gehrt' es den Gott: in den
saddened my light-some heart, to know then be-came all my need: to the
-dis ma joy-euse ar-deur, sa-voir fut le rê-ve du Dieu: jusqu'au
(Bog.)
cresc.

2 Clar. (A)
Fag. 1 u. 2.
Fag. 3.
Bs Clar. (A)
Br.
Wot.
Schoss der Welt schwang ich mich hin-ab, mit Lie-bes-zau-ber zwang ich die Wa-la,
womb of earth wend-ed I my way, by love's enchantment forced I the Wa-la,
cœur du mon-de je des-cen-dis; le charme d'amour sou-met la dé-es-se,
Vc.
CB.
p cresc.
2 Clar.
1. (allein)
più p
3 Fag.
Bs Clar.
3 Pos.
Br.
Wot.
stört ih-res Wissens Stolz, dass sie Re-de nun mir stand. Kun-de empfing ich von
troubling her wisdom's calm, and constrained her tongue to speak. Counsel I won from her
dompte son fier sa-voir, et la force à me parler. D'elle j'ai su des se-
Vc.
CB.
(zus.)
rall.
dim.

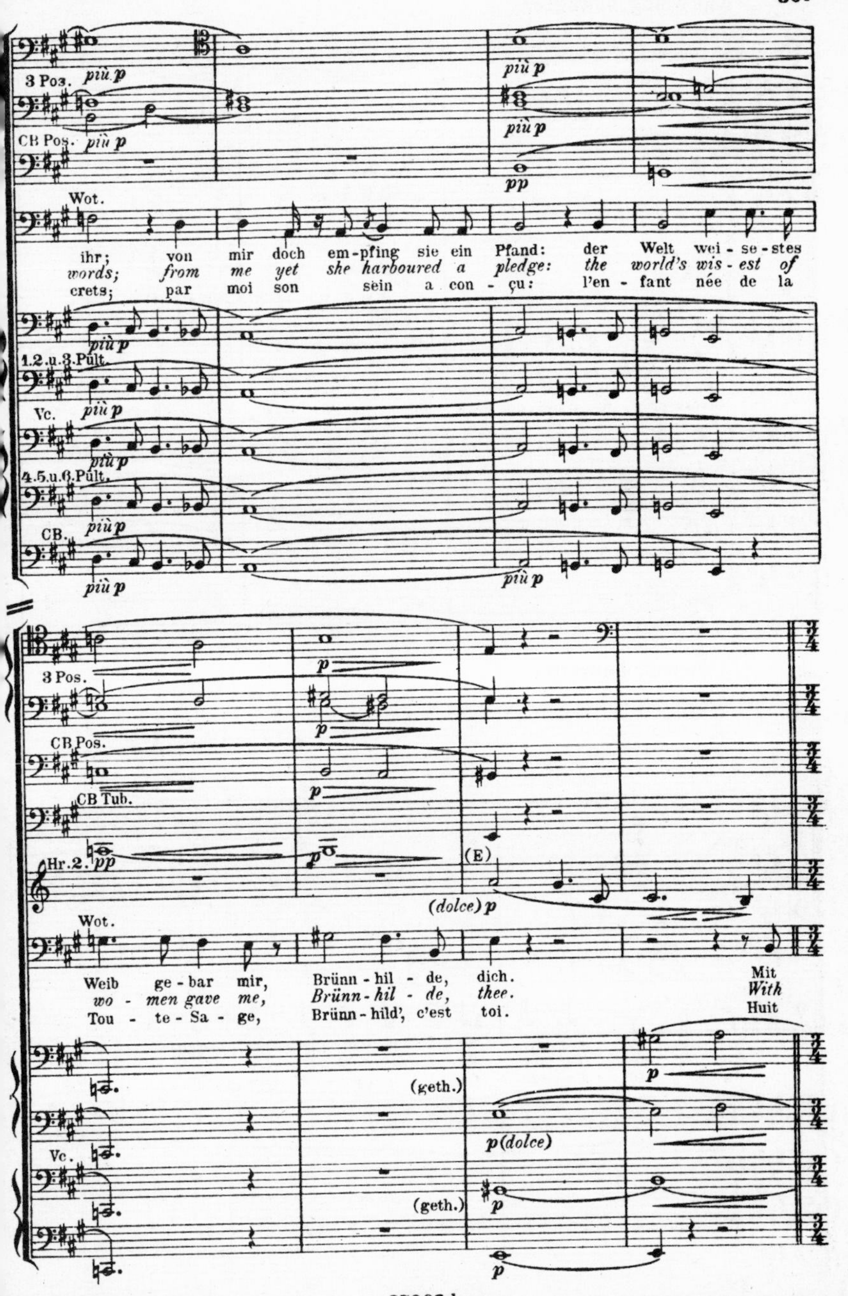
3 Pos.
CB Pos.
Wot.
ihr; von mir doch em-pfing sie ein Pfand: der Welt wei-se-stes
words; from me yet she harboured a pledge: the world's wis-est of
crets; par moi son sein a con-çu: l'en-fant née de la
1.2.u.3.Pult.
Vc.
4.5.u.6.Pult.
CB.
3 Pos.
CB Pos.
CB Tub.
Hr. 2.
(E)
(dolce) p
Wot.
Weib ge-bar mir, Brünn-hil-de, dich. Mit
wo-men gave me, Brünn-hil-de, thee. With
Tou-te-Sa-ge, Brünn-hild', c'est toi. Huit
(geth.)
p (dolce)
Vc.
(geth.)

Ein wenig bewegter.
Hr. 2 (E)
3 Fag.
3 Pos.
CB Pos.
Pauk. (E u. H)
Wot.
acht Schwestern zog ich dich auf; durch euch Wal-küren wollt' ich
eight sis-ters fos-tered wert thou; that ye Val-ky-ries might fore-
sœurs près de toi ont gran-di; à vous, Wal-kü-ren, vo-tre
1.2.u.3. Pult.
Vc.
4.5.u.6. Pult.
CB.
pizz.
Ein wenig bewegter.
Hr. 2 (E)
3 Fag.
3 Pos.
CB Pos.
Pauk.
Wot.
wen-den, was mir die Wa-la zu fürch-ten schuf: ein
fend the doom that the Wa-la's dark words fore-told: the
tâ-che fut d'é-car-ter le pé-ril pré-dit: la
Vc.

Hr. 2 (E)
2. u. 4. (E)
(zu 2)
dim.
Clar. 1 (A)
Bs Clar. (A)
3 Fag.
3 Pos.
2.
CB Pos.
Pauk. (E u. H)
Wot.
schmäh-li-ches En - de der Ew'-gen. Dass stark zum Streit uns
shame-ful de - feat of the great ones. That foes might find us
fin des puis-san - ces di - vi - nes. Pour l'âpre as - saut que
Vc.
CB.
pizz.

Hr. 2 u. 4 (E)
(zu 2)
3 Fag.
Bs Clar. (A)
3 Pos.
CB Pos.
Wot.
fän - de der Feind, hiess ich euch Hel - den mir schaffen: die
strong for the strife, he - roes I bade you to bring me: the
veut l'en-ne - mi, vous m'a - me - niez les plus bra - ves: ces
CB.
pizz.
Hr. 2 u. 4 (E)
(zu 2)
3 Fag.
Bs Clar.
Br.
Wot.
her - risch wir sonst in Ge - se - tzen hiel - ten, die Män - ner, de - nen den
slaves we had held by our laws in bond - age, the mor - tals whom in their
Hom - mes cour - bés sous nos lois se - vè - res, ces Hom - mes, dont nous bri -
Vc.
CB.

Br.
cresc.
Wot.
Muth wir ge-wehrt, die durch trü-ber Ver-trä-ge trü-gen-de Ban-de zu
might we de-fied, whom, en-thralled by dark-some, treacher-ous bar-gains, we
-sâ-mes l'ardeur, que nos pac-tes si-nis-tres, liens de men-son-ge, dé-
cresc.
Vc.
cresc.
CB pizz.
cresc.
Hr. 2.
belebter
Hr. 4.
3 Pos.
pp
CB Pos.
pp
CB Tub.
p
Br.
pizz. belebter
p
Wot.
(immer belebter
blin-dem Ge-hor-sam wir uns ge-bun-den, die soll-tet zu Sturm und
bound in o-bedience blindly to serve us these e-ver to storm and
vouent aux a-veu-gles o-bé-is-san-ces, vous dû-tes les ren-dre
pizz.
p
Vc.
pizz.
p
CB.
p

Hr. 2 u. 4. (E)
(zu 2)
Bs Tromp. (D)
3 Pos.
CB Pos.
CB Tub.
Pauk. 2 (A)
Br.
doch mit gemässigter Stärke.)
Wot.
Strei-te ihr stacheln, ih-re Kraft rei-zen zu rauhem Krieg, dass
strifeshouldye kindle, their hearts rouse up to ruthless war, that
prompts aux ba-tail-les, et de coeurs ru-des aux durs combats, guer-
Vc. u. CB.
pizz.
1. u. 3. (E)
4 Hör. (in E)
2. u. 4.
poco cresc.
Bs Tr. (D)
3 Pos.
CB Pos.
più p
CB Tub.
Pk. 2 (A)
Br.
Wot.
küh-ner Käm-pfer Schaa-ren ich samm-le in Wal-hall's
val-iant hosts of he-roes should gath-er on Wal-hall's
-riers har-dis, de-vant peupler les sal-les du Wal-hall
Vc. u. CB.

Hör. 1 u. 3.
Hör. 2 u. 4.
3 Tromp. (E)
1.
2 u. 3.
Bs. tromp. (D)
Pos. 1 u. 2.
Pos. 3.
CB. Pos.
CB. Tub.
Pauk. 2 (in A)
Br.
pizz.
Brünnh.
Deinen Saal füll-ten wir weidlich: vie-le schon führt' ich dir
And thy halls filled we with he-roes: man-y I brought to thee
Les guerriers peu-plent tes sal-les, forts et nombreux par mes
Wot.
Saal.
height!
saint.
Vc. u. CB.
pizz.

Wieder etwas
Hör. 1 u. 3. (E)
Hör. 2 u. 4. (E)
3 Tromp. (E)
Bs. tromp. (D)
3 Pos.
CB. Pos.
CB. Tub.
Pauk. (A)
(Bog.)
Br. (geth.)
(Bog.)
Brünnh.
zu.
there.
soins.
Was macht dir nun Sorge da nie wir ge-säumt?
If we ne'er have failed thee, whence cometh thy fear?
Pourquoi cette crainte, voyant notre zèle?
Vc. u. CB.
(Bog.)
(Bog.)
langsamer.
2 Clar. (A)
Fag. 2.
Fag. 3.
Br.
Wotan.
(wieder gedämpfter)
Ein Andres ist's: achte es wohl, wess' mich die Wala ge-
Another ill, heed thou it well! darkly the Wala fore-
Un autre effroi, sache-le bien, fut par la Wala pré-
Vc.
CB.
più p
pp

2 Clar.
1.
3 Fag.
2 u. 3.
più p
Bs. Cl. (A)
3 Pos.
pp
ten.
CB. Pos.
Pauk. 2.
Br.
pizz.
Wot.
warnt. Durch Al-be-rich's Heer droht uns das En - de: mit nei - di-schem
told. Through Al-be-rich's host threat-ens our down - fall: with en - vi-ous
-dit! Du Gnome l'ar-mée veut no-tre per - te: de rage et d'en-
Vc.
CB.
1 u. 2.
belebend
cresc.
(Bog.)
poco cresc.
(belebend)
Grimm grollt mir der Nib-lung; doch scheu' ich nun nicht sei-ne näch-ti-gen
rage burn-eth the Nib-lung; but no more I dread now his dus-ky bat-
-vie gron-de le Nib-lung; mais moi je n'ai peur de ses hor-des noc-

1 u. 2.
3 Fag.
Bs. Cl. (A)
Ten. Tub. 1 (Es)
Bs. Tub. 1 (B)
3 Pos. *ten.*
CB. Pos.
Pauk.
Br. pizz.
Wot.

Schaaren, meine Helden schüfen mir Sieg!
talions, by my heroes safe were I held.
-turnes, mes héros les peuvent braver.

Vc.
CB.

Ten. Tub. 1.
Bs. Tub. 1.
3 Pos.
CB. Pos.
Br. pizz. (Bog.)
Wot. *(gedämpfter)* *(noch gedämpfter)*

Nur wenn je den Ring zurück er gewänne, dann wäre Walhall ver-
Yet, if e'er the ring were won by the Niblung, then lost were Walhall for
Si pourtant l'Anneau retombe en sa puissance, alors le Walhall suc-

Vc. pizz.
CB.

3 Pos.
CB. Pos.
Br. (nur die 6 zweiten)
(trem.)
pp
poco cresc.
Wot.
lo - ren: der der Lie - be fluch - te, er al - lein nützte neidisch des Ringes Ru - nen zu al - ler
e - ver: for to him a - lone who love forswore is it giv - en to use the runes of the ring to the
- com - be! car le Nain ja - dis maudit l'A - mour, et lui seul peut u - ser du char - me pour l'é - ter -
(Bog.(6) (trem.)
pp
poco cresc.
Vc.
(Bog.(6) (trem.)
pp
poco cresc.
CB. 4 ersten
(trem.)
pp
poco cresc.
3 Pos.
p
CB. Pos.
p
Br. (6)
p
Wot.
(belebend)
Ed - len end - lo - ser Schmach; der Hel - den Muth ent - wen - det' er mir, die Küh - nen
end - less shame of the gods; my her - oes' faith from me would he turn, and stir to
- nel - le hon - te des Dieux; il peut ga - gner à lui mes hé - ros, for - cer les
(6)
p
Vc.
(6)
p
CB. (4)
p

Clar. 1 (A) rallent.
Fag. 1 u. 2.
Bs. Cl. (A)
3 Pos.
CB. Pos.
pizz. (Bog.)
Br. (6)
pizz. (Bog.)
Wot.

sel - ber zwäng' er zum Kampf, mit ih - rer Kraft be - krieg - te er mich.
strife my fight - ers them-selves, and with their might give bat - tle to me.
bra - ves même à tra - hir, par leur ef - fort me vaincre à mon tour.

Vc.
CB.

Clar. 1.
3 Fag.
Bs. Cl.
Wot. ritenuto (gedämpft.)

Sor - gend sann ich nun selbst, den Ring dem Feind zu ent - rei - ssen.
Urged by fear then I thought to rob the ring from the foe - man.
J'ai cher - ché le mo - yen de sous - trai - re l'Or à ses ru - ses.

Vc. (zus.)
CB. (zus.)

Clar. 1 u. 2.
3 Fag.
Bs. Cl.
2 Ten. Tub. (in Es)
2 Bs. Tub. (in B)
CB. Tub.
Pauk. 1. (G)
Wot.
(gedämpft)
Der Rie-sen ei-ner, de-nen ich einst mit verfluch-tem Gold den Fleiss vergalt,
The gi-ant Faf-ner, who from my hand the ac-curs-ed gold as wage did win —
Veil-leur a - vi-de, l'un des Géants qu'a-vec l'Or mau-dit j'avais pay-és,
Vc. u. CB.
pizz.
2 Ten. Tub.
2 Bs. Tub.
CB. Tub.
Pauk. (D)
Wot.
Faf-ner hü-tet den Hort, um den er den Bru-der ge-fällt. Ihm müsst' ich den
he now guardeth the hoard for which his brother he slew. From him must I
Faf-ner, gar-de cet Or, qui le fit meur-tri - er de son frère. Com-ment lui ra -
Vc. u. CB.
pizz.

2 Ten.Tub. (Es)
pp
2 Bs. Tub. (B)
pp
CB. Tub.
pp
Wot.
Reif ent-rin-gen, den selbst als Zoll ich ihm zahl - te. Doch mit wem ich ver -
wrest the ring that my-self I gave him as guer - don. But the bond I have
- vir l'Anneau qu'il re-çut de moi pour sa - lai - re! A - vec lui j'ai trai -
Vc. u. CB.
(Bog.)
pp
Wot.
trug, ihn darf ich nicht tref-fen; macht-los vor ihm er-lä - ge mein
made for - bids me to strike him; might-less my force would fall be-fore
- té, je ne puis rien re-pren-dre; sans nul pou-voir je suis de-vant
Vc. u. CB.
staccato
poco cresc.
1 u. 2.
p
sf
p
3 Pos.
3.
p
sf
p
p stacc.
CB. Pos.
p
sf
p
p stacc.
CB. Tub.
p stacc.
Wot.
(bitter)
Muth; das sind die Ban-de, die mich bin-den: Der durch Ver - trä - - ge ich
him: these are the fet-ters that now hold me: I who by bar - - gains am
lui: telle est la chaî-ne qui m'at - ta-che: si les trai-tés me font
Vc. u. CB.
fz
p

Etwas belebter.
1 u. 2.
3 Pos.
CB. Pos.
CB. Tub.
Bs. tromp. (in D)
Viol. 2.
Br.
Wot.
Herr, den Ver-trä-gen bin ich nun Knecht.
lord, to my bargains eke am a slave.
roi, des trai-tés je suis le cap-tif.
Vc. u. CB.
Fag. 1 u. 2.
zu 2
Bs. tromp.
Viol. 1.
Viol. 2.
Br.
Wot.
Nur Ei-ner könn-te, was ich nicht darf: ein
But one may dare what to me is den-ied: a
Un seul pour-rait l'im-possible ex-ploit: Hé-
Vc.
CB.
pizz.

Fag. 1 u. 2.

Viol.

Br.

Wot.

Held, dem hel - fend nie ich mich neig - te, der fremd dem Got - te,
he - ro ne - ver helped by my coun - sel, to me unknown and
-ros pour qui ja - mais je n'a - gis - se, qui loin du Dieu, pri-

Vc.

Fag. 1 u. 2.

Viol.

Br.

Wot.

frei sei - ner Gunst, un - bewusst, oh - ne Geheiss, aus eig' - ner Noth, mit der
free from my grace, un - aware, forced by his need, with - out command, with his
-vé de fa-veur, sans savoir, sans mon appel, en sa pro-pre angoisse, par ses

Vc.

Fag. 1 u. 2.
(trem.)
Viol.
più p
(trem.)
Br.
Wot.
eig' - nen Wehr schü-fe die That, die ich scheu - en muss, die nie mein Rath ihm
own right arm, do-eth the deed that I must shun, the deed my tongue ne'er
pro - pres armes, fît cet ex-ploit qu'il me faut lais - ser, sans l'a-voir ap - pris de
Vc.
Immer etwas bewegter.
4 Hör. in E.
zu 2.
rieth, wünscht sie auch ein - zig mein Wunsch.
told, though yet my deep - est de - sire.
moi, dont c'est l'u - ni — que dé - sir!

3 Pos.
CB. Pos.
CB. Tub.
1 u. 2.
3 Fag.
3.
Viol.
Br.
Wot.
Der, ent-ge- - gen dem Gott, für mich föch-te,
He, at war with the god, for me fight-eth,
Ré-vol-té con-tre moi, pour ma cau-se,
Vc.
CB. (Bog.)

3 Pos.
CB. Pos.
1 u. 2.
3 Fag.
3.
Viol.
Br.
Wot.
den freund-li-chen Feind, wie fän-de ich ihn? Wie schüf' ich den
the friend-li-est foe. O, how shall I find or shape me the
l'a-mi en-ne-mi, comment le trou-ver, ce Fort vraiment
Vc.
CB.
pp
p
poco cresc.
dim.
cresc.

poco riten.
3 Pos.
CB. Pos.
1 u. 2.
3 Fag.
poco riten.
Viol.
Br.
Wot.
Frei - en, den nie ich schirm-te, der im eig' - nen Tro-tze der trau - tes-te
free one, by me ne'er shield-ed in his firm de - fi-ance the dear - est to
li - bre, qui sans mon ai - de, dans sa ré-vol - te mê - me, m'est cher plus que
Vc.
CB.

a tempo
Hr. 2. (F)
Hr. 4. (F)
1 u. 2.
3 Fag.
3.
a tempo
Viol.
poco cresc.
poco cresc.
Br.
Wot.
mir?
me?
tous?
Wie macht' ich den An - dren, der nicht mehr
How fash - ion the Oth - er who, not through
Comment cré-er l'ê - tre dis-tinct de
(6)
Vc. geth.
(6)
CB.

1.
3 Hob.
2 u. 3.
Engl. Hr.
Hr. 2. (F)
1 u. 2 (F)
Hr. 4. (F)
3 u. 4.
1 u. 2.
3 Fag.
3 Pos.
CB. Pos.
Viol.
Br.
Wot.
Ich, und aus sich wirk - te, was ich nur will? O
me, but from his will for my ends shall work? O,
moi, fai-sant sans moi ce que moi je veux? Dé
Vc.
CB.

3 Hob.
Engl. Hr.
4 Hör. (F)
Fag. 1 u. 2.
Fag. 3.
3 Pos.
CB. Pos.
Viol.
Br.
Wot.
gött - - li - che Noth!
god - - head's dis-tress!
-tres - - se du Dieu!
Gräss - - - li - che Schmach!
Sor - - - est dis-grace!
Hon - - - te sans nom!
Vc.
CB.
ff
mf
f
p
cresc.

3 Hob.
Engl. Hr.
4 Hör. (F)
zu 2.
3 Fag.
3 Pos.
CB. Pos.
Viol.
Br.
Wot.
Zum E - - - - kel find ich e-wig nur mich in Al-lem was ich er-
In loath - - - - ing find I e-ver my-self in all my hand has cre-
Dé goût de ne trouver que moi seul dans toutes mes entre-
Vc. u. CB.

3 Hob.
Engl. Hr.
4 Hör.
zu 2.
3 Fag.
3 Pos.
CB. Pos.
Viol.
Br.
Wot.
wir - ke. Das An - - dre, das ich er - seh - ne, das An -
a - ted; the Oth - - er whom I have longed for, that Oth -
- pri - ses! et l'Au - - tre, que je dé - si - re, cet Au -
Vc. u. CB.
cresc.

3 Hob.
cresc.
3 Clar. in B.
1 u. 2.
Engl. Hr.
cresc.
4 Hör. (F)
p cresc.
1 u. 2.
3 Fag.
p molto cresc.
3 Pos.
CB. Pos.
Viol.
più f
Br.
Wot.
- - d're er - seh' ich nie:
- - er I ne'er shall find:
- - tre m'é-chappe tou-jours:
denn selbst muss der Frei - e sich
him - self must the free— one cre-
lui - mê - me le Li - bre se
Vc. u. CB.

3 Hob.
zu 3. accel.
3 Clar.
zu 3.
Engl. Hr.
4 Hör.
zu 2.
3 Fag.
p molto cresc.
3 Pos.
CB. Pos.
accel.
Viol.
p molto cresc.
cresc.
Br.
Wot.
schaffen; Knech-te er-knet' ich mir nur.
ate him; my hand nought shapeth but slaves.
crée; escla - ves, tous ceux que j'ai faits!
Vc. u. CB.
p molto cresc.

27002 b
E. E. 6119

Etwas zurückgehalten.
2 Clar.
Engl. Hr.
4 Hör.
3 Fag.
3 Pos.
CB. Pos.
Viol.
Br.
Etwas zurückgehalten.
Brünnh.
Sieg-mund? wirkt er nicht selbst?
Sieg-mund, works for him-self?
Sieg-mund, seul a lut-té?
Wotan.
Wild durchschweift' ich mit ihm die
Wild - ly roam-ing with him in
Fauve, aux bois j'ai gui-dé sa
Vc. u. CB.
Vc. allein.

Hr. 3 u. 4. (F)
Fag. 3.
Wot.
Wälder; gegen der Götter Rath reizte kühn ich ihn
woodlands, ever against the gods, then his spirit I
courose; contre les lois des Dieux j'ai poussé sa va-
CB.
Bs. tromp. (in Es)
Viol.
Br.
Wot.
auf: gegen der Götter Rache schützt ihn nun einzig das Schwert, das seines
stirred: now gainst the god-head's vengeance guarded is he by the sword that thro' the
-leur: et contre leur vengeance seul le protège le fer que la fa-
Vc. u. CB.
(nicht schnell)
Viol.
Br.
Wot. (gedehnt und bitter.)
Gottes Gunst ihm beschied.
grace of a god was bestowed.
-veur d'un Dieu lui donna.
Wie wollt' ich listig selbst mich be-
Why would I trick myself with my
Qu'ai-je voulu mentir à moi-
Vc.

Engl. Hr.
Bs. Cl. (B)
Viol.
Br.
Wot.
lii-gen? So leicht ja entfrug mir Fricka den Trug: zu tief-ster Scham durch-
cunning? So light - ly my falsehood Fricka laid bare: be-fore her glance I
même? L'erreur ful si bien par Fricka mon-trée: son œil vit clair ma
Vc.
Side 6
Schnell.
Engl. Hr.
cresc.
Bs. Cl.
3 Pos.
Bs. Tub. 2 (in B)
CB. Tub.
Pauk. 1. (B)
Viol. 1 u. 2.
Br.
Wot.
(rasch)
schau-te sie mich! Ih-rem Wil-len muss ich ge - wäh-ren.
stood in my shame! To her will I now must yield me.
hon - te sans nom! A son vœu je dois sa - tis - fai - re!
pizz.
Vc.
CB.
(Bog.)

2 Clar. (in B)
1 u. 2.
(F)
4 Hör. (F)
(F)
3 Fag.
3.
Bs. Cl. (B)
Bs. Tub. 2. (B)
CB. Tub.
Pauk. 1.
Br.
cresc.
Brünnhilde.
So nimmst du von Sieg-mund den Sieg?
Then tak'st thou from Sieg-mund thy shield?
Tu ô-tes à Sieg-mund la vic-toire?
Wot.
Ich be-rühr-te Al-berich's
When my hand touched Al-berich's
J'ai tou-ché ja-dis à l'An-
Vc.
(Bog.)
cresc.
CB.

3 Hob.
zu 3.
Engl. Hr.
3 Clar.
4 Hör.
3 Fag.
Bs. Cl.
Bs. Tub. 2.
CB. Tub.
Triang.
Beck.
Viol. pizz.
(Bog.)
Br.
Wot.
Ring, gie - rig hielt ich das Gold.
ring, greed was mine for the gold.
- neau, à - pre, j'ai te - nu l'Or.
Vc.
CB.
(geth.)

1 u. 2.
3 Hob.
Engl. H.
1.
3 Clar.
2 u. 3.
(B)
(F)
4 Hör.
(F)
3 Fag.
Bs. Cl.
(B)
Bs. tromp. (Es)
(sehr ausdrucksvoll)
3 Pos.
CB. Pos.
Bs Tub. 2 (in B) allein
CB. Tub.
cresc.
Beck.
cresc.
cresc.
Viol.
Br.
Wot.
Den Fluch, den ich floh, nicht flieht er nun mich.
The curse that I fled. now flies not from me:
Le char-me mau-dit. s'a-char-ne sur moi:—
Vc.
CB.

Engl. Hr.
3 Clar.
4 Hör.
Bs. Cl.
Troump. 1. (F)
Bs. tromp.
3 Pos.
CB. Pos.
2 Ten. Tub. (Es)
2 Bs. Tub.
1 u. 2.
CB. Tub.
Viol.
Br.
Wot.
Was ich lie - be, muss ich ver - las - sen,
What I love best must I sur - ren - der,
Mon a - mour, je dois le dé - trui - re,
mor - den, wen
slay him whom
per - dre tous
Vc.
CB.

rall.
3 Hob.
dim.
Engl. Hr.
3 Clar. (B)
4 Hör. (F)
3 Fag.
Bs. Cl. (B)
Tromp. 1. (F)
Bstromp. (Es)
3 Pos.
CB. Pos.
(Es)
4 Tub.
(B)
CB. Tub.
Viol.
Br.
Wot.
rall.
je ich min - ne!
most I cher - ish,
ceux que j'ai - me,
Trü - gend ver - ra - then, wer mir
base - ly be - tray who in me
lâ - che, tra - hir qui me ché -
Vc.
CB.
(zusamm.)
più f

a tempo
accelerando
3 Hob.
Engl. Hr.
3 Clar.
4 Hör.
3 Fag.
Bs. Cl.
Tromp. 1. (F)
Bs. tromp. (Es)
3 Pos.
zu 3.
CB. Pos.
(Es)
4 Tub.
(B)
Pauk. 2. (Fis)
pizz.
Viol.
Br.
Wot.
(Wotans Gebärde geht aus dem Ausdrucke des furchtbarsten Schmerzes zu dem der Verzweiflung über.)
traut!
trusts!
- rit!
Vc.
(Bog.)
(geth.)
CB.
a tempo
accelerando

Fl.
1.
cresc.
2.
cresc.
2.
3.
1.
Hob.
2 u. 3.
p
cresc.
p
cresc.
1.
Cl.(B)
2 u. 3.
p
Engl. Hr.
p
cresc.
Hörn. (in F).
p
cresc.
p
cresc.
Fag.
Bs.Cl. (B)
Tromp. 1. (F).
Bs.Tromp. (in Es).
cresc.

27002 b
E. E. 6119

Fl.

Hob.

Cl.(B)

E.H.

Hör.(F)

Fag.

Bs.Cl.(B)

Tromp. 2 u. 3. (F)

3. allein

Bs.Tromp.(Es)

3 Pos.
CB. Pos.
(Es)
4 Tub.
(B)
CB. Tuba.
Viol.
Br.
Wot.
hin, — her - ri-sche Pracht! gött - li-chen Prun - - - kes prah - len-de
way — splen - dour and pomp, glor - ry of god - - hood's glit - ter-ing
mais, — règne é-cla-tant, gloi - re di - vi - - - ne, hon - te des
Vc.
CB.

Fl.
Hob.
Cl. (B)
2. allein
E. H.
Hör. (F)
Fag.
Bs. Cl. (B)
Tromp 3. (F)
2 u. 3.
f
mf
fp
cresc.

27002 b
E. E. 6119

Fl. 1.
Fl. 2. 3.
cresc.
cresc.
Hob.
più f
più f
Cl. (B)
più f
più f
E. H.
più f
Hör. (F)
più f
molto cresc.
Fag.
più f
più f
Bs. Cl. (B)
Tromp. 2 u. 3. (F)
ff

3 Pos.

CB. Pos.

1 (C). tr

Pauk. 2 (D). cresc. tr

Viol.

Br. più f

Wot.

Werk! Nur Ei - - - - - - nes will ich noch: das En - de! Das
work; but one thing waits me yet: the down - fall, the
fort, u - - - ni - - - - - - que est mon vœu: la Chu - te la

Vc. più f

CB. più f

Langsam.
Pos. 2 u. 3.
(Es)
4 Tub.
(B)
CB. Tub.
Pauk. 1(C)
Br.
(Er hält sinnend ein.)
Wot.
En - de!
down - fall!
Chu - te!
Und für das En - de sorgt
And for the down - fall works
Et pour la Chu - te veille
Vc.
Tromp. 3 (in F)
Bs.tr. (in Es)
2 Fag.
Pos. 2 u. 3.
4 Tub.
CB. Tub.
Pauk. 2.
(As)
Br.
Wot.
Al - be-rich!
Al - be-rich;
Al - be-rich!
Jetzt ver-steh' ich den stum-men Sinn des
now I grasp all the se - cret sense that
Je com-prends main-te-nant le sens des
Vc.

1.
Cl.(B)
2.
Hr. 4. (in F).
Bs. Cl. (B)
2 Fag.
Wot.
wil-den Wor-tes der Wa-la:
filled the words of the Wa-la:
mots si-nistres de Wa-la:
„Wenn der
„when the
„Si le
Vc.
Cl.
Hr. 4 (in F).
Bs. Cl.
Lie - be finst - rer Feind
dusk - y foe of love
sombre ennemi d'A - mour
zür - nend zeugt ei-nen
grim - ly get-teth a
crée un fils en sa

Cl.(B)
Hr. 4.(F)
Bs.Cl.(B)
Wot.
Sohn, der Sel' - gen En - de säumt dann nicht."
son, the doom of gods de - lays not long."
rage, la Fin des Dieux ne doit tar - der."
Vc.
BC.
Cl.(B)
2u.3.
Hör. (F)
3 Fag.
Bs.Cl.(B)
Bs.Tromp. (in Es).
Wot.
Vom Nib-lung jüngst ver-
Of the Nib-lung late a
Le Nib-lung noir, je l'ai
Vc.
BC.

1.
Cl. 2 u. 3.
Fag.
Bs. Cl.
Bs. Tromp.
trem.
pp
Br.
cresc.
Wot.
nahm ich die Mähr', dass ein Weib der Zwerg be-wäl-tigt, dess' Gunst Gold ihm erzwang: des
rumour I heard, that the dwarf had won a wo-man, by gold gain-ing her grace: the
su ré-cemment, à ses voeux soumit u-ne fem-me, que l'Or lui a livrée: le
(6)
Vc. (6)
Engl. Hr.
Cl.
Fag.
Bs. Cl.
Hr. 4.
Wot.
Has - ses Frucht hegt ei-ne Frau; des Nei - des Kraft
fruit of hate bear-eth a wife; the child of spite
fruit de hai - ne doit naî-tre d'elle; ce fruit maudit
Vc.

Engl.Hr.
cresc.
ff
Cl.1.(B)
p
cresc.
Cl.2.(B)
Cl.3.(B)
Fag.1.
Fag.2.
Fag.3.
Bs.Cl.(B)
1 u.2.
Hör.(F)
4.
fp
(6)
Br.
più f
Wot.
kreiss't ihr im Schooss; das Wun - der ge - lang dem Lie - -
grows in her womb; this won - der be - fel the Lore - -
croît dans son sein!... le Nain sans A - mour ob - tint
Vc.
p cresc.
f

Engl. Hr.
1 u. 2.
Cl.
3.
1 u. 2.
Fag.
3.
Bs. Cl.
1 u. 2.
Hör.
4.
Viol.
Br.
zusammen
Wot.
- be-lo-sen; doch der in Lieb' ich frei'-te, den Frei-en er-lang' ich mir
- less Niblung; yet, tho' I loved so tru-ly, the free one I ne-ver might
ce pro-di-ge; mais Lui, qu'aimant je cher-che, le Li-bre, jamais ne naî-
Vc. (6).
zusammen
CB.

Sehr breit.

Hör. 2 u. 4. (in F).
zu 2.
1.
cresc.
2.
ff
2. dim.
3 Tromp. (F).
3.
p
cresc.
ff
dim.
Bs. Tromp. (Es)
p
cresc.
3 Pos.
p
cresc.
ff
dim.
p
cresc.
ff
dim.
CB. Pos.
p
cresc
ff
dim.
(Es)
4 Tub.
pp
(B)
pp
CB. Tub.
pp
ff
Becken (mit Paukenschlägeln).
tr
pp
tr
cresc.
tr
f
Viol.
p
ff
p
ff
Br.
p
ff
Wot.
(Mit bitt'rem Grimm sich aufrichtend.)
nicht.
win.
-tra!
So nimm meinen Se - gen,
Then take thou my bless - ing,
Bé - ni soit ton rè - gne,
Vc. u. CB.
p
ff

Hör. 2 u. 4.
dim.
p
più p
cresc.
2.
dim.
Tromp.
3.
dim.
p
cresc.
Bs. Tromp.
dim.
p
più p
p
cresc.
3 Pos.
p
cresc.
CB. Pos.
p
cresc.
Becken.
tr
p
cresc.
Pauk. 2. (E).
tr
p
più p
pp
Wot.
Nib - lungen Sohn! Was tief mich e-kelt, dir geb' ich's zum Er-be: der
Nib - el-ung son! What I have loathed now mayst thou in-her-it; the
Ni - blung fu-tur! Ce qui m'écœure, prends en l'hé-ri-ta-ge: l'é

Hör. 2 u. 4. (F) zu 2.
dim.
più p
Tromp. (F)
dim.
Bs. Tromp. (Es)
dim.
più p
3 Pos.
dim.
CB. Pos.
dim.
CB. Tub.
Beck.
Pauk. (F)
più p
Viol.
Br.
Wot.
Gott - - - heit nich - - - ti-gen Glanz: zer-na - ge ihn gie - rig der
emp - - - ty pomp of the gods thy en - vi-ous greed shall con-
-clat des Dieux, ce né - ant, qu'il meu-re, par toi dé - vo-
Vc. u. CB.

Etwas lebhafter.
2 Hob.
3 Cl.
Engl. Hr.
Hör.
Bs. Cl.
3 Fag. (zu 3)
Viol.
Br.
Brünnh.
(erschrocken)
O sag,
O say!
Oh dis,
Wot.
Neid!
sume!
-ré!
Vc.
CB.
Bs. Cl.
Fag. 2 u. 3.
Viol.
Br.
Brünnh.
kün - de! Was soll nun dein Kind?
tell me, what task must be mine?
par - le, que fe - ra ton en - fant?
Vc.
CB.

Hob. 1.
Engl. Hr.
Cl. 1. (B)
3 Pos.
Bs. Cl. (B)
Viol.
Br.
Wot.
Vc.
p
pp
pizz.
Bog.
(bitter)
(trocken)
Fromm streite für Fricka; hüte ihr' Eh' und Eid! Was sie erkor, das
Fight truly for Fricka; ward for her wedlock's oath! What she doth choose, that
Suis l'ordre de Fricka; sauve ses lois sacrées! Ce qu'elle veut, j'en
(geth.)
fp
f
kiese auch ich: was frommte mir eig'ner Wille? Einen Freien kann ich nicht
too be my choice: what good can my will e'er gain me? for the free one can it not
fais mon décret: que sert de vouloir moi-même? Je ne puis rêver l'Etre

Etwas bewegt.
pizz.
Bog.
Viol.
pizz.
ff
dim.
Br.
Brünnh.
Weh! Nimm reu - ig zu-rück das
Ah! re - pent thee, take back thy
Oh'! re-grette et reprends l'ar-
Wot.
wollen: für Fri-cka's Knech-te kämpfe nun du!
fashion: for Fri-cka's servants fight thou a-lone!
Libre: pour qui sert Fri-cka lutte à present!
Vc.
Vc. u. CB.
pizz.
Wort! Du liebst Sieg - mund; dir zu Lieb, ich
word! Thou lov'st Sieg - mund; know - ing thy love, to
rêt! Tu ai - mes Sieg - mund;... moi, de ton cœur cer -
Fag. 1 u. 2.
weiss - es schütz' ich den Wäl-sung.
serve thee, safe will I shield him.
-tai - ne, je sau - ve le Wäl-sung.
Fäl - len sollst du Sieg-mund, für
Siegmund shalt thou van-quish, and
Fais pé - rir le Wäl-sung, que
CB.

1.u.2.
Fag.
3.
3 Pos.
CB Pos.
Viol.
Br.
Wot.
Hun-ding er-fech-ten den Sieg! Hü - te dich wohl, und
Hun-ding as vic-tor shall strike! Ward thy-self well, and
Hun-ding par toi soit vain-queur! Gar - de toi bien, sois
Vc.u.CB.
hal - te dich stark; all' dei-ner Kühn-heit ent-bie-te im Kampf: ein
hold thy-self firm; bring all thy bold-ness and skill to the strife: a
ferme en ta force; tout ton cou - rage est u-tile au-jour-d'hui: un

Fag.
Tromp. 2 (F).
Bs. Tromp. (Es).
3 Pos.
CB. Pos.
Viol.
Br.
Wot.
Siegschwert schwingt Sieg-mund; — schwer-lich fällt er dir
sure sword swings Sieg-mund; — faint heart wilt thou not
fer vainqueur ar - me Sieg-mund; — fier se - ra son ef-
Vc. u. CB.
cresc.
Fag. 1 u. 2.
più p
Brünnh.
Den du zu lie - ben stets mich ge - lehrt, der in
He whom thou still hast taught me to love, who in
Lui qu'à ché - rir tou-jours tu m'ap - pris, lui si
feig!
find!
fort!
Vc.
CB. pizz.

Fag. 1 u. 2.
cresc.
Viol.
Br.
cresc.
Brünnh.
heh - - - - - rer Tu - gend dem Her - zen dir theu - er; ge-gen
glor - - - - - ious val - our was e - ver thy dear - est for his
noble et fier, et si cher à toi - mê - me, contre
Vc.
cresc.
CB.
(Bog.)
cresc.
Hör. (in F).
Fag. 1 u. 2.
3 Fag.
1 u. 2.
Viol.
cresc.
cresc.
Br.
Brünnh.
ihn zwingt mich nimmer dein zwie-späl-tig Wort!
sake now thy wav-er-ing word I de-fy!
lui rien ne m'im - po-se ton dou-ble vou-loir!
Wot.
Ha, Fre-che du!
Ha, dar-est thou?
Ha! qu'o-ses-tu?
Vc. u. CB.

Hör. più f
più f
Viol.
immer f
Br.
Wot.
Fre-velst du mir? Wer bist du, als mei-nes Willens blind wäh-len-de Kür?
Flout-est thou me? Who art thou who but the fettered blind slave of my will?
Bra-ves-tu l'or-dre? Qui es-tu, hor-mis l'a-veugle choix de mon vouloir?
Vc.u.CB.
1 u.3.
Hör.
2 u.4.
dim.
1.
Fag. 2 u.3.
(Es)
4 Tub.
(B)
CB.Tub.
Viol.
Br.
Vc.
CB.

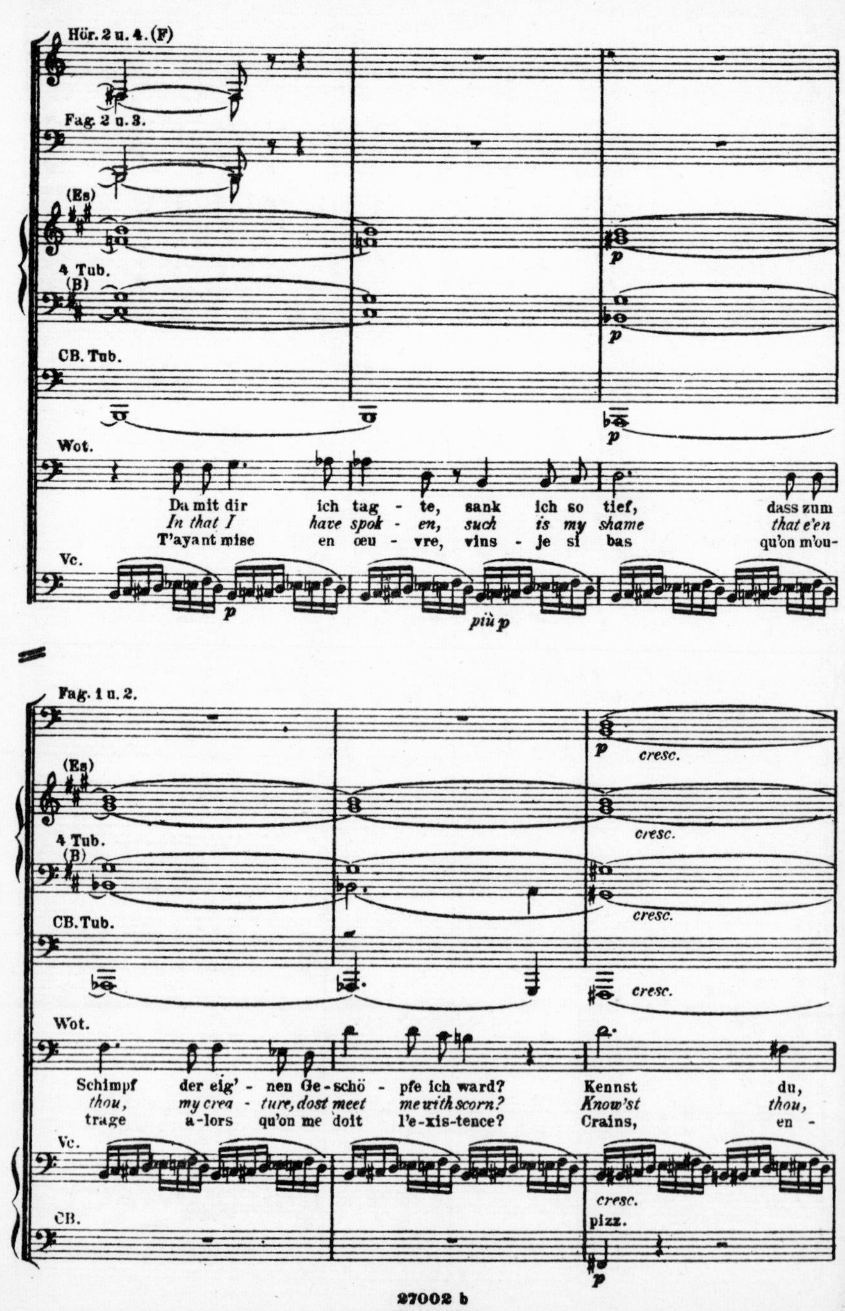
Hör. 2 u. 4. (F)
Fag. 2 u. 3.
(Es)
4 Tub.
(B)
CB. Tub.
Wot.
Da mit dir ich tag - te, sank ich so tief, dass zum
In that I have spok - en, such is my shame that e'en
T'ayant mise en oeu - vre, vins - je si bas qu'on m'ou-
Vc.
p
più p
Fag. 1 u. 2.
cresc.
Schimpf der eig' - nen Ge - schö - pfe ich ward? Kennst du,
thou, my crea - ture, dost meet me with scorn? Know'st thou,
trage a-lors qu'on me doit l'e-xis-tence? Crains, en -
CB.
pizz.

2 Hob.
3 Hob.
più f
Cl. (in A)
3 Cl.
1 u. 2.
Hör.
3 u. 4.
Fag. 1 u. 2.
3 Fag.
4 Tub.
CB. Tub.
Bs. Cl. (A)
3 Pos.
CB. Pos.
Pauk. (G)
cresc.
cresc. f
Viol.
f molto cresc.
molto cresc.
Br.
Wot.
Kind,
child,
-fant,
mei-nen
my
ma fu -
Zorn?
wrath?
reur!
Vc.
CB.
Bog.

3 Hob.
3 Cl.(A)
Hör.(F)
3 Fag.
Bs.Cl.(A)
3 Pos.
CB.Pos.
Viol.
Br.
Wot.
Ver-za - ge dein Muth, wenn je zer - malmend auf dich
Thy spi - rit were crushed if on thee light-ed its fierce
Ton cœur frémi - rait de-vant sa fou-dre, sur toi
Vc.
CB.

3 Hob.
zu 3.
ff
dim.
3 Cl.
zu 3
ff
dim.
Hör.
ff
dim.
3 Fag.
ff
dim.
Bss.Cl.
ff
dim.
3 Pos.
f
CB.Pos.
f
Viol.
f
più f
ff
dim.
Br.
trem.
più f
Wot.
stürz - - - - - te sein Strahl!
with - - - - - er - ing flash!
prête à tom - ber!
Vc.
CB.

3 Hob.
3 Cl.
Hör.
3 Fag.
Bs.Cl.
trem.
Viol.
cresc.
trem.
Br.
Wot.
In mei - nem Bu - sen berg ich den Grimm, der in Graun und Wust wirft ei - ne
With - in my bo - som fu - ry lies hid that in woe and waste lay - eth a
En ma poi - tri - ne dort le cour - roux qui pourrait broy - er cet u - ni -
Vc. u. CB.
Vc. allein.
(E)
weich
Fag 3.
più cresc.
molto cresc.
Welt, die einst zur Lust mir ge - lacht:
world that in my joy on me laughed:
-vers qui m'a sou - ri si long - temps:
Vc.
pizz.

2 Fl.
3 Hob.
zu 3
molto cresc.
3 Cl.(A)
zu 3
molto cresc.
(F)
molto cresc.
4 Hör.(E)
(F)
molto cresc.
3 Fag.
zu 3
molto cresc.
3 Pos.
CB.Pos.
Viol.
molto cresc.
molto cresc.
Br.
molto cresc.
Wot.
We-he dem, den er trifft!
woe to him whom it strikes!
Qui l'appelle est frap-pé!
Trau-er schüf'ihm sein Trotz!
Sad in sooth were his fate!
Deuil ré-pond au dé-fi!
Vc.
molto cresc.
CB.
pizz.
Bog.
molto cresc.
(Bog.)

3 Fl.
3 Hob.
1 u. 2.
3 Cl. (A)
Hör. (F)
3 Fag.
zu 3.
3 Pos.
CB. Pos.
Viol.
Br.
Wot.
Drum rath ich dir, rei - ze mich nicht! Be -
I warn thee then, wake not my wrath! With
N'ex - ci - te point l'i - re du Dieu! A -
Vc. u. CB.
cresc.

3 Fl.
3 Hob.
cresc.
1.
Cl.
2 u. 3.
Engl. Hr.
Hör.
3 Fag.
Bs. Cl. (A).
2 Tromp. (F).
Bs. Tromp. (D).
3 Pos.
CB. Pos.
CB. Tub.
Viol.
Br.
Wot.
sor-ge, was ich be-fahl:
heed ful-fil my be-hest:
-gis se-lon mon dé-cret:
Sieg-mund fal-le!
Sieg-mund strike thou!
Sieg-mund tom-be!
Diess sei der
Such be the
Tels soient ton
Vc. u. CB.

3 Fag.
mf
cresc.
più f
Bs. Cl. (A).
Bs. Tromp. (D).
f
p
molto cresc.
3 Pos.
CB. Pos.
CB. Tub.
Pauk. 1. (A).
tr
Viol.
pizz.
Bog.
sehr heftig
molto cre - - - - - scen - - - - -
Br.
Wot.
Wal - kü - re Werk!
Val - ky - rie's task!
œuvre et ta loi!
(Er stürmt fort, und verschwindet schnell links im Gebirge.)
Vc. u. CB. pizz.
(Bog.)

Fl. 2 u. 3.
(zu 2.)
(1 u. 2.)
3 Hob.
molto cresc.
3 Clar.
Engl. Hr.
Hörn.
(zu 2)
3 Fag.
Bass Clar.
Tromp. 1 u. 2. (F)
Bass Tromp. (D)
3 Pos.
CB. Pos.
CB. Tub.
Pauk.
Viol.
Br.
(Brünnhilde steht lange erschrocken und betäubt.)
Vc.
CB.

Fl. 2 u. 3.
3 Hob.
3 Clar. (A)
Engl. Hr.
Hörn. (F)
(zu 2)
3 Fag.
Bass Clar. (A)
Tromp. 1 u. 2. (F)
(zu 2)
Bass Tromp. (D)
più f
3 Pos.
CB. Pos.
CB. Tub.
Viol.
Br.
Vc.
CB.

Fl. 2 u. 3.
3 Hob.
3 Clar.
Engl. Hr.
Hörn.
3 Fag.
Bss. Clar.
2 Tromp.
Bss. Tromp.
3 Pos.
CB. Pos.
CB. Tub.
Viol.
Br.
Vc.
CB.

1.
Flöt.
Hob.
(zu 2)
(A)
Clar.
Engl. Hr.
Hörn. (F)
(zu 2)
Fag.
Bass Clar (A)
Tromp. 1 u. 2. (F)
Tromp. 3.
(F)

3 Pos.
più f
CB. Pos.
(Es)
4 Tub. (B)
(1. Bass Tub.)
(zu 2)
1 u. 2.
CB. Tub.
Viol.
Br.
Vc.
CB.

Flöt.
(zu 2)
Hob.
(zu 2)
Clar.(A)
Engl.Hr.
Hörn.(F)
(zu 2)
Fag.
Bss.Clar.(A)

27002 b
E. E. 6119

rallent. Langsamer. (𝅗𝅥=𝅗𝅥)

Flöt.
ff
ff

Hob.
ff
ff

Clar. (A)
ff
ff

Engl.Hr.
ff (sehr ausdrucksvoll)
dim.
p

Hörn. (F)
ff (sehr ausdrucksvoll)
dim.
(F)
ff (sehr ausdrucksvoll)
dim.

(zu 2.)
3 Fag.
ff
ff
dim.

Bass Clar. (A)
ff

Tromp. (F)
ff
ff
dim.

Bss.Trp.

3 Pos. ff (sehr ausdrucksvoll) dim. p

CB.Pos. ff dim. p

(Es) ff dim. p

4 Tub. (B) ff

CB.Tub. ff

Beck. (mit Paukenschlägeln) ff

Pauk.(D) tr ff dim. p

rallent.

Langsamer. (♩=𝅗𝅥)

Viol. ff dim. p

Br. ff dim. p

Brünnhilde.

So sah ich Sieg-va-ter nie, er-
Ne'er saw I War-fa-ther so, though
Tel air ja-mais n'eut le Père, en-

Vc. ff dim. p

CB. ff dim. p

27002 b

E. E. 6119

Viol.
Br.
Brünnh.
(Sie neigt sich betrübt und nimmt ihre Waffen auf,
zürnt' ihn sonst wohl auch ein Zank?
stirred to anger oft by strife.
-cor qu'il soit vite irrité.
Vc. u. CB.
Pauk. 2. (in Fis)
Bass Tromp. (in D)
mit denen sie sich wieder rüstet.)
Brünnh.
Schwer wiegt mir der
Why irks me my
Lourd pèse le
Pauk. (Fis)
Hr. 1. 3 u. 2. (in E)
Hr. 4. (in E)
Tromp. 3. (in E)
Bass Tromp. (in D)
cresc.
Brünnh.
Waf-fen Wucht!
weapon's weight?
poids des armes.
Wenn nach
Ah, how
aux joy-
Pauk.

Belebt. rallent.

Hr. 1. 3 u. 2.

p p dim. p

Hr. 4.

p p dim. p

Tromp. 3.

p

Bass Tromp.

p

rall.

Brünnh.

Lust ich focht, wie wa-ren sie leicht! Zu bö - ser Schlacht
light they lay when free-ly I fought! A hate - ful fight
-eux assauts ja-dis si lé - gères! Mon pas se traîne

Vc.

Noch langsamer. poco rit. a tempo

Engl. Hr.

p (sehr ausdrucksvoll)

Hr. 1. 3 u. 2.

p

Hr. 4.

p

1.

p

2 Fag.

2.

p

(Sie sinnt vor sich hin.)

Brünnh.

schleich' ich heut' so bang.
drags me hence to - - day.
au com-bat cru - - el!

Vc. u. CB.

p (sehr weich) più p p

poco riten. a tempo
Engl. Hr.
dim.
3 Fag.
Bass Clar. (A)
Viol. I. (10)
(mit Dämpfer)
II. (10) (Alle Viol. in 3 Part.)
III. (10)
Br.
Brünnh.
(seufzend)
Weh! mein Wäl-sung! Im
Woe! my Wäl-sung! In
Las! mon Wäl-sung! En l'ex-
Vc. u. CB.
più p
Sehr langsam.
Pos. 1.
Pos. 2.
Pos. 3.
CB. Pos.
(immer pp)
Bass Clar.
Viol. I.
II.
III.
Br.
Brünnh.
höch-sten Leid muss dich treu-los die Treu-e ver-las-sen!
sor-est sor-row the true one must false-ly for-sake thee!
-trême an-gois-se l'a-mie in-fi-dè-le te quit-te!
Vc. u. CB.
(mit Dämpfer)
pp (ausdrucksvoll, doch immer sehr leise)

(sehr ausdrucksvoll und etwas hervortretend)
Engl.Hr.
Fag.1.
Pos.1.
Pos.2.
Pos.3.
CB.Pos.
Vc.
(Brünnh. wendet sich langsam dem Hintergrunde zu.)
CB.
Hob.1.
Engl.Hr.
Fag.1.
Pos.1.
Pos.2.
Pos.3.
CB.Pos.
più p
(ohne Dämpfer)
Viol.
(ohne Dämpfer)
Br.
(ohne Dämpfer)
Vc.u.CB.
(die Dämpfer fort)

Dritte Scene.

Bewegter.

Hob.
dim.
p
>p
Clar. (in B)
1.
2.
p>
Engl. Hr.
4 Hörn.
(in Es)
Fag.
>cresc.
Viol.
>cresc.
Br.
cresc.
Vc.
CB.
pizz.

Fl.
1.
molto cresc.
1.
cresc.
Hob.
3.
più f
molto cresc.
1.
cresc.
Clar.(B)
3.
molto cresc.
(F)
cresc.
4 Hörn.
(Es)
più f
cresc.
più f
più f
3 Fag.
2 u.3.
molto cresc.
Bass Clar. (in B)
molto cresc.
Pauk. 1. (hoch F)
tr
p
cresc.
Viol.
Br.
più f
Vc.
p
cresc.
molto cresc.
CB.
(Bog.)
p
cresc.
mf

1.
zu 3.
Fl.
(zu 2.)
Hob.
1.u.2.
(zu 2.)
Clar. 3.
Engl.Hr.
Hörn.
(zu 2)
3 Fag.
(zu 2.)
Bss.Clar. (in B)
2 Tromp.(in F)
(zu 2.)
4 Pos.
(3 erste)
Pauk.
cresc.
più f
Viol.
più f
Br.
Vc.u.CB.
(Siegmund und Sieglinde erscheinen auf dem Bergjoche.)
(zus.)

3 Fl.
(zu 3)
dim.
3 Hob.
dim.
3 Clar. (B)
Engl. Hr.
(F) (zu 2)
Hörn.
(Es) (zu 2)
3 Fag.
Bss. Cl. (B)
2 Tromp. (F)
dim.
4 Pos.
dim.
Pauk. 1.
dim.
(B)
Viol.
Br.
Vc. u. CB.
(Sieglinde schreitet hastig voraus; Siegmund sucht sie aufzuhalten.)

Fl.
Hob.
3 Clar.
Engl. Hr.
Hörn.
(zu 2)
3 Fag.
Viol.
Br.
Sieglinde.
Wel-ter!
Farther!
Mar-che!
Siegmund.
Ras-te nun hier, gön-ne dir Ruh'!
Stay thou but here, rest thee a-while!
Reste en ce lieu, prends du re-pos!
Vc. u. CB.
dim
p
cresc.

2 Fl.
(zu 2)
cresc.
Hob.
3 Clar. (B)
Engl. Hr.
Hörn. (in F)
3 Fag.
Bss. Clar. (B)
3 Pos.
CB. Pos.
2 Tromp.
(Es)
Viol.
Br.
Siegl.
Wei-ter!
Farther!
Marche!
Siegm.
(Er umfasst sie mit sanfter Gewalt.)
(Er schliesst sie fest an sich.)
Nicht wei - - - ter nun!
No far - - - ther now!
Ar - rê - - - - te - toi!
Vc. u. CB.

Fl.
Hob.
dim.
Clar.
Engl. Hr.
Hörn.
4.(allein)
p
1.(allein)
3 Fag.
Bss. Clar.
2 Tromp.
Viol.
Br.
Vc. u. CB.

Clar. 3. (B)
Hr. 4.
(F)
Fag. 3.
Bss. Cl. (B)
Viol.
Br.
Siegmund.
Ver-wei - le, süs - - se-stes Weib!
O lin - ger, sweet - - est one, here!
De-meu - re, fem - - me ché - rie!
Aus Won - ne Ent - zü - cken
From bliss - fullest rapture
Aux dou - ces i - vres-ses,
Vc.
CB.
2 Hob.
2 Clar.
Hr. 1 u. 2.
Fag.
2 u. 3.
Siegm.
zuck - test du auf, mit jä - her Hast jag - test du fort; kaum
break'st thou a - way with frenzied haste flee - ing a - far: scarce
pâ - le sou - dain, en hâ - te folle promp - te, tu fuis: à
Vc. u. CB.

2 Hob.
2 Clar.
Hr. 1 u. 2.
(F) 1.
1 u. 2.
Fag.
Viol.
Br.
Siegm.
folgt' ich der wil - den Flucht: durch Wald und Flur, ü - ber Fels und Stein,
could I o'er-take thy flight; through wood and field o-ver rock and fell,
pei - ne je suis ta course: par bois et prés; par ra-vins et rocs,
Vc. u. CB.
Hr. 1.
cresc.
Fag. 1 u. 2.
Viol.
Br.
Siegm.
sprach - - los, schwei - gend, sprangst du da - hin, kein
speech - - less, si - - lent fly - ing a - long, my
som - - bre, mu - et - - te, toi, tu fuy - ais, tou -
Vc. u. CB.

2 Hob.
1.
più f
2.
f
2 Clar.(B)
1.
cresc.
2. cresc.
più f
1.
più f
Hörn.(F)
cresc.
più f
più f
Fag.
cresc.
più f
sempre più f
Viol.
sempre più f
Br.
sempre più f
Siegm.
(Sie starrt wild vor sich hin.)
Ruf hielt dich zur Rast!
voice called thee in vain!
-jours sourde à ma voix!
Vc. u. CB.
sempre più f

2 Hob.
ff
2 Clar.
ff
f
4 Hörn.
f
ff
p
Fag.
ff
ff
dim.
Viol.
ff
dim.
Br.
ff
dim.
Siegmund.
Ru - he nun aus:
Take now thy rest:
Reste en re - pos:
re - - de zu
speak but a
par - - le a l'ai-
Vc. u. CB.
ff
dim.

Hr. 1. (F)
(allein)
p
Hr. 2. (Es)
p
Hr. 3. (C)
Hr. 4. (C)
Fag. 1.
p
Fag. 2.
p
Fag. 3.
Bass Clar. (B)
p
Viol.
p
più p
pp
Br.
più p
Siegm.
mir, en-de des Schwei-gens Angst! Sieh, dein Bru-der hält sei - ne
word! End all this speech-less dread! See, thy bro-ther hold-eth his
- mé! Romps ce si-lence af-freux! Vois, ton frè - re tient sa fian-
Vc.
più p
p
CB.
più p

Hr. 1. (F)
p (weich)
Hr. 2. (Es)
più p
(F)
p (weich)
Hr. 3. (F)
p
p (weich)
Hr. 4.
(C)
p
Fag. 1.
p
Fag. 2.
Fag. 3.
p
più p
pp
Bss. Clar.
più p
pp
p (dolce)
Viol.
p
più p
Br.
p
più p
Siegm.
Braut:
bride:
-cée:
Sieg - - - mund ist dir Ge - sell.
Sieg - - - mund's heart is thy home!
Sieg - - - mund est tout à toi!
Vc.
più p
pp
CB.
p più p
pp

2 Hob.

Engl. Hr.

cresc.

f

Hr. 1 u. 2. (F)

p (F)

p

cresc.

Hr. 3.

p

cresc.

Hr. 4. (C)

(F)

Fag. 1 u. 2.

cresc.

Viol.

cresc.

più f

Br.

cresc.

Vc. u. CB.

(Siegl. blickt ihm mit wachsendem Entzücken in die Augen; dann umschlingt sie leidenschaftlich seinen Hals und verweilt so.)

molto riten.

2 Fl.

Hob. 1.

Clar. 1. (B)

Engl. Hr.

(F)

4 Hörn.

Fag. 1.

Viol.

ff

dim.

più p

pp

(Dann fährt sie mit jähem Schreck auf.)

Etwas schnell.
Hob. 1 u. 2.
Engl. Hr.
Hörn.
3 Fag.
Viol.
Br.
Sieglinde.
Hin-weg! Hinweg! Flieh' die Ent-weih-te! Un-hei-lig um-fängt dich ihr Arm; entehrt, ge-
A-way! a-way! fly the pro-faned one! Un-ho-li-ly holds thee my arm; disgraced, dis-
Va-t-en! va-t-en! lais-se l'in-di-gne! Vile et pro-fa-née je t'en-lace; flé-trie, in-
Vc. u. CB.
cresc.
Fl.
Hob.
Clar.
Engl. Hr.
Hörn. 1 u. 2.
3 Fag.
Viol.
Br.
Siegl.
schän-det, schwand die-ser Leib: flieh' die Lei-che, las-se sie los! Der
honoured, dead is this form: cast it from thee, flee from the corpse! Let
fâ-me, telle est ma chair: fuis ce ca-da-vre, fuis loin de lui! Qu'aux
Vc. u. CB.

Fl.
Etwas langsamer werdend.
3 Hob.
dim.
3 Clar. (B)
2 u.3.
Engl.Hr.
(F)
4 Hörn.
3 Fag.
2 u.3.
1.(allein)
Bss.Clar. (B)
Viol.
Br.
Siegl.
Wind mag sie verweh'n, die ehr - los dem Ed - len sich gab.
winds waft her a - way who, grace-less, her-self gave to thee!
vents rou - le ce corps, qui vil au hé - ros s'est don - né!
Vc.u.CB.
Fag. 1.
piu p
Da er sie lie - bend um-
When in his lov - ing em-
Quand plein d'a - mour il me
Vc.

Fag. 1.
p
più p
Viol.
pp
Br.
Siegl.
fing, da se-lig-ste Lust sie fand, da ganz sie minn-te der
brace, when bliss-ful de-light she found, when all his love was her
prit, quand j'eus les su-prê-mes joies, quand tout mon cœur fut à
Vc.
2 Clar.
mf
dim.
Bss.Cl.
p (weich)
(Es)
Hr. 1 u. 2.
Fag. 1 u. 2.
p (zart)
Mann, der ganz ihr Min- ne ge-weckt: von der
own, who all her love had a-waked from the
lui, qui tout a-mour m'a don-né, dans ces

Belebend.
Clar.(B)
(Es)
Hörn.
4 (F)
Fag. 1.
Viol.
Br.
Siegl.
sü - - ssesten Won - - - ne hei - - li-ger Wei - he, die ganz ihr
ho - - li-est height of sweet - - est rap - ture, that all her
dou - - ces ten-dres - - - ses, sain - - tes ex - ta - ses, comblant mon
Vc.u.CB.
Hob. 1 u. 2.
cresc.
molto cresc.
Clar. 1 u. 2.
Hörn.
Fag. 1.
(3 Fag.)
Viol.
Br.
Siegl.
Sinn und See - - - - - - le durch - drang,
soul and sens - - - - - es o'er - flowed,
corps, mon cœur tout en - tiers,
Vc.u.CB.
poco cresc.

Hob.
Cl.
Hör.
3 Fag.
Viol.
Br.
Siegl.
Grau - - en und Schau - - - der ob gräss - - - lich - ster
loath - - ing and hor - - - ror for hate - - - ful dis-
peur, é - pou - van - - - te, hor - reur de sa-
Vc. u. CB.
Hob.
Cl.
Hör.
Fag.
Viol.
Br.
Siegl.
Schan - - de muss - te mit Schreck die Schmäh - li - che fas - sen, die je - nem
hon - - our filled with dis - may the trai - te - rous wo - man, who once a
hon - - te, dut ter - ri - fier la fem - me a - vi - li - e, ja - dis à
Vc. u. CB.

Hob.
ff
dim.
Cl.3.(B)
ff
dim.
Engl.Hr.
ff
dim.
f
dim.
Hör.(F)
f
dim.
p cresc.
Fag.
2.u.3.
p cresc.
Pauk.
(C)
tr
p
f
Viol.
f
p molto cresc.
Br.
f
p molto cresc.
Siegl.
Man-ne ge - horcht,
bride-groom o - beyed,
l'homme sou - mise,
der oh-ne Min-ne sie hielt!
and loveless lay in his arms!
qui sans a-mour l'a-che-ta!
Vc.u.CB.
p
f
dim.

Hob.
1.u.2.
Cl.
3.
Engl.Hr.
1. (allein)
Hör.
3.
1.
Fag.
2.u.3.
Bs.Cl.
Pauk.
cresc.
Viol.
Br.
Siegl.
Lass' die Verfluchte,
Leave the ac-curst one,
Fuis la-mau di-te,
lass' sie dich
far let her
lais-se-la
Vc.u. CB.

2 Fl.
1 u. 2. (zus.)
Hob.
(zus.)
1. u. 2.
(zus.)
Cl. (B)
3.
Engl. Hr.
1.
Hör. (F)
3.
2.
4.
3 Fag.
Bs. Cl. (B)
Viol.
Br.
Siegl.
flieh'n! Ver - - wor - fen bin ich, der Wür - de
flee! Dis - - hon - oured am I, be - reft of
fuir! In - - di - gne suis-je, d'hon - neur dé-
Vc. u. CB.
cresc.

Fl.
Hob.
Cl.
Engl. Hr.
Hör.
3 Fag.
Bs. Cl.
Viol.
Br.
Siegl.
baar: dir rein - stem Man-ne muss ich ent-rin-nen, dir
grace: the pur - est he-ro must I a-ban-don, to
-chue: à toi, si no-ble, tris - te j'é-chap-pe; je
Vc.
CB.
dim.

Fl. 1 u. 2.
(zus.)
Hob.
1.u 2.
Cl.(B)
Engl.Hr.
Hörn.(F)
3 Fag.
Bs.Cl.(B)
Viol.
Br.
Siegl.
Herr - li-chem darf ich nimmer ge-hö-ren. Schan - - - de
thee, the most glorious ne'er may I give me. Shame would
dois pour ja-mais ne puis ê - tre tienne. Vile an
Vc.u.CB.
cresc.

2 Fl.
2 Hob.
2 Cl.
Engl. Hr.
Hör.
1. u. 2.
3 Fag.
3.
Bs. Cl.
Viol.
Br.
Siegl.
bring ich dem Bru - - der, Schmach
fall on the bro - - ther, scath
frè - re je m'of - - fre, ma hon - - - - -
Vc. u. CB.

2 Fl.
2 Hob.
2 Cl. (B)
Engl. Hr.
(F)
Hör. (F)
(tief B)
3 Fag.
Bs. Cl. (B)
Bs. tromp. (Es)
3 Pos.
CB. Pos.
Pauk. 1 (G)
Viol.
Br.
Siegl.
dem frei - en-den Freund.
on the res - cu-ing friend!
- te souil - le l'a - mi!
Siegm.
Was je Schande dir schuf, das büsst nun des Frevlers
What e'er shame has been wrought be paid by the sinner's
Qui t'a fait ces af - fronts, son sang te les va pay-
Vc. u. CB.
pizz.
(Bog.)
cresc.

Engl.Hr.

3 Fag. *f*

Pauk.

Viol.

fp *p* *fp* *p* *cresc.*

Br.

Siegm.

Blut. Drum flie-he nicht weiter! Har-re des Feindes; hier soll er mir
blood! Then flee thou no farther; wait for the foe-man fall must he be-
er! Ar-rê-te ta fui-te; reste à l'at-ten-dre, là ja vais le

Vc. u.CB.

Tromp.3 (F)

Bs.tromp. (Es) *p* *cresc.* *f*

3 Pos.

CB.Pos.

Pauk.1. *tr* *p* *cresc.*

Viol. *f* *p* *cresc.*

Br.

Siegm.

fal-len: wenn Nothung ihm das Herz zer-nagt, ___ Ra-che dann hast du er-
fore me: when Nothung's point doth pierce his heart ___ vengeance then wilt thou have
vaincre: et Nothung, lui mor-dant le cœur, ___ va ven-ger tous tes af-

Vc. *f* *cresc.*

CB. *f*

Lebhaft.
2 Cl. (B)
4 Hör. (F)
1.u.3.
(zu 4)
2.u.4.
3 Fag.
Bs. Cl. (B)
Pauk. 1. (C)
Viol. 1. u. 2. (zus.)
Br.
Siegl.
(schrickt auf und lauscht)
Horch, die Hör-ner! Hörst du den Ruf? Rings-her
Hark! the hornscall, hear-est thou not? All a-
Entends! la trompe son-ne l'ap pel!.. Maint tu-
Siegm.
reicht.
won.
fronts!
Vc. u. CB.
2 Cl.
4 Hör.
3 Fag.
Bs. Cl.
Br.
Siegl.
tönt wü-thend Ge-tös aus Wald und Gau gellt es her-auf.
round cries of re-venge from wood and vale swells on our ears.
multe enfle et s'accroît; des champs, des bois, mon-tent des cris.
Vc. (allein)
cresc.
molto cresc.

2 Cl.
1.
2.
1.
Fag.
2.
Bs. Cl.
Br.
(nur die 6 zweiten)
(trem)
(6)
Siegl.
Hun-ding er-wachte aus har-tem Schlaf! Sip-pen und Hun-de ruft er zu-
Hunding has wakened from hea-vy sleep! Kinsmen and bloodhounds calls he to-
Hun-ding s'é-veil-le du lourd som - meil! Hommes et bê-tes, il les ras-
Vc.
(trem.)
(geth.)
1. u. 2. (zus.)
3 Cl.
Engl. Hr.
3 Fag. 2. u. 3. (zus.)
Pauk. 1. (E)
(trem.)
Viol.
cresc.
Br.
(zus)
Siegl.
sammen; mu - thig ge-hetzt heult die Meu-te, wild bellt sie zum
gether; goad-ed to rage, dogs are howl-ing, loud bay - ing to
semble, meu - te de mort âpre au meur-tre, jus-qu'au ciel - el-le
Vc.

3 Fl.
3 Hob.
3 Cl. (B)
Engl. Hr.
3 Fag.
Bs. Cl. (B)
4 Hör.
2 Tromp.
Pauk. (E)
Viol.
Br.
Siegl.
Vc.
CB.
Him - mel um der E - he ge - bro - chenen Eid!
hea - ven against break - ing of wed - lock's oath!
hur - le la rup - tu - re du lien con - ju - gal!
molto cresc.

3 Fl.
3 Hob.
ten.
2. (allein) ten.
3 Cl.
Engl. Hr.
3 Fag.
Bs. Cl.
4 Hör.
2 Tromp.
Pauk.
Viol.
Br.
(Sie starrt wie wahnsinnig vor sich hin)
Siegl.
Wo bist du, Siegmund? Seh' ich dich noch?
Where art thou, Siegmund? still art thou here?
Où es-tu, Siegmund? t'ai-je toujours?
Vc.
CB.

Hob. 1. rallent. Langsam.

Cl. 3. (B)

Engl. Hr.

Fag. 1.

(mit Dämpfern)

Viol.

(mit Dämpfern)

Br.

(mit Dämpfern)

p — più p

Siegl.

Brünstig ge-lieb-ter, leuch-ten-der Bru-der! Dei-nes Au-ges Stern lass' noch
fer-vent-ly loved one, ra-di-ant bro-ther! Let thine eyes' bright beams fall yet
frè-re que j'ai-me toi ma lu-miè-re! Que ton œil si clair soit en-

Vc.

(mit Dämpfern)

Wieder lebhaft.

1.

2. u. 3.

3 Fag.

Bs. Cl. (B)

Pauk. (tief F)

Viol.

Br.

Siegl.

ein-mal mir strahlen, weh-re dem Kuss des ver-worf'nen Wei-bes nicht!
once more up-on me: do not dis-dain the ac-cursed woman's kiss!
cor mon é-toi-le: daigne souf-frir mon bai-ser d'a-mour mau-dit!

(Sie hat sich ihm

Vc.

CB.

3 Cl.
(zu 3)
fp
(F)
Hör.
f p
cresc.
f p
cresc.
(F)
f p
cresc.
f p
cresc.
cresc.
fp
molto
3 Fag.
cresc.
fp
molto
Bs.Cl.
cresc.
fp
molto
Bs.Tub. 2 (B)
p
Pauk. (tief F)
p
schluchzend an die Brust geworfen:_ dann schrickt sie ängstlich wieder auf.)
Siegl.
Horch! o horch!
Hark! o hark!
Entends! en-tends!
Das ist Hundings
that is Hunding's
c'est le cor de
CB.
cresc.
f
p cresc.

3 Cl.(B)
cresc.
f
Hör.
(F)
più f
più f
3 Fag.
cresc.
cresc.
p
Bs.Cl.
(B)
cresc.
Ten.Tub.1 (Es)
Ten.Tub.2 (Es)
Bs.Tub.1 (B)
Bs.Tub.2 (B)
cresc.
Pauk. (G)
tr
Br.
(ohne Dämpfer)
Siegl.
Horn. Hun - ding! Sei-ne Meu - te naht mit mächt'ger Wehr: kein
horn. All his pack pur - sue in might-y force: no
Et sa meute ac - court, ter-rible à voir: tout
CB.
cresc.

3 Fag. (zu 3)
p cresc.
Bs.Cl.
p cresc.
Ten.Tub. 1 u. 2
cresc.
Bs.Tub. 1 u. 2.
cresc.
Pauk.
(ohne Dämpfer)
Viol.
(ohne Dämpfer)
cresc.
più f
Br.
p cresc.
Siegl.
Schwert frommt vor der Hun - de Schwall; wirf es fort, Sieg - mund!
sword helps thee against the hounds: let it go, Sieg - mund!
glaive est impuissant contre eux... jet-te - le, Sieg - mund!
Vc. u. CB. (zus.)
Die Violoncelle ohne Dämpfer.
p cresc.
(F)
Hör.
3 Fag.
dim.
Bs.Cl.
Ten.Tub. 1 u. 2.
mf
Bs.Tub. 1 u. 2.
Viol.
f dim.
Br.
Siegl.
Siegmund_ wo bist du? Ha dort! Ich
Siegmund_ where art thou? Ha, there! I
Siegmund_ où es - tu? Ah! là! je
Vc.u.CB.

Hör. (F)
Viol.
Br.
Siegl.
se-he dich: Schrecklich Ge-sicht! Rü - den fletschen die Zäh-ne nach
see thee now! Ter - ri - ble sight! Dogs are gnashing their teeth af - ter
vois tes traits! Scè - ne d'horreur! Dents qui grincent et veu-lent ta
Vc. u. CB.
Hör. (F)
Viol.
Br.
Siegl.
Fleisch; sie ach - ten nicht dei - nes ed - len Blick's; bei den Fü - ssen
flesh, no heed they take of the he - ro's glance; by thy feet they
chair!.. qu'im - porte aux chiens ton re - gard si fier! par les pieds leurs
Vc. u. CB.

2 Fl.
2 Hob.
(zu 2)
cresc.
3 Cl. (B)
Hör.
Fag.
Bs. Cl.
3. Tromp. (F)
Bs. tromp. (Es)
Viol.
Br.
Siegl.
packt dich das fes-te Ge-biss:
seize thee with fast holding fangs.
crocs meurtriers t'ont sai-si...
du fällst,
Thou fall'st,
tu tombes!
in Stü-cken zerstaucht das Schwert:
in splinters the sword has sprung:
le glai-ve se brise en deux:
Vc. u. CB.
più f

2 Fl.
3 Hob.
3 Cl. (B)
Hör. (F)
3 Fag.
1. 2.
2. (allein)
3 Tromp. (F)
Bs. tromp. (Es)
3 Pos.
CB. Pos.
Pauk. (G)
Viol.
Br.
Siegl.
die E-sche stürzt _ es bricht der Stamm! Bru-der! Mein
the ash-tree sinks the stem is rent! Brother! my
le frê-ne choit... son bois se rompt! Frè-re! mon
Vc. u. CB.

Engl. Hr.

Langsamer.

p

dim. *p* *più p* *cresc.* *mf*

Viol.

dim. *p* *più p* *cresc.* *mf*

Br.

dim. *p* *più p* *cresc.* *mf*

(Sie sinkt ohnmächtig in Siegmund's Arme.)

Siegl.

Bru - der! Siegmund: Ha!
bro - ther! Siegmund ha!
frè - re! Siegmund: ha!

(Er lauscht

Siegm.

Schwester! Ge - lieb - te!
Sis - ter! Be - lov - ed!
Chè - re! ai - mé - e!

Vc. u. CB.

Vc. (allein)

dim. *p* *più p* *cresc.* *mf*

Engl. Hr.

p

Hr. 1. (F)

p *più p* *pp*

3 Fag.

p

pp

Br. (geth.)

pp

ihrem Athem und überzeugt sich, dass sie noch lebt.)

(Er lässt sie an sich herab gleiten, so dass sie, als er sich selbst zum Sitze nieder lässt, mit ihrem Haupte auf

pp

Vc. (geth.)

pp

Cl.1.(in A)
(ausdrucksvoll)
più p
Engl.Hr.
2.
Fag. 3.
Bs. Cl. (B)
Br.
seinem Schoose zu ruhen kommt. In dieser Stellung verbleiben Beide bis
zum Schlusse des folgenden Auftritts.)
Langes Schwei-
Vc.
Hr.2 (F)
2.
Fag. 3.
Bs. Cl.
ritard.
Br.
pp
ppp
gen, während dessen Siegmund mit zärtlicher Sorge über Sieglinde sich hinneigt, und mit einem
langen Kusse ihr die Stirne küsst.)
Vc.
più p
CB.
(nur 4)

Vierte Scene.

Sehr feierlich und gemessen.

Ten. Tub. 1. (Es)
pp
Ten. Tub. 2. (Es)
Bs. Tub. 1 u. 2. (B)
CB. Tub.
(Sie schreitet wieder langsam vor.)
Pauk. 2. (Es)
Hör. (in Des)
3 Fag.
Tromp. 1. (F)
Tromp. 3. (Es)
Pos. 1.
Pos. 2.
Pos. 3.
CB. Pos.
(lange)
(Sie hält in grösserer Nähe an.) (in Des u. As)
Pauk. 1. 2.

3 Hob.
Engl.Hr.
3 Cl. (in A)
Bs.Cl. (in A)
Hör.
3 Fag.
Ten.Tub. 1.
Ten.Tub. 2.
Bs.Tub. 1 u. 2.
CB.Tub.
Pauk. 1. (Des u. As)
Brünnh.
(Sie trägt Schild und Speer in der einen Hand, lehnt sich mit der anderen an den Hals des Rosses, und betrachtet so mit ernster Miene Siegmund.)
Sieg - mund! Sieh' auf
Sieg - mund! Look on
Sieg - mund! Vois vers

Ten.Tub.1.(Es)
Ten.Tub.2.(Es)
Bs.Tub.1 u.2.(B)
CB.Tub.
Pauk.1. (Des)
Pauk.2.(Des u.Ges)
Brünnh.
mich: ich bin's, der bald du folgst.
me! I come to call thee hence.
moi! C'est moi que tu sui - vras.
(richtet den Blick zu ihr auf)
Siegm.
Wer
Who
Qui
Tromp. 2.(E)
Bs. tromp. (Es)
1 u.2.
3 Pos.
3.
CB.Pos.
Ten.Tub.
Bs.Tub.
CB.Tub.
Pauk. 2.
Brünnh.
Nur Tod - ge - weihten
Death-doomed is he who
Seuls, ceux qui meurent
Siegm.
bist du, sag', die so schön und ernst mir er-scheint?
art thou? say, who dost stand so beauteous and stern?
es - tu, dis, qui si belle et gra-ve pa - rais?

Bs tromp.
pp
Pos. 1.
pp
Pos. 2.
pp
Pos. 3.
pp
CB. Pos.
pp
1.
pp
pp
Ten. Tub.
2.
pp
pp
Bs. Tub. 1 u. 2.
pp
pp
CB. Tub.
pp
pp
Pauk. 1. (B u. F)
3
3
pp
Pauk. 2.
Brünnh.
tangt mein Anblick: wer mich er-schaut, der schei-det vom Le-bens-licht.
looks up-on me, who meets my glance must turn from the light of life.
voient ma fa-ce: pour qui m'en-tend, le jour de la vie s'é-teint.

Tromp. 1. (F)
Tromp. 2. (F)
Tromp. 3. (Es)
Bs.tromp. (Es)
Pos. 1.
Pos. 2.
Pos. 3.
CB. Pos.
Bs.Tub. 2. (B)
Pauk. 1. (B u. F)
(nach A u. C)
Pauk. 2. (Des u. Ges.)
Brünnh.
pp
immer pp
Auf der Wal-statt al-lein er-schein' ich Ed-len wer mich ge-wahrt, zur
On the war-field a-lone, I come to he-roes, those whom I greet, with
Sur le champ du com-bat je vais aux bra-ves: qui m'aper-çoit, la

Tromp. 1.
(Sehr lange)
Tromp. 2.
Tromp. 3.
Bs. tromp.
Pos. 1.
Pos. 2.
Pos. 3.
CB. Pos.
Pauk.
Brünnh.
Wal kor ich ihn mir!
me needs must go hence!
mort l'a dé - si - gné!
(Siegmund blickt ihr
Vc. u. CB.
(Alle)
(mit Dämpfern)
Pauk. 1.
(nach E u. H.)
Pauk. 2. (Des)
lange forschend fest in das Auge, senkt dann sinnend das Haupt, und wendet sich endlich mit Ent-schluss wieder zu ihr.)
Vc.
CB.
piu p

2 Cl. (A)
Fag. 2.
Bs. Cl. (A)
4 Hör. (in E)
Tromp. 2. (in E)
3 Pos.
pp (sehr zart)
CB. Pos.
CB. Tub.
Pauk. 1. (E u. H.)
Pauk. 2. (Des)
(nach A u. D)
Brünnh.
Zu Wal-va-ter, der dich ge-
To Wotan, whocasteth the
Le Pè-re du Choix t'a choi-
Siegm.
Der dir nun folgt, wo-hin führst du den Hel-den?
If death be his, whith-er lead'st thou the he-ro?
S'il suit tes pas, où con-duis-tu le bra-ve?
Vc.
CB.
pizz.

2 Cl.
Fag. 2.
Bs. Cl.
p
più p
4 Hör.
p
più p
Tromp. 2.
3 Pos.
pp
pp
CB. Pos.
pp
CB. Tub.
pp
Pauk. 1.
3
3
tr
pp
Brünnh.
wählt, führ' ich dich: nach Wal - hall folgst du mir.
lot, lead I thee; to Wal - hall wend with me.
-si, viens vers lui: au Wal - hall suis mes pas.
CB.

Cl.(A)
1 u.2.
pp
Fag.2
pp
Bs.Cl.(A)
pp
3 Pos.
più p
pp
CB.Pos.
più p
pp
pp
CB.Tub.
pp
Pauk.1.
(nach Fis)
Brünnh.
Ge-
The
Les
Siegm.
In Wal - hall's Saal Wal - va-ter find' ich al-lein?
On Wal - hall's height, Wo - tan a-lone shall I find?
Le Dieu du Wal - hall doit-il seul m'accueillir?
Vc.
pp
CB
pp

2 Cl.
Fag. 2.
Bs. Cl.
(E)
pp
4 Hör.
(E)
pp
pp
pp
Tromp. 1. (E)
pp
sehr zart
Tromp. 2. (D)
pp
Bs. Tromp. (Es)
pp
3 Pos.
pp
CB. Pos.
p
pp
CB. Tuba.
Pauk. 2. (A u. D)
pp
Brünnh.
fall'-ner Hel-den heh - re Schaar um - fängt dich hold mit hoch - - hei - ligem
fal - len he-roes' hal lowed band shall greet thee there with high welcome and
forts, les bra-ves, chœur glorieux, te vont fê - ter d'un fas - - te triom-
Vc.
CB.
immer pizz.

Cl.1. u.2. A
3 Cl.
Fag. 2.
pp
Bs.Cl. (A)
4 Hör. (E)
Tromp. 1. (E)
Tromp. 2. (D)
Bs.Tromp. (Es)
dolce
3 Pos.
CB.Pos.
CB.Tuba.
Pauk. 1. (Fis)
Pauk. 2. (A u. D)
Gruss.
love.
-phal.
Siegm.
Fänd' ich in Wal - hall Wäl-se, den eig'nen
Dwel-leth in Wal - hall Wäl-se, the Walsung's
Dois-je trou-ver là Wäl-se, mon pro-pre
Vc.
CB.

3 Cl. (A)
Bs.Cl.
Hör. 1 u. 2.
(2. allein)
pp
p dolce
pp
p
più p
3 Pos.
CB. Pos.
Ten. Tuba.
1. u. 2. (Es)
più
Bs Tuba.
1. u. 2. (B)
CB. Tuba.
Pauk. 1. (G)
Brünnh.
Den Va - ter fin - det der Wäl - sung dort!
His fa - ther there will the Wäl - sung find!
Au Wal - hall Wäl - se at - tend son fils.
Siegm.
Va - ter?
fa - ther?
pè - re?
Vc.
CB.

2 Cl. (A)
p
(dolce)
4 Hör. (E)
pp
3 Fag.
Tromp. 2. (F)
Pos. 1.
Pos. 2.
Pos. 3.
CB. Pos.
Pauk. 2. (Des)
Harfe 1
Br.
(mit Dämpfer)
Brünnh.
Wunschmädchen
Wish - maidens
Vier - ges qua-
Siegm.
(zart)
Grüsst mich in Wal - hall froh ei-ne Frau?
Glad - ly will wo - man wel - come me there?
Dois-je y goû-ter l'ac-cueil d'u-ne femme?
Vc.
CB.
(Bog.)
pizz.

Fl. 2.u. 3.
p
Hob. 1.
Hob. 2. p (zart)
p
Cl. 1.
Cl. 2. p (dolce)
Cl. 3. p (dolce)
p (sehr zart)
Fag. 1 u. 2.
p (sehr zart)
Horn 1.
p
(dolce)
Horn 3.
p
(dolce)
Tromp. 2.
(dolce)
Bs. Tromp. (Es)
pp
Pos. 1.
Pos. 2. (zart)
(zart)
Pos. 3.
(zart)
CB. Pos.
(zart)
Hfe 1.
Hfe 2. pp
Brünnh.
wal - ten dort hehr; Wo - tan's Toch - ter reicht dir trau -
wait on thee there: Wo - tan's daugh - ter friend-ly there
- ni - ment ses vœux, les fil - les de Wo - tan vont te ver - ser

Fl. 2. u. 3.
(immer p)
Hob. 1.
p (zart)
Hob. 2.
(immer p)
Cl. 1. (A)
(immer p)
Cl. 2. (A)
Cl. 3. (A)
Engl. Hr.
pp
2 Fag.
1. u. 3.
(zu 2)
p
4 Hör. (E)
2. u. 4.
(zu 2)
p
Tromp. 1. (F)
pp
(dolce)
Tromp. 2. (F)

(dolce)

Pos. 1.

Pos. 2.

Pos. 3.

CB.Pos.

Pauk. 1. (As)

Harfe 1.

(immer pp)

Harfe 2.

(immer pp)

Brünnh.

- - - lich den Trank!
fill - - - eth thy cup!
l'hy - - dro - mel!

pp tr pp

27002 b

E. E. 6119

3 Fl.
p (dolce)
più p
pp
2 Hob.
più p
Cl. 1. (A)
più p
pp
Cl. 2. (A)
Cl. 3. (A)
p
(dolce)
Engl. Hr.
più p
pp
2 Fag.
più p
pp
1. u. 3.
4 Hör. (E)
2. u. 4.
2.
3.
pp
più p
più p
pp
2 Trp. (F)
(sehr zart)
pp
(sehr zart)
Bs Trp. (Es)

Pos. 2.

Pos. 3.

CB. Pos.

Tuba 1. u. 2. (Es)

pp (*sehr weich*)

Tuba 3. (B)

pp (*sehr weich*)

Tuba 4. (B)

pp

CB. Tuba.

pp

Becken. (natürlich)

pp

Pauk. 1. (As)

Harfe 1.

5 6 5 6

Harfe 2.

6 5 5 6

27002 b
E. E. 6119

4 Hör.(E)
pp
Tromp. 3. (in E)
pp
Pos. 1. u. 2.
pp
Pos. 3.
pp
pp
Br. (mit Dämpfer)
pp
Siegm.
Hehr bist du, und hei - lig ge-wahr' ich das Wo - tans-kind; doch
Fair art thou, and ho - ly be-fore me stands Wo - tan's child: yet
Noble et sain - te s'an-non - ce la fil - le de Wo - - tan: pour-
pp
Vc. (mit Dämpfer)
pp
CB.
(nur 4) pizz.
(mit Dämpfer) pp

(A)
3 Cl.
(A)
pp
p
4 Hör. (in E)
pp
pp
Bs.Cl.(A)
pp
Fag. 2.
pp
Tromp. 3. (in E)
3 Pos.
Viol.2.
(mit Dämpfer)
pp
p
Br.
(alle)
pp
p
pp
Siegm.
Ei - nes sag' mir, du Ew' - ge! Be - glei - tet den Bru - der die
one thing tell me, im - mor - tal! Go bro - ther and sis - ter to
-tant ré-ponds moi, dé - es - se! Doit - on voir au Wal - hall la
p
Vc.
p
CB.
(Bog.)
(alle)
pizz.
Bog.
p
pp

3 Cl. (A)
pp
4 Hör. (E)
B.-Cl. (A)
Fag. 2.
1.2.
3.
2 Tromp. in E.
3 Pos.
CB. Pos.
Pauk. 2. (H)
mit Dämpfer
Viol.
ten.
poco cresc.
Br.
Siegm.
bräut-li-che Schwe-ster? Um-fängt Sieg - mund Sieg - lin - de dort?
Wal - hall to - ge - ther? shall there Sieg - mund Sieg - lin - de find?
sœur près du frè - re, u - nie à Sieg - mund Sieg - linde aus - si?
Vc.
CB.
pizz.
(Bog.)

Etwas langsamer.
2 Hob.
pp
Cl. 1.
pp
Cl. 2.
pp
Cl. 3.
pp
Engl. Hr.
pp
pp
Hör. 3 u. 4. (Es)
pp
pp
pp
pp
pp
3 Fag.
2. allein
pp
pp
Bs. Cl.
pp
pp
pp
Br.
pp
(äusserst
Brünnh.
(Siegmund
Er - - den-luft muss sie noch ath-men: Sieglinde sieht Siegmund dort nicht.
Here on earth must she still linger: Siegmund will find not Sieg-lin - de there.
L'air ter-restre est pour sa lè - vre: Sieglinde perd Siegmund i - ci.
CB.
pp
Etwas langsamer.

Cl. 1. (A)
pp
Cl. 2. (A)
pp
Cl. 3. (A)
pp
Hör. 3 u. 4. (D)
(D)
Bs. Cl. (A)
pp
3 Pos.
CB. Pos.
Br.
zart)
Siegm.
neigt sich sanft über Sieglinde, küsst sie auf die Stirn und wendet sich ruhig wieder zu Brünnhilde.)
So grü-sse mir Wal - hall,
Then greet for me Wal - hall,
Sa - lue pour moi Wal - hall,
pizz.
Vc.
pizz..
CB.
pizz.
p

Cl.1.
pp
Cl.2.
pp
Cl.3.
pp
1.u.2.
(E)
pp
4 Hör.
(E)
pp
3.
pp
Bs.Cl.
pp
pp
3 Pos.
pp
pp
CB.Pos.
pp
Br.
geth.
p
poco cresc.
Siegm.
grü-sse mir Wo - - tan, grü-sse mir Wäl-se und al-le Hel - den,
greet for me Wo - - tan, greet for me Wäl-se and all the he - roes,
sa-lue aus-si Wo - - tan, sa-lue en-cor Wäl-se et tous les bra - ves;
(Bog.)
p
poco cresc.
Vc.
(Bog.)
p
poco cresc.
CB.
(Bog.)
p
poco cresc.

2 Fl.
Hob. 1.
Hob. 2.
Hob. 3.
Cl. 1. (A)
(sehr zart)
Cl. 2. (A)
Cl. 3. (A)
Engl. Hr.
(E)
4 Hör.
(E)
3 Fag.
Bs. Cl. (A)
3 Pos.
(dolce)
Harfe.
Siegm.
(sehr bestimmt)
grüss' auch die hol-den Wun - schesmädchen:
greet too the beauteous wish - - maidens:
dis mon a-dieu aux dou - ces vierges:
zu ih - - nen folg' ich dir
to them I fol-low thee
vers el - - les je n'i-rai

Hob. 1.
Hob. 2.
Hob. 3.
Cl. 1.
Cl. 2.
Cl. 3.
Engl. H.
4 Hör.
3 Fag.
Bs. Cl.
Tromp. 1. (E)
Bs Tromp. (Es)
3 Pos.
CB. Pos.
Viol. immer noch mit Dämpfern
Br.
Brünnh.
Du
Thou
Tu
Siegm.
nicht!
not!
pas!
Vc.
CB. pizz.
(Alle)
f
ff
dim.
p

Hob. 2.
p
pp
Engl. Hr.
p
pp
2 Cl. (A)
p
pp
2 Tromp. (E)
pp
poco cresc.
pp
poco cresc.
3 Pos.
pp
poco cresc.
CB. Pos.
pp
poco cresc.
Br.
p
cresc.
Brünnh.
sah'st der Wal - - - kü - re seh - - - renden
saw - - - est the Val - - - ky - rie's with - - - er - ing
vois de la Wal - - - kü - re l'œil meurtri -
CB.
pizz.
p
cresc.

3 Hob.
3 Cl.
4 Hör. (E)
2 Tromp.
molto cresc.
Bs.Trp.(Es)
cresc.
3 Pos.
molto cresc.
CB.Pos.
molto cresc.
Tuba 1 u. 2.
(Es)
Tuba 3 u. 4.
(B)
CB.Tuba.
Pauk. (Fis u. H.)
(Es)
cresc.
(trem.)
dim.
Viol.
più p
Br.
molto cresc.
Brünnh.
Blick:
glance;
mit
with
tu
ihr musst du nun zieh'n!
her must thou now fare!
dois sui-vre ses pas!
Siegm. -er:
Wo Sieg - - linde
Where Sieg - - linde
Où Sieg - - linde
Vc.
(mit Dämpfer)
CB.
pizz.
(Bog.)
cresc.
p(dolce)

4 Hör. (E)
Bog.
Viol.
pizz.
p (weich)
Bog.
Br.
(dolce)
(dolce)
Siegm.
lebt in Leid und Lust, da will Sieg - mund auch säu - men: noch
lives in weal or woe, there will Sieg - mund too lin - ger: thy
vit, en joie et deuil, là son Sieg - mund veut vi - vre: j'ai
(6)
Vc. (6)
CB.
(geth.)
4 Hör.
Viol.
cresc.
mf
Br.
cresc.
Siegm.
mach - te dein Blick nicht mich er-blei - chen vom Blei - ben zwingt er mich
with - ering glance served not to fright me, nor shall it e'er force me
vu ton re-gard sans é-pouvan - - te, en vain tu veux me domp-
Vc.
cresc.
CB.
(Zus.)
Bog.
cresc.

Tromp. 1. (F)
Bs. Tromp. (Es)
3 Pos.
CB. Pos.
Viol.
Br.
sf
dim.
Brünnh.
So lang du lebst, zwäng' dich wohl
While life is thine, force were in
Sur toi, vi - vant, rien n'a pou-
Siegm.
nicht.
hence.
ter!
Vc.
CB.

2 Hob.
Engl. H.
3 Cl. (B)
Bs. Cl. (B)
3 Fag.
Tromp. 1. (F)
Tromp. 2. (F)
3 Pos.
CB. Pos.
Pauk. 1. (G. C.)
Viol.
Br.
Brünnh.
Vc.
CB.
pp
p
pizz.
poco cresc.
cresc.
nichts: doch zwingt dich Tho - - - ren der
rain; but death shall ran - - - quish thee,
-voir; pour - tant la mort te con-

2 Hob.
Engl. Hr.
3 Cl.
Bs. Cl.
3 Fag.
Tromp. 1. u. 2. (F)
Trp. 3.
Bs Trp. (Es)
3 Pos.
CB. Pos.
Pk. (C, G.)
Viol.
Br.
Brünnh.
Tod:
fool:
ihn dir zu künden kam ich her.
death-doom to bring thee I am here.
Moi qui l'an-nonce, j'ai par-lé.
Siegm-traint:
Wo wä-re der
Whose hand then, shall
De moi quel bé-
Vc.
CB.
(Bog.)
molto cresc.
ff dim.
p più
pp
cresc.
mf

Tromp. 3. (in E)
Bs.Tromp. (Es)
3 Pos.
CB.Pos.
Pauk. 2. (Fis u. H.)
Viol.
Br.
Brünnh.
Siegm.
Vc.
CB.
fp
p
cresc.
mf
sf
pizz.
f
Feind dem
strike, if
-ros se -
heut' ich fiel?
I must fall?
- rait vainqueur?
Hunding fällt dich im
Hunding striketh the
Hunding doit te frap-

Tromp. 3
p
cresc.
Bs. Tromp. (Es)
p
cresc.
3 Pos.
p
cresc.
CB. Pos.
p
cresc.
Pauk. 2. (Fis u. H)
p
cresc.
ff
f
Viol.
sf
cresc.
più f
f
f
Br.
f
f
Brünnh.
Streit.
blow.
Siegm. -per.
Mit Stärk'rem drohe, als Hundings
Bring threats more dire, if thou wouldst
Me- -na-ce vai-ne: le bras de
Vc.
sf
più f
f
CB.
p
(Bog.)
f

Engl. Hr.
3 Cl. (B)
Bs. Cl. (B)
Viol.
Br.
Siegm.
Streichen! Lauerst du hier lüstern auf Wal, je - nen kiese zum
daunt me. Lurkest thou here lust-ing for strife, choose thou him for thy
Hunding! Guet-tes-tu là l'heu-re du sang, mon rival t'appar-
Vc.
CB.
pizz.
(Bog.)

1. u. 2.
3 Hob.
3 Cl.
E.Hr.
4 Hör. (E)
Bs.Cl.
3 Fag.
Tromp. 1. (E)
Bs Tromp. (Es)
Viol.
Br.
Brünnh.
Dir, Wäl - - - sung, -
Thine, Wäl - - - sung -
Toi, Wäl - - - sung, -
Siegm.
Fang: ich denk' ihn zu fäl-len im Kampf.
prey: methinks he will fall in the fight!
-tient: je sais qu'il mourra sous mes coups!
Vc.
CB.

3 Hob.
3 Cl. (B)
Engl. Hr.
4 Hör. (E)
Bs. Cl. (B)
3 Fag.
Tromp. 1. (E)
Bs. Tromp. (Es)
3 Pos.
CB. Pos.
Viol.
Br.
Brünnh.
hö - re mich wohl: –
heark-en to me –
é-cou - te moi bien: –
dir ward das Loos ge - kiest
thine is the death de - creed.
toi seul i - ci mour - ras!
Siegm.
Kenn'st du diess'
Knowst thou this
Vois cette é -
Vc.
CB.
molto cresc.

3 Fl.
3 Hob.
Cl.1.u.2.
Hör. 3 u.4.
(E)
2 Fag.
Tromp.1.(F)
Tromp.2.(C)
Bs Tromp. (Es)
Viol.
Br.
Brünnh.
(sehr stark betont)
Der dir es
He who be-
Qui la don-
Siegm.
Schwert? Der mir es schuf, beschied mir Sieg: deinem Drohen trotz' ich mit ihm.
sword? From him it came who holds me safe: through his sword thy threats I de-fy!
-pée! Qui la don-na pro-mit vic-toire: ta me-na-ce cede à ce fer!
Vc.u.CB.
cresc.
mf
f
p

acceler.
3 Fl.
più f
ff
3 Hob.
3 Cl. (B)
(in F)
4 Hör. (in E)
3 Fag.
Tromp. 1. (in F)
Bs. Tromp. (Es)
3 Pos.
p
molto cresc.
f
Pauk. 2. (Es)
tr
Viol.
(ohne Dämpfer)
Brünnh.
acceler.
schuf. beschied dir jetzt Tod: sei - ne Tu - gend nimmt er dem Schwert.
stowed it sends thee now death: for the spell he takes from the sword!
-na dé - ci - de ta mort: de ver - tu il pri - ve l'é - pée!
Siegm.
(heftig)
Schweig!
Still
Tais - toi!
CB.
(ohne Dämpfer)

Etwas bewegt, doch nicht zu schnell.
Horn 2. (F)
p
Pk.2.(Es)
mf dim.
pp
dim.
Viol.
p
dim.
Br.
(mit Dämpf.)
p weich
(Er beugt sich mit hervorbrechendem Schmerze zärtlich über Sieglinde.)
Siegm.
und schrecke die Schlummernde nicht!
and fright not the slum - ber - er here!
et n'é - veil - le pas l'en-dor-mie!
(mit Dämpfer)
Vc.
p weich
CB. (geth.) ff dim.
ff dim.
p
Etwas bewegt, doch nicht zu schnell.
Horn 2.
3 Fag.
p
pizz.
(Die Dämpfer wieder auf.)
Viol.
Br.
Siegm.
Weh! Weh! Süs - ses-tes Weib, du trau - rigste
Woe! woe! Sweet - est wife! Thou sad - dest a -
Las! Las! Douce a - do - rée! Ô triste en-tre
Vc.
CB.
pizz.

Horn 2. (F)
poco cresc.
3 Fag.
poco cresc.
poco cresc.
Viol.
(mit Dämpfer)
Br.
cresc.
Siegm.
al - ler Ge - treu - en!
mong all thy faith - ful!
tou - tes les fem - mes!
Ge-gen dich
'Gainst the peace
Con-tre toi
wü - thet in Waf - fen die
rag - es the world now in
tout l'u - ni - vers s'est ar -
Vc.
cresc.
CB.
geth.
Bog.
cresc.
Horn 2.
3 Fag.
Viol.
Br.
Siegm.
Welt, und ich, dem du ein-zig ver-traut, für den du ihr ein-zig ge -
arms, and I, who alone am thy friend, for whom thou the world hast de -
- mé: et moi, à qui seul tu te fies, qui seul provo-quai ta ré -
Vc.
CB.
zusammen

Fag. 1 u. 2.
Viol.
Br.
Siegm.
trotzt, mit mei-nem Schutz nicht sollt' ich dich schir-men, die Küh-ne ver-ra-then im
fird, may I not shield, may I not de-fend thee, be-tray thee must I in the
-volte, mon bras ne doit t'ai-der ni dé-fen-dre, je dois te tra-hir au com-
Vc.
CB.
(zusamm.)
3 Hob.
3 Cl.(B)
Engl. Hr.
Bass Cl.(B)
Hr. 1 u. 2 (in F.)
Hr. 3 u. 4 (in F.)
2 Fag.
Viol.
Br.
Siegm.
Kampf?— Ha, Schan-de ihm, der das Schwert mir schuf, be-schied er mir Schimpf für
fight?— O shame on him who bestowed the sword, and tricks me with trust-less
-bat! Oh! honte à lui, qui don-na ce fer, tour-nant le triomphe en
Vc. u. CB.

3 Hob.
Engl. Hr.
3 Cl. (B)
Bass Cl. (B)
4 Hörn. (F)
2 Fag.
Viol.
Br.
Siegm.
Vc.
CB.
Sieg!
blade!
mort!
Muss ich denn fal - len, nicht fahr' ich nach Wal - hall:
If I must fall then, to Wal - hall I fare not:
Mais si je tom - be, j'i - rai loin du Wal - hall:

2 Hob.
Engl. Hr.
Clar. 1 u. 2.
Bss. Cl.
(1u.2. zus.) (Es)
ten.
dim.
4 Tub.
(3u.4. zus.) (B)
CB. Tuba.
pizz.
Viol.
Br.
(ohne Dämpfer.)
Siegm.
(Er neigt sich tief zu Sieglinde.)
Hel - - la hal - te mich fest!
Hel - - la hold me her own!
Hel - - la me prenne à ja - mais!
Vc. u. CB.
(ohne Dämpfer.)

Erstes Zeitmass.
Hr. 4 in E.
4 Tub.
CB. Tub.
Pauk. 1. (E.)
(nur 8)
Viol.
(nur 8)
Br.
(mit Dämpfer) (nur 6)
Brünnh.
(erschüttert)
So we-nig ach-test du e-wi-ge Won-ne?
So light-ly priz-est thou bliss e-ver-last-ing?
Es-ti-mes tu si peu l'al-me dé-li-ce?
Vc. u. CB.
Vc. mit Dämpfer (nur 6)
Viol.
(immer pp)
(8 erste)
(8 zweite)
Br.
Brünnh.
(zögernd und etwas zurückhaltend)
Al-les wär' dir das ar-me Weib, das müd' und harm-voll matt auf dem Schoosse dir
All to thee is this hapless wife who, faint and care-worn, helpless-ly hangs in thine
Tout tient-il en la pau-vre femme, qui, pâle et tris-te, git comme morte en tes
Vc.

Im Zeitmass.
Clar. (in A.)
4 Hörn. (E.)
(zu 4.)
1.3.
2.4.
(zu 2.)
1.2.
3 Fag.
3.
Bss. Cl. (in A.)
3 Pos.
(8 erste)
(8 zweite)
(8 erste u. 8 zweite.)
Br.
Brünnh.
hängt?
arms?
bras?
Nichts sonst hieltest du hehr?
Nought else deemest thou good?
Rien d'au - tre n'a de prix?
Vc.
(alle 12.)
CB.
(alle CB. gedämpft.)

Hob. 1.
Clar. (A)
1.
Engl. Hr.
4 Hörn. (E)
(zu 2)
3 Fag.
3.
Bss. Cl. (in A.)
3 Pos.
Viol. 2. (alle 16.)
Br. (alle 12.)
cresc.
Siegm. (bitter zu ihr aufblickend.)
So jung und schön er - schim - merst du mir, doch wie
So young and fair thou shin - est to me, yet how
Si jeune et beau ray - on - ne ton front: mais com-
Vc. u. CB.
ten.
dim.

Hob.1.
(ausdrucksvoll)
p
Clar.1.
cresc.
dim.
Engl.Hr.
p
dim.
4 Hörn.
p
3 Fag.
p
(zu 3.)
p
mf
Viol. 2.
Br.
mf
dim.
Siegm.
kalt und hart er kennt dich mein Herz! Kannst du nur
cold and hard now knows thee my heart! Canst thou but
-bien gla-cé et dur est ton cœur! O toi qui
Vc.u.CB.
mf
p
p
mf
4 Hörn.
p
Fag.1u.2.
p
mf
Fag.3.
p
mf
(alle)
p
Viol.
(getheilt.)
p
Br.
p
Siegm.
höh - nen, so he - be dich fort, du ar - ge fühl-lo-se
mock me, then take thy-self hence, thou cru - el mer-ci-less
rail - les, va-t'en loin de moi, fa-rouche et froide en-
Vc.u.CB.
p
mf
p

Hob. 1.
Cl. 1. (A)
Cl. 3. (A)
Engl Hr.
Bss. Cl. (A)
4 Hörn. (E)
Fag. 1.
Viol.
Br.
Siegm.
Maid! Doch musst du dich wei - - den an mei - - nem
maid! Or, if thou dost hun - - ger for my dis -
-fant! Pourtant si ma peine est ton seul plai -
Vc. u. CB.
cresc.

Hob. 1.
Cl. 1.
Cl. 3.
Engl Hr.
Bss. Cl.
Hr. 1.
Fag. 1.
Fag. 2 u. 3.
Viol.
Br.
Siegm.
Weh', mein Lei - - den le - tze dich denn,
tress, then free - - ly feast on my woe;
-sir, mes maux te peu - vent plai - re!
Vc. u. CB.

Hob.
Cl. 1 u. 2. (A)
Cl. 3. (A)
Engl. Hr.
Bss. Cl. (A)
Hr 1. (E)
Fag. 1.
Fag. 2 u. 3.
Viol.
(Dopp)
Br.
Siegm.
mei-ne Noth la - be dein neid-vol-les Herz: —
let my grief quick - en thy en - vious heart: —
as souvis li - brement ton cœur sans pi - tié:
doch von Walhall's spröden Wonnen
but of Walhall's love less raptures
mais du Walhall, froid dé - li - ce,
Vc. u. CB.

Hörn. (E.)
cresc.
dim.
Fag. 1.
Cl. 2 u. 3.
(zu 2.)
Bss. Cl.
Fag. 2 u. 3.
2 Tromp. (E)
3 Pos.
CB. Pos.
pizz.
(ohne Dämpfer.)
Viol.
Br.
Brünnh.
Ich
I
Je
Siegm.
sprich du wahr-lich mir nicht.
speak not, pry-thee, to me!
ces - se de me par - ler!
Vc. u. CB.

Hob. 1.
Fag. 1.
p (ausdrucksvoll)
Hörn. (E)
Fag. 2 u. 3.
Viol.
(ohne Dämpfer)
Br.
(ausdrucksvoll)
Brünnh.
se - he die Noth, die das Herz dir zer-nagt; ich füh - le des Hel - den
see the distress that doth gnaw at thy heart, I feel all the he - ro's
vois la dé-tres - se qui ron - ge ton cœur, je sens du hé-ros la
Vc. u. CB.
ten.
dim.

2 Fl.
1.(allein)
1.u.2.
molto cresc.
Hob.1.
Hob.3.
Cl.1 u.2.(A)
Engl. Hr.
Fag.1.
Fag. 2 u.3.
poco a poco cresc.
Hörn.
poco a poco cresc.
cresc
Viol.
cresc.
Br.
cresc.
Brünnh.
hei - li - gen Harm! —
ho - li - est grief!
sain - te douleur!
Sieg - - mund,
Sieg - - mund,
Sieg - - mund,
Vc.u.CB.
poco a poco cresc.

2 Fl.
Hob. 1 u. 2.
molto cresc.
Hob. 3.
molto cresc.
Cl. 1 u. 2.
(A)
molto cresc.
Engl. Hr.
molto cresc.
Fag. 1.
molto cresc.
Fag. 2 u. 3.
cresc.
Hörn. (E)
Viol.
più f
più f
Br.
più f
Brünnh.
be - fiehl mir dein Weib: mein Schutz
to me give thy wife, let her
remets-moi ton a - mante: mon bras
Vc.
più f
CB.
più f

2 Fl.
dim.
2 Hob.
dim.
2 Cl.
dim.
Engl. Hr.
dim.
Hörn.
dim.
dim.
dim.
Fag.
dim.
3 Pos.
CB. Pos.
CB. Tub.
Viol.
Br.
dim.
Brünnh.
um- fan - ge sie fest!
safe - guard be my shield!
se - ra son ap - pui!
Siegm.
Kein and-rer als
No o - ther than
Nul au - tre que
Vc. u. CB.
(Vc. u. CB. ohne Dämpfer.)

3 Pos.
CB. Pos.
CB. Tub.
Viol.
Br.
Siegm.
ich soll die Rei - ne le - bend be - rüh - ren; ver - fiel ich dem
I. while she lives shall safeguard the pure one; if death be my
moi ne la doit tou - cher vi - van - te; s'il faut que je
Vc. u. CB.
Fl. 1.
2 Hob.
Engl. Hr.
Cl. 2 u. 3. (A)
1. (allein.)
Hörn. (E)
3 u. 4.
Fag. 1.
Viol.
Br.
Brünnh.
(mit wachsender Ergriffenheit)
Wäl - sung! Ra - sen - der!
Wäl - sung! Mad - man!
Wäl - sung! In - sen - sé!
Siegm.
Tod, die Be - täub - te tödt' ich zu - vor!
doom, I will slay the slum - ber - er here!
meure, que ma main l'im - mo - le d'abord!
Vc. u. CB.
ten.
cresc.

Fl. 1.
Hob. 1.
Hob. 2.
Engl. Hr.
Cl. 1.
Cl. 2 u. 3.
Hörn.
Fag. 1 u. 2.
Viol.
Br.
Brünnh.
Hör' mei-nen Rath: be - fiehl mir dein Weib um des
Hear - en to me! to me trust thy wife for the
Suis mon con-seil: remets-moi ton a - man - te, au
Vc. u. CB.
cresc.
dim.

Fl. 1.
dim.
p (dolce)
Hob. 1.
dim.
Hob. 2.
dim.
cresc.
Engl. Hr.
cresc.
Cl. (A)
dim.
p (dolce)
cresc.
Hörn. (E)
dim.
Fag. 1 u. 2.
dim.
(zu 2.)
molto cresc.
Fag. 3.
molto cresc.
1 u. 2.
3 Pos.
3.
CB. Pos.
(dolce)
Viol.
(dolce)
Br.
Brünnh.
Pfan - des wil - len, das won - nig von dir es em - pfing!
pledge's sake that in rapture from thee she re - ceived.
nom du ga - ge d'a-mour qu'elle porte en son sein!
(Das Schwert ziehend.)
Siegm.
Dies Schwert, das dem
This sword, though by
Ce fer, qu'un fi -
Vc. u. CB.
p molto

3 Pos.
CB. Pos.
Viol.
Br.
Siegm.
Treu-en ein Trug-vol-ler schuf; dies Schwert, das feig vor dem Feind mich ver-räth:
trait-or to true man de-creed,– this sword, that fails me in face of my foe:–
-dèle a d'un traî-tre re-çu, ce fer, qui, lâ-che, tra-hit mon es-poir,
Vc.
Tromp. 1. (F)
Bss. Tromp. (Es)
3 Pos.
CB. Pos.
Viol.
Br.
Siegm.
frommt es nicht ge-gen den Feind, so fromm' es denn wi-der den Freund!
serves it not then against foe, right well it shall serve against friend!
s'il n'est ter-rible au ri-val, qu'il serve à la mort de l'a-mie!
Vc.
CB.

2 Hob.
Engl. Hr.
Cl. 1 u. 2. (A)
Hörn. 1 u. 2. (E.)
2 Fag.
Tromp. 1. (F)
Bss. Tromp. (Es)
3 Pos.
CB. Pos.
Viol.
Br.
Siegm. (Er zückt das Schwert auf Sieglinde.)
Zwei Le - ben la - chen dir hier:
Two lives now laugh to thee here:
Deux ê - tres sont devant toi:
Vc.
CB.
più cresc.

2 Hob.
Engl.Hr.
Cl. 1 u. 2.
Hörn. 1 u. 2.
3 Fag.
3 Pos.
CB. Pos.
Pauk. 1. (G)
Viol. 2.
Br.
Brünnh.
(Im heftigsten Sturme des Mitgefühles)
Halt ein!
For-bear!
Ar-rête!
Siegm.
nimm sie, Nothung, nei-discher Stahl, nimm sie mit ei-nem Streich!
take them, Nothung, en-vious steel! take them with one fell stroke!
frap-pe, Nothung, glai-ve haineux! prends d'un seul coup leurs vies!
Vc. u. CB.
(zus.)

1u.2.(zus.)
Fl.
accel.
3 Hob.
(semprе f)
piu f
f
Engl. Hr.
(sempre f)
più f
3. Cl. (A)
(sempre f)
f
più f
4 Hörn. (E)
(sempre f)
più f
3 Fag.
(sempre f)
più f
ff
3 Pos.
CB. Pos.
molto accel.
ff
Viol.
(immer f)
Br.
Brünnh.
Wäl-sung!
Wäl-sung!
Wäl-sung!
Hö - re mein
Heark - en to
Crois à ma
Vc. u. CB.
ff (immer)
più f

2 Fl.
più f
ff
3 Hob.
più f
3 Cl.
ff
Engl. Hr.
ff
ff
Hörn.
ff
ff
3 Fag.
ff
ff
più f
Viol.
più f
Br.
più f
Brünnh.
Wort! Sieg - lin-de le - - be, und
me! Sieg - lind' shall live then,— and,
voix! Sieg - lin-de vi - - - ve!— et
Vc. u. CB.
ff

Sehr lebhaft.
2 Fl.
ff p molto cresc.
2 Hob.
2 Cl. (A)
Hörn. (E)
3 Fag.
2 Tromp. (E.)
4 Pos.
Pauk. 1. (Cis u. H.)
Viol.
Br.
Brünnh.
Sieg - - - mund
Sieg - - - mund,
Sieg - - - mund
le - be mit
live thou with
vive a-vec
Vc. u. CB.

2 Fl.
2 Hob.
2 Cl.
Hörn.
3 Fag.
4 Pos.
Pauk. 2. (Es.)
Viol.
Br.
Brünnh.
ihr!
her!
elle!
Be - schlos - - sen ist's:
'Tis thus de - creed;
Mon choix est fait;
Vc. u. CB.
p
cresc.
molto cresc.
ff
dim.
mf
molto
f

2 Fl.
Hob.
(zu 3.)
Cl.(A)
(zu 3.)
Hörn. (E)
molto cresc.
3 Fag.
cresc.
dim.
più f
Viol.
Br.
Brünnh.
das Schlacht - loos wend' ich; dir, Sieg - mund,
re-called the death-doom: thine, Sieg - mund,
je chan - ge l'or - dre! toi, Sieg - mund,
Vc.
CB.

2 Fl.
più f
Hob.
più f
Cl.
ff
Hörn.
3 Fag.
Tromp. 1. (E)
2. Tromp. (F)
2 Bss. Tub. (B.)
4 Pos.
mf
Viol.
cresc.
Br.
Brünnh.
schaff' ich Se - - gen und Sieg!
thine be tri - - umph and bliss!
sors de la lut - - te vain - queur!
Vc.
CB.

2 Tromp. (F)
cresc.
2 Bs Tub. (B)
4 Pos.
p
p
cresc.
sf
Viol.
f
p
cresc.
Br.
cresc.
Brünnh.
Hörst du den Ruf?
Hear'st thou the call?
Entends cet ap - pel!
Nun rü - ste dich, Held! Trau - e dem
Prepare thyself now! Trust to the
Pre - pa - re - toi bien! Crois à lé -
Vc
CB.
Viol.
cresc.
(ten.)
Br.
Brünnh.
Schwert, und schwing' es ge - trost: treu hält dir die Wehr, wie die Wal - kü - re
sword, and strike without fear: sure strik - eth the blade, as the Val - kyrie's
-pée, et frap - pe sans peur: sûr bril - le le fer, et ta Walküre est
Vc.
CB.
p cresc.

Hob.
p cresc.
Cl.
(A)
p cresc.
4 Hörn.(F)
fp
cresc.
fp
1.
cresc.
Fag.
2u.3.
p
molto cresc.
acceler.
Pos.1 u.2.
p
Pos. 3 u.4.
p
Bss.Tub. 2.
p
cresc.
CB.Tuba.
p
cresc.
stringendo
Viol.
p
cresc.
p
cresc.
Br.
p
p
cresc.
Brünnh.
treu dich schützt. Leb' wohl, Sieg - mund, se - - - lig-ster
shield is sure! Fare - well, Sieg - mund, he - - - ro most
sûre aus - si! A - dieu, Sieg - mund, no - - ble hé -
Vc.
p
p
cresc.
CB.
p
p

Fl. 1.2.
(zu 2.)
Hob.1.2.
(zu 2.)
Cl. (A)
(zu 2.)
(E)
4 Hr.
(E)
Fag.
Tromp. 1. (E)
Pos. 1 u. 2.
Pos 3 u. 4.
Bss. Tub. 2. (B)
CB. Tub.
Pauk. (A)
Viol.
(Mit Ungestüm)
(Mit Ungestüm)
Br.
Brünnh.
Held!
blest!
ros!
Auf der Wal - statt seh' ich dich wie - der!
On the field once more shall I find thee!
Au com - bat proche je te re - trou - ve!
Vc. u. CB.

Fl 1 u. 2.
(immer ff)
Fl. 3.
(sempre)
Hob. 1 u. 2.
(immer ff)
Hob. 3.
(immer ff)
Cl. 1 u. 2.
(immer ff)
Cl. 3.
Engl. Hr.
più f
più
4 Hör.
più f
Fag. 1 u. 3.
(immer ff)
Fag. 3.
(immer ff)
Bss. Cl. (A)
(immer ff)
4 Pos.
Pauk.
(immer f)
Viol.
(immer ff)
Br.
(immer ff)
(Sie stürmt fort und verschwindet mit dem Rosse rechts in einer Seitenschlucht. Siegmund blickt
Vc. u. CB.
(immer ff)

Fl.1u.2.
Fl.3.
Hob.1u.2.
Hob.3.
Cl.1u.2.(A)
1.
Cl.3. (A)
2u.3.
Engl.Hr.
4 Hörn. (E)
Fag. 1u.2.
Fag. 3.
Bss. Cl.(A)
Tromp. 1.(E)
4 Pos.
Pauk. 2. (E u. A.)
Viol
Br
(ihr freudig und erhoben nach.)
Vc.u.CB.

(Die Bühne hat sich allmählich verfinstert; schwarze Gewitterwolken senken

sich auf den Hintergrund herab, und hüllen die Gebirgswände, die Schlucht und das erhöhte Bergjoch,

nach und nach gänzlich ein.)

Hob. 1.
1.
Cl. (A)
2.
(dolce)
Engl. Hr.
dim.
2. (allein)
Hör. (E)
p (dolce)
Fag.
1. (allein)
p dolce
Bs. Cl. (A)
3 Pos.
più p
pp
Pauk.(E)
2.
più p
Viol.
cresc.
dim.
Br.
Vc.
CB.

1.
Clar. 2.
dim.
più p
Engl. Hr.
Hör.
più p
3 Fag. 1.
più p
Bs.Cl.
Pauk.
Br.
(mit Dämpfer)
2 Ten.Tub. (Es)
Allmählig zurückhaltend.
2 Bs. Tub. (B)
CB.Tub.
Br.
(geth.)
rallent.
più p
(Siegmund neigt sich wieder über Sieglinde, dem Athem lauschend.)
Vc.
geth.
(mit Dämpfer)
più p
CB.
(nur 4) (mit Dämpfer)
più p

Fünfte Scene.

Mässig langsam.

Langsamer.
Bs.tromp. (Es)
pp
Pos. 1 u. 2.
pp
Pos. 3.
pp
CB. Pos.
pp
(F)
p (dolce)
4 Hör. (in F)
(F)
p
(alle 1.)
p
pp
Viol.
(alle 2.)
p
pp
Alle Br. (zus.)
p (sehr weich)
Siegm.
Soll-te die grim-mi-ge Wal nicht schrecken ein gramvolles Weib?
Would not the fu-ri-ous fight wake fear in her sor-row-ing heart?
L'heu-re du sombre com-bat de crain-te l'aurait ac-ca- - blée!
Vc.
(mit Dämpfer)
(Doppelgriff)
p
pp
CB.
(mit Dämpfer)
(alle 8)
p
pp

4 Hör.
Viol. 2. (G. Saite)
p weich
Br.
p (dolce)
Siegm.
Leb - los scheint sie, die den-noch lebt: der
Life - less seems she who yet hath life: her
Pâle et froide el - le vit pour - tant: sa
4 Hör.
p(dolce)
pp
p(dolce)
3 Fag. p(dolce)
3.
pp
Br.
dim.
p
dim.
p
Siegm.
Trau - ri-gen kost ein lä - chelnder Traum.
sor - row is soothed by a smi-ling dream.
peine est ber - cée d'un songe souri - ant...
Vc.
p (dolce)
CB (nur 4)
(alle)
pizz. p
(Bog.)
pp

Lebhafter.
3 Cl. (A)
(zu 3)
Hör.
cresc.
3 Fag.
(2.u.3. zus.)
Bs. Cl. (A)
2 Ten. Tub. (Es)
2 Bs. Tub. (B)
CB. Tub.
Pauk. (A)
(mit Dämpfer)
Viol.
(mit Dämpfer)
Br.
(immer mit Dämpfer)
Siegm.
So schlumm're nun fort, bis die Schlacht ge-
So slum - ber still on till the fight be
Demeure en-dor- mie, jus-qu'a-près la
Vc.
più p
(ohne Dämpfer)
CB.

Etwas zurückgehalten.
Cl. 1. (A)
Hr. 1 u. 2.
(E)
p (weich)
Hr. 3.
(E)
p (weich)
Hr. 4.
(D)
p
1.
p
Fag.
2.
p
Etwas zurückgehalten.
pizz.
Viol.
pizz.
Br.
pizz.
Siegm.
(Er legt sie sanft auf den Steinsitz, und küsst ihr zum Abschied die Stirn.)
kämpft und Frie - den dich er - freu'!
fought and peace to thee bring joy!
lutte, quand la paix te va char - mer!
Vc.
p (dolce)
CB.
pizz. pp

Cl. 1 (A)
rallent.
Lebhaft.
dim.
pp
Hr. 1 u. 2.
(1. allein)
p (dolce)
sf
Hr. 3.
più p
Hr. 4.
sf
1.
Fag.
2.
più p
2 Ten. Tub. (Es)
p
2 Bs. Tub. (B)
Stierhorn (in C)
(auf dem Theater sehr fern)
f
Pauk. 2. (C)
tr
rall.
Lebhaft.
(Bog.)
fp
Viol.
(ohne Dämpfer)
Br.
Vc.
(Er vernimmt Hun-
più p
CB.
(Bog.)
f

1 u. 2. (E)
Hör.
3 u. 4. (E)
1 u. 2.
Fag.
3.
2 Ten. Tub. (Es)
2 Bs. Tub. (B)
Stierhorn in C. (a. d. Th.)
Pauk. 2. (C)
Viol.
molto cresc.
Br.
Siegm.
ding's Hornruf, und bricht entschlossen auf.)
Der dort mich ruft, rü - ste sich
Thou who dost call arm thy-self
Qui j'en-tends là, vienne à pre-
Vc. u. CB.
molto cresc.

2 Fl.
2 Hb.
Cl. (in B)
4 Hör. (in F)
3 Fag.
Tromp. 2 (in C)
Bs.tromp. (Es)
Viol.
Br.
Siegm.
(Er zieht das Schwert.)
nun, was ihm gebührt, biet' ich ihm:
now, what e'er is due take thou here:
-sent! car son sa-laire est tout prêt:
Vc.u.CB.
più f
cresc.

2 Fl.
2 Hb.
(zu 3)
Cl. (in B)
(zu 3)
4 Hör. (in F)
3 Fag.
Tromp. 2 u. 3 (in C)
(zus.)
Bs. tromp. (Es)
3 Pos.
zu 3.
CB. Pos.
Stierhorn (in C) (a. d. Th.)
(sehr fern)
Viol.
(Die Dämpfer auf)
Br.
(Die Dämpfer auf!)
Siegm.
(Er eilt dem Hintergrunde zu und verschwindet, auf dem Joche
No-thung zahl' ihm den Zoll!
No-thung pay-eth the debt!
No-thung va le pay-er!
Vc. u. CB.

Fl.
Hob.
Cl.
Hör. (F)
Fag.
Tromp. 2 u.3.
Bs.tromp.
Stierhorn (a.d. Th.)
Viol.
(mit Dämpfer)
trem.
Br.
Vc.
CB.
(mit Dämpfer)
angekommen, sogleich in finsterm Gewittergewölk, aus welchem alsbald Wetterleuchten aufblitzt.)

2 Fl.
(zu 2)
f
2 Hob.
(zu 2)
f
2 Cl. (B)
(zu 2)
f
Hör. (F)
mf
cresc.
f
mf
3 Fag.
cresc.
f
Bs. Cl. (B)
f
2 Tromp. (F)
2.
3.
p
Pauk. 1. (tief F)
tr
mf
Viol.
cresc.
f
cresc.
f
Br.
cresc.
f
Vc. u. CB.
cresc.
f

Langsamer.
Fl.
mf
dim.
2 Hob.
mf
dim.
2 Cl.
mf
dim.
1. (allein)
p
Hör.
p
p
4. (allein)
p
Fag. 1. (allein)
mf
dim.
1 u. 2.
p
più p
Bs. Cl. (B)
mf
dim.
p
più p
Pauk. 1. (tief F)
tr
dim.
più p
pp
pizz.
p
Viol.
pizz.
p
Br.
pizz.
p
(immer mit Dämpfer)
(Bog.) pp

2 Fag.
pp
Bs. Cl. (B)
pp
Hr. 4. (F)
Pauk. 1 (F)
tr
ppp
Br.
Siegl. (beginnt, sich träumend unruhiger zu bewegen.)
Kehr-te der Va-ter nun heim! mit dem Kna-ben noch weilt er im
Would now but fa-ther come home! With the boy he still roams in the
Oh! si le pè-re ren-trait! mon frère est au bois a-vec
Fag.
pp
Bs. Cl. (B)
3. Hr. (C) (allein)
p
Hör.
4. (F)
4. (in D)
p
Pauk.
Br
Siegl.
Wald. Mutter! Mutter! mir bangt der Muth; nicht freund und friedlich
woods. Mother! Mother! I quake with fear, with eyes unfriendly
lui... Mè-re! Mè-re! j'ai gran-de peur!... Quel air si-nis-tre
Vc. (ohne Dämpfer)
pp
p
CB. (ohne Dämpfer)
pizz. pp
pizz.

2 Cl.(B)
Fag.
Bs.Cl.
1.(allein) (Es)
Hör.
Br.
(Dämpfer fort!)
Siegl.
schei-nen die Fremden: schwar - ze Dämpfe, schwü-les Ge-dünst! Feu - ri-ge
glow-er the strangers! Mist - y darkness fills all the air fi - er - y
ont tous ces hom-mes! Noi - res fu - mé-es, chau - des va - peurs! rou-ges, des
Vc.
accelerando
Cl.
2 Ten. Tub. (Es)
2 Bs.Tub. (B)
(ohne Dämpfer)
poco a
Lo - he leckt schon nach uns: es brennt das Haus! Zu Hül - fe!
tongues are flam - ing a - round they burn the house o, help us,
flam - mes ram - pent vers nous... tout est en feu! A l'ai - de!
CB.
(Bog.)
cresc.

Lebhaft.
1 u. 2. (zus.)
3 Fl. 3.
1 u. 2. (zus.)
3 Hb. 3.
1.
3 Cl.(B) 2 u. 3. (zus.)
(F)
4 Hör. (F)
3 Tromp. (F)
Bs.tromp. (Es)
2 Ten.Tub. (Es)
2 Bs.Tub. (B)
Pauk. 1. (tief F)
(Bog.)
Viol. (ohne Dämpfer) (Bog.)
molto cresc.
Br.
Siegl.
Bru-der! Sieg-mund! Sieg-mund! (Sie springt auf.)
bro-ther! Sieg-mund! Sieg-mund!
frè-re! Sieg-mund! Sieg-mund!
Vc. u.CB.

kl. Fl.
(zu 2)
3 Fl.
(zu 2)
3 Hob.
3 Cl.
(zu 2)
4 Hör.
3 Tromp. (F)
Bs. tromp. (Es)
Pauk. 1 (tief F)
Pauk. 2 (tief F)
molto cresc.
dim.
Viol.
Br.
Siegl. (Starker Blitz und Donner.)
(Sie starrt in steigender Angst um sich her: fast die ganze Bühne ist in schwar-
Sieg-mund!
Sieg-mund!
Sieg-mund!
Ha!
Ha!
Ha!
Vc.

1 u. 2.
3 Fl.
3.
1 u. 2.
3 Hb.
3.
1 u. 2.
(B)
3 Clar.
(B) 3.
Engl. Hr.
dim.
4 Hör. (F)
dim.
Pauk. 1. (F)
dim.
Pauk. 2. (F)
Stierhorn (a. d. Th.)
(näher)
(C)
dim.
Viol.
dim.
Br.
dim.
ze Gewitterwolken gehüllt. Der Hornruf Hundings ertönt in der Nähe.)
(Hundings Stimme
Hund.
Weh - walt!
Weh - walt!
Weh - walt!
Vc. (allein)
dim.

Tromp. 1. (F)
Bs. tromp. (Es)
3 Pos.
mf
Viol.
Br.
f
p
(Siegmund's Stimme von weiter hinten her aus der Schlucht.)
Wo birgst du dich,
Where hid-est thou
Te ca-ches-tu,
im Hintergrunde vom Bergjoche her.)
Weh-walt! steh mir zum Streit, sol-len dich Hun-de nicht hal-ten!
Weh-walt! Stand there and fight, else with the hounds must I hold thee.
Weh-walt! Viens au com-bat, sans quoi mes chiens te sai-sis-sent!
Vc. (allein)
Hör. (F)
cresc.
Siegm.
dass ich vor-bei dir schoss? Steh, dass ich dich stel - le!
that I can find thee not? Stand, that I may face thee!
que je n'aie pu te voir? Viens, que je t'a - bor - de!
Vc.
Vc. u. CB.

2 Hob.
molto cresc.
Cl.(B) 1.
cresc.
2.
molto cresc.
(F)
Hör.
(F)
cresc.
molto cresc.
2 Fag.
molto cresc.
Stierhorn (a.d.Th. sehr nahe)
(C)
Viol.
molto cresc.
Br.
molto cresc.
Siegl. (in furchtbarer Angst lauschend.)
Hunding! Siegmund! Könnt' ich sie se-hen!
Hunding! Siegmund! Could I but see them!
Hunding! Siegmund! Où les at-tein-dre!
Vc.u.CB.
molto cresc.

2 Hb.
2 Cl.
4 Hör.
2 Fag.
Bs. Tub. 2. (B)
CB. Tub.
Stierhorn (a. d. Th.)
Viol.
Br.
Hund.
Hieher, du fre-velnder Frei - er! Fricka fäl-le dich hier!
Fly not, thou trait-or-ous woo - er! Fricka striketh thee here!
I - ci, subor-neur qui m'outra - ges! Fricka va te frap - per!
Vc. (allein)
Vc. u. CB.
CB.

27002 b
E. E. 6119

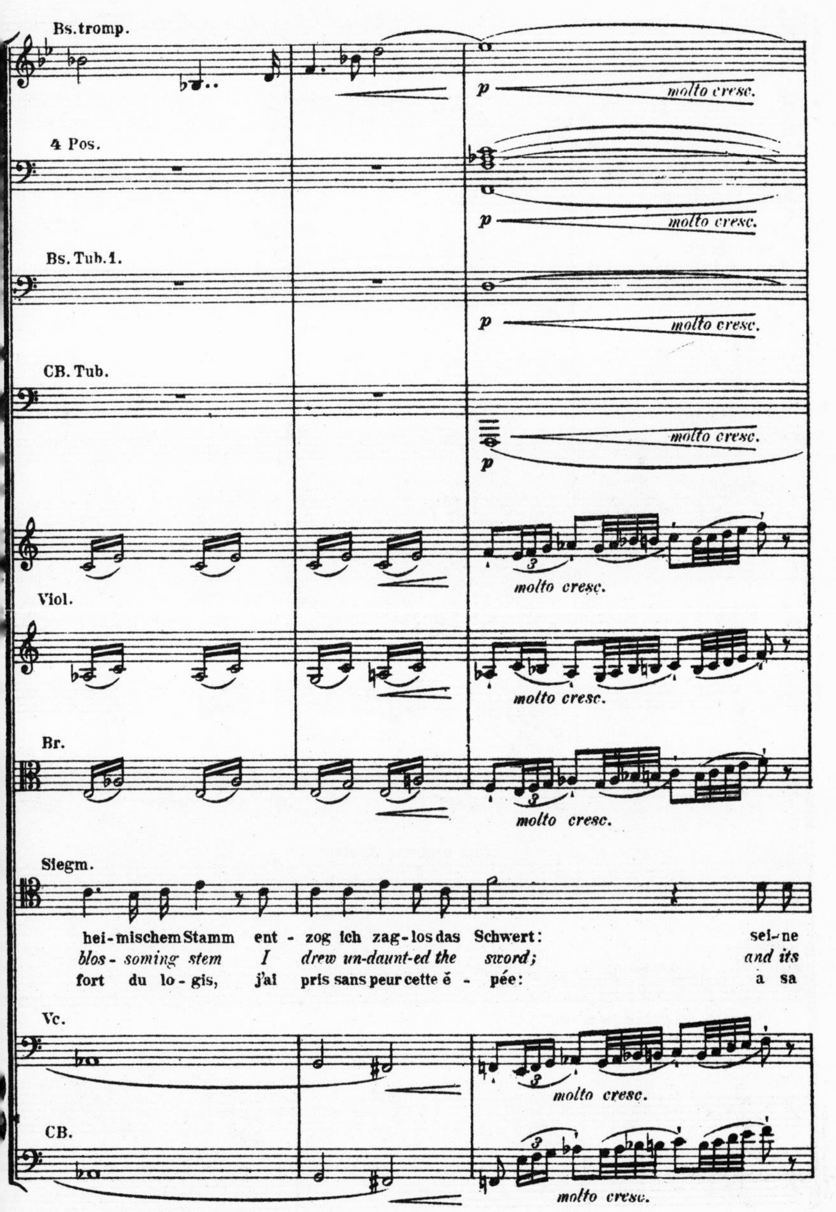
Bs.tromp.
molto cresc.
4 Pos.
molto cresc.
Bs. Tub. 1.
molto cresc.
CB. Tub.
molto cresc.
molto cresc.
Viol.
molto cresc.
Br.
molto cresc.
Siegm.
hei-mischem Stamm ent - zog ich zag-los das Schwert: sei-ne
blos-soming stem I drew un-daunt-ed the sword; and its
fort du lo-gis, j'ai pris sans peur cette é - pée: a sa
Vc.
molto cresc.
CB.
molto cresc.

Swrd
Tromp. 2.
(in C)
Tromp. 3. (in F)
Bs. tromp. (D)
Hör. (in F)
4 Pos.
Bs. Tub. 1. (B)
CB. Tub.
Viol.
Br.
Siegl.
(mit höchster Kraft)
Hal-tet ein, ihr
Hold your hands, ye
Ar-rê - tez, bar-
Siegm.
Schneide schmecke jetzt du!
edge right soon shalt thou taste!
la - me goûte à pré - sent!
Vc.
CB.

Tromp. 2.
ten.
Tromp. 1. (D)
Tromp. 3. (F)
Bs.tromp. (D)
ten.
Hör. 1.u. 3.
2.u. 4.
Bs. Tub. 1.
CB. Tub.
Viol.
Br.
Siegl.
Män - - - ner! Mor - - - det erst
mad - - - men! mur - - - der me
-ba - - - res! Ah tu-ez -
Vc.
CB.

Tromp. 1. (D)
Tromp. 3. (F)
Bs. tromp. (D)
4 Hör. (F)
Ten. Tub. 1. (Es)
Ten. Tub. 2. (Es)
Bs. Tub. 1. (B)
Bs. Tub. 2. (B)
CB. Tub.
Viol.
(immer ff)
(immer ff)
Br.
(immer ff)
Siegl.
(Sie stürzt auf das Bergjoch zu, ein von rechts her über den Kämpfern ausbrechender Schein blendet sie aber plötzlich so, dass sie wie erblindet zur Seite schwankt.)
mich!
first!
moi!
Vc. u. CB.

(In dem Lichtglanze erscheint Brünnhilde, über Siegmund schwebend, und diesen mit dem Schilde deckend. Als Siegmund so eben zu einem tödtlichen Streiche auf Hunding ausholt, bricht von links her ein glühend röthlicher Schein durch das Gewölk aus, in welchem Wotan erscheint, über Hunding stehend und seinen Speer Siegmund quer entgegenhaltend.)

596 597
3 Hob.
3 Cl. (B)
Engl. Hr.
3 Fag.
Bs. Cl. (B)
(E)
4 Hör.
(E)
(F)
(F)
Tromp. 1 u. 2 (F)
(zu 2)
Tromp. 3 (F)
Bs. tromp. (D)
4 Pos.

Bs. Tub. 1 (B)
Bs. Tub. 2 (B)
CB. Tub.
Pauk. 1 (C u. H)
Pauk. 2 (A)
Tamtam.
Viol.
Br.
Wot.
Vc.
CB.
molto cresc.
pizz.
(Bog.)
Zurück vor dem Speer! In Stücken das Schwert!
Go back from the spear! In splinters the sword!
Tout cède à la lance! En pièces l'é - pée!
(Brünnhilde weicht erschrocken vor Wotan mit dem Schilde zurück: Siegmunds Schwert zerspringt an dem vorgehaltenen Speere.)
(Dem Unbewehrten stösst Hunding seinen Speer in die Brust.)

Zurückhaltend.
Fl. (zu 3)
3 Hob.
3 Cl. (B)
Engl. Hr.
(F)
4 Hör.
(E)
3 Fag.
Bs. Cl.
(B)
Tromp. 1 u. 2 (E)
Bs. tromp. (D)
ff
dim.
2s.
riten.
p
(F)
2s (allein)
2r (allein)
più p

4 Pos.

Ten. Tub. 1 u. 2. (Es)

Bs. Tub. 1. (B)

Bs. Tub. 2. (B)

CB. Tub.

Pauk. 1 (H)

Pauk. 2 (A)

ritenuto

Viol.

Br.

(Siegmund stürzt todt zu Boden: Sieglinde, die seinen Todesseufzer gehört, sinkt mit einem Schrei wie leblos zusammen.)

Vc.

CB.

pizz.

(Mit Siegmund's Fall ist zugleich von beiden Seiten der glänzende Schein verschwunden; dichte Finsterniss ruht im Gewölk bis nach vorn: in ihm wird undeutlich Brünnhilde sichtbar, wie sie in jäher Hast sich Sieglinden zuwendet.)

Belebend.

2s (F)

Hör.

4s allein (Es)

Fag. 1 u. 2.

Ten. Tub. 1 (Es)

Ten. Tub. 2 (Es)

Bs. Tub. 1 u. 2 (B)

CB. Tub.

1e

(Bog.)

Viol.

Belebend.

(Bog.)

Br.

Brünnh.

Zu Ross, dass ich dich ret - te!
To horse! that I may save thee!
En selle, que je te sau - ve!

Vc. u. CB.

pizz.

pizz.

accel.
Fl.
1 u 2. (zus.)
(zu 2)
cresc.
1u.2.
p
cresc.
3 Hob.
3e
p cresc.
1e
p cresc.
3 Cl.(B)
2 u.3.
p
cresc.
Engl. Hr.
p
cresc.
1.2. (F)
Hör. p
cresc.
4s (allein) (Es)
2 Fag.
p
cresc.
Bs. tromp. (D)
stringendo
(immer cresc.)
Viol.
(immer cresc.)
Br.
p cresc.
(Sie hebt Sieglinde schnell zu sich auf ihr der Seitenschlucht nahe stehendes Ross; und verschwindet sogleich mit ihr.)
Vc. u. CB.
p (Bog.)
cresc.

3 Fl.
(zu 3)
ff
3 Hob.
ff
3 Cl.
ff
Engl.Hr.
ff
ff
4 Hör.
(F)
ff
3 Fag.
ff
Tromp. 1. (F)
ff
Tromp. 2 (F)
ff
Bs. tromp. (D)
ff
Pauk. (A)
2. tr
f dim.
f
più f
ff
Viol.
Br.
Vc.
CB.

rallent.

1e 3 Pos. CB. Pos. Pauk. (A)

p p p mf dim. pp

più p pp pp

(Alsbald zertheilt sich das Gewölk in der Mitte, so dass man deutlich Hunding gewahrt, der soeben seinen Speer dem gefallnen Siegmund aus der Brust gezogen. Wotan, von Gewölk umgeben, steht dahinter auf einem Felsen an seinen Speer gelehnt, und schmerzlich auf Siegmund's Leiche blickend.)

Vc. f

CB. pizz. p

Langsam.

4 Hör. (zu 4) (in F) pp

Bs.tromp. (D) pp

Pauk. (B) 1. 3 p

Wot. (zu Hunding.)

Geh' hin, Knecht! Knie-e vor Fri-cka! Meld' ihr, dass Wo-tan's
Go hence, slave! Kneel be-fore Fri-cka: tell her that Wo-tan's
Va-let, va! Va trou-ver Fri-cka: dis que l'é-pieu di-

Vc. pp

4 Hör. (F) pp

Bs.tromp. (D) pp

Pauk. (A) 2 pp

Wot.

Speer ge-rächt, was Spott ihr schuf. Geh!
spear a-venged what wrought her wrong. Go!
vin ven-gea tous ses af-fronts. Va!

Vc. pp

CB. pp

4 Pos.
f
dim.
p
Pauk. 1. (Du.A.)
dim.
più p
Wot.
Geh!
Go!
Va!
(Vor seinem verächtlichen Handwink sinkt Hunding todt zu Boden.)
Vc.
pizz.
CB.
Sehr heftig.
Hör. (F)
ff
Fag.
Bs. Cl. (B)
4 Pos.
cresc.
Pauk. 1. (Du.A.)
Schnell.
Br.
(plötzlich in furchtbarer Wuth auffahrend.)
Wot.
Doch Brünn - - -
But Brünn - - -
Mais Brünn - - -
Vc.
(Bog.)
sf
molto cresc.
CB.
(Bog.)

Hob.
(immer f)
Cl.(B)
Hör.
(F)
Fag.
Bs.Cl.(B)
4 Pos
Pauk. 2 (G)
cresc.
Viol.
più f
Br.
Wot.
- - hil - - - - de! Weh der Ver -
- - hil - - - - de! Woe to the
- - hil - - - - de! Sus à la re-
Vc.
CB.

Hob.
Cl.
Hör.
Fag.
Bs. Cl.
Viol.
Br.
Wot.
bre - che-rin! Furcht - - - bar sei die
guilt - y one! Dire wage shall she
-bel - - le! Ter - ri - - - ble châ - ti -
Vc.
CB.

Hob.
Cl. (B)
Hör. (F)
Fag.
Bs. Cl. (B)
Viol.
Br.
Wot.
Fre - che ge-straft, er - reicht mein Ross ih - re
win for her crime, if my steed o'er - take her in
-ment la pour-suit, et va l'at - teindre en sa
Vc.
CB.

1e
f
più f
2 Fl.
2e
più f
Hob.
più f
più f
Cl.
più f
più f
Hör.
più f
più f
Fag.
più f
più f
Bs. Cl.
più f
Tromp. 2 (F)
f
più f
Bs. tromp. (D)
f
più f
Viol.
più f
più f
Br.
più f
Wot.
(Er verschwindet mit Blitz und Donner.– (Der Vorhang fällt schnell.)
Flucht!
flight!
fuite!
Vc.
più f
CB.
più f

3 Fl.
Hob.
Cl.(B)
Engl. Hr.
(F)
Hör.
(F)
(zu 2)
Fag.
Bs.Cl.(B)
Tromp. 2 (F)
ff

1 u. 3.
4 Pos.
2 u. 4.
ff
2 Ten. Tub. (Es)
f
2 Bs. Tub. (B)
f
CB. Tub.
f
Pauk. (D u. A)
f
Viol.
ff
(immer ff)
Br.
ff
(immer ff)
Vc.
ff
CB.
ff

Fl.
Hob.
Cl. (B)
Engl. Hr.
Hör. (F)
(zu 2.)
3 Fag.
Bs. Cl. (B)
ff
6
3

3 Tromp. (F)
Bs. tromp. (D)
1 u. 3.
4 Pos.
2 u. 4.
2 Ten. Tub. (Es)
2 Bs. Tuba (B)
CB. Tub.
Viol.
Br.
Vc.
CB.

ff più f f

Fl.
Hob.
Cl. (B)
Engl. Hr.
Hör. (F)
1 u. 2.
Fag. 3
Bs. Cl. (B)

3 Tromp. (F)
Bs. tromp. (D)
1 u. 2.
4 Pos.
3 u. 4.
Ten. Tub. 1 u. 2 (Es)
Bs. Tub. 1 u. 2 (B).
CB. Tub.
Pauk. 1. (D u. A).
Viol.
Br.
Vc.
CB.
più f
molto cresc.

Fl.
Hob.
Cl. (B)
Engl. Hr.
Hör. (F)
1 u. 2.
Fag.
3.
Bs. Cl. (B)
(zu 2)
(zu 2)
(zu 2)
ff
f
più f

4 Pos. 3 u. 4.
Ten. Tub. 1 u. 2 (Es)
Bs. Tub. 1 u. 2 (B)
CB. Tub.
Pauk. 1 (D u. A)
Pauk. 2 (G)
Viol.
Br.
Vc.
CB.
molto cresc.
più f
Ende des 2ten Aufzuges

Dritter Aufzug.

Erste Scene.

(Die Walküren.)

Side 8

Lebhaft.

2 kleine Flöten.

2 grosse Flöten.

3 Hoboen.

3 Clarinetten in A.

Engl. Horn.

Bass Clarinette in A.

Violinen.

Bratschen.

Violoncelle.

Contrabässe.

1. 2. 1. 2. 1. 2. 3. 1. 2. 3.

ff ff ff ff ff ff ff ff ff ff ff ff ff ff

f f f f f f f f

Lebhaft.

kl. Fl.
gr. Fl.
Hob. 1.
Hob. 2.
Hob. 3.
Cl. 1.
(A)
Cl. 2.
(A)
Cl. 3.
Engl. Hr.
(A)
Bs. Cl.
Hör. 1 u. 3. in E.
zu 2.
Hör. 2 u. 4. in E.
zu 2.
3 Fag.
zu 3.
Viol.
Br.
Vc.

kl. Fl.
ff
gr. Fl.
Hob. 1.
Hob. 2.
Hob. 3.
f
Cl. 1.
Cl. 2.
Cl. 3.
Engl. Hr.
Bs. Cl.
Hör. 1 u. 3.
cresc.
più cresc.
Hör. 2 u. 4.
3 Fag.
Viol.
Br.
Vc.

kl. Fl.
gr. Fl.
Hob. 1.
Hob. 2.
Hob. 3.
Cl. 1. (A)
Cl. 2. (A)
Cl. 3. (A)
Engl. Hr.
Bs. Cl. (A)
3 Fag.
zu 3.
Hör. 1 u. 3. (E)
Hör. 2 u. 4. (E)
Viol.
Br.
Vc.
f
più f

kl. Fl.
gr. Fl.
Hob. 1.
Hob. 2.
Hob. 3.
Cl. 1.
Cl. 2.
Cl. 3.
Engl. Hr.
Bs. Cl.
3 Fag.
Hör. 1 u. 3.
Hör. 2 u. 4.
Hör. 6 u. 8. (in E.)
zu 2.
Bs. Tromp. (in D.)
Viol.
Br.
Vc.

kl.Fl.
gr.Fl.
Hob.1.
Hob.2.
Hob.3.
Cl.1. (A)
Cl.2.(A)
Cl.3.(A)
Engl.Hr.
Bs.Cl. (A)
3 Fag.
zu 3
Hör.1 u.3. (E)
Hör. 2 u 4. (E)
Hör. 6 u.8. (E)
zu 2
Bs.Tromp.(D)
Viol.
immer f
immer f
Br
immer f
Vc.

kl. Fl.
gr. Fl.
Hob. 1.
Hob. 2.
Hob. 3.
Cl. 1.
Cl. 2.
Cl. 3.
Engl. Hr.
Bs. Cl.
3 Fag.
Hör. 1 u. 3.
Hör. 2 u. 4.
Hör. 6 u. 8.
Bs. Tromp.
dim.
(geth.)
Viol.
Br.
(geth.)
Vc.

kl. Fl.
f
gr. Fl.
f
f
Hob. 1.
f
Hob. 2.
f
Hob. 3.
f
Cl. 1. (A)
f
Cl. 2. (A)
f
Cl. 3. (A)
f
Engl. Hr.
f
Bs. Cl. (A)
f
3 Fag.
zu 3
Hör. 1 u. 3. (E)
Hör. 2 u. 4. (E)
Hör. 5 u. 7. (E)
zu 2.
f
Hör. 6 u. 8. (E)
dim.
p
Tromp. 2 u. 3. (in E)
(zu 2)
Bs. Tromp. (D)
f
5
Viol.
5
Br.
5
Vc.

kl. Fl.
gr. Fl.
Hob. 1.
Hob. 2.
Hob. 3.
Cl. 1.
Cl. 2.
Cl. 3.
Engl. Hr.
Bs. Cl.
3 Fag.
zu 3.
Hör. 1 u. 3.
Hör. 2 u. 4.
Hör. 5 u. 7.
Tromp. 2 u. 3.
Viol.
Br.
Vc.
più f

kl. Fl.
gr. Fl.
Hob. 1.
Hob. 2.
Hob. 3.
Cl. 1. (A)
Cl. 2. (A)
Cl. 3. (A)
Engl. Hr.
Bs. Cl. (A)
3 Fag.
zu 3
Hör. 1 u. 3. (E)
Hör. 2 u. 4. (E)
Hör. 5 u. 7. (E)
più f
Tromp. 2 u. 3. (zu 2)
(E)
Viol.
Br.
Vc.

kl.Fl.
gr.Fl.
Hob.1.
Hob.2.
Hob.3.
Cl.1.
Cl.2.
Cl.3.
Engl.Hr.
Bs.Cl.
3 Fag.
Hör.1 u.3.
Hör.2 u.4.
Hör.5 u.7.
dim.
Tromp.2 u.3. (zu 2)
dim.
Viol
Br
Vc

kl. Fl.
gr. Fl.
Hob. 1.
Hob. 2.
Hob. 3.
Cl. 1. (A)
Cl. 2. (A)
Cl. 3. (A)
Engl. Hr.
Bs. Cl. (A)
3 Fag.
Hör. 1 u. 3. (E)
Hör. 2 u. 4. (E)
Hör. 5 u. 7. (E)
Hör. 6 u. 8. (E)
Tromp. 2. (E)
Bs. Tromp. (D)
Viol.
Br.
Vc.
zu 2
zu 2
immer f
immer f
immer f

kl. Fl.
gr. Fl.
Hob. 1.
Hob. 2.
Hob. 3.
Cl. 1.
Cl. 2.
Cl. 3.
Engl. Hr.
Bs. Cl.
3 Fag.
Hör. 1 u. 3.
Hör. 2 u. 4.
Hör. 5 u. 7.
Hör. 6 u. 8.
Tromp 2.
2 u. 3.
Bs. Tromp.
Viol.
Br.
Vc.

kl.Fl.
gr.Fl.
Hob.1.
Hob.2.
Hob.3.
Cl.1.(A)
Cl.2.(A)
Cl.3.(A)
Engl.Hr.
Bs.Cl.(A)
3 Fag.

Hör. 2 u.4. (E)
Hör. 5 u.7. (E)
ff
Hör. 6 u.8. (E)
ff
Tromp. 2. (E)
Tromp. 3. (E)
ff
Bs. Tromp. (D)
ff
Viol.
Br.
Vc.

kl. Fl.
gr. Fl.
Hob. 1.
Hob. 2.
Hob. 3.
Cl. 1. (A)
Cl. 2. (A)
Cl. 3. (A)
Engl. Hr.
Bs. Cl. (A)
3 Fag.

Hör. 2 u. 4. (E)
Hör. 5 u. 7. (E)
Hör. 6 u. 8. (E)
1 u. 2.
3 Tromp. (E)
3.
Bs. Tromp. (D)
Viol.
Br.
Vc.
(Der Vorhang geht auf.)

kl. Fl.
gr.Fl.
Hob.1.
Hob.2.
Hob.3.
Cl.1.(A)
Cl.2.(A)
Cl.3.(A)
Engl. Hr.
Bs.Cl.(A)
3 Fag.

Hör. 2 u. 4. (E)
Hör. 5 u. 7. (E)
Hör. 6 u. 8. (E)
3 Tromp. (E)
Bs. Tromp. (D)
zu 2.
f
4 Pos.
zu 2.
f
Viol.
Br.
(Auf dem Gipfel eines Felsberges. Rechts begrenzt ein Tannenwald die Scene. Links der Eingang einer Felsenhöhle: darüber steigt der
Fels zu seiner höchsten Spitze auf. Nach hinten ist die Aussicht gänzlich frei; höhere und niedere Felssteine bilden den Rand vor
Vc.

kl. Fl.
gr. Fl.
Hob. 1.
Hob. 2.
Hob. 3.
Cl. 1. (A)
Cl. 2. (A)
Cl. 3. (A)
Engl. Hr.
Bs. Cl. (A)
3 Fag.
zu 3.
f

Hör. 2 u. 4. (E)

3 Tromp. (E)

zu 3.

f

Bs. Tromp. (D)

f

zu 2.

4 Pos.

zu 2.

più f

più f

Viol.

Br.

dem Abhange. — Einzelne Wolkenzüge jagen, wie vom Sturm getrieben, am Felsensaume vorbei. — Gerhilde, Ortlinde, Waltraute und Schwertleite haben sich auf der Felsenspitze, über der Höhle gelagert: sie sind in voller Waffenrüstung.)

Vc.

640 641
kl. Fl.
gr. Fl.
Hob. 1.
Hob. 2.
Hob. 3.
Cl. 1. (A)
Cl. 2. (A)
Cl. 3. (A)
Engl. Hr.
Bs. Cl. (A)
3 Fag.
zu 3.
f
ff

Hör. 2 u. 4. (E)
Hör. 5 u. 6. (E)
Hör. 7 u. 8. (E)
3 Tromp. (E)
Bs. Tromp. (D)
zu 2
4 Pos.
zu 2
Viol.
Br.
Gerhilde (zu höchst gelagert, dem Hintergrunde zurufend, von wo ein starkes Gewölk herzieht.)
Vc.
CB.

kl.Fl. 1.
gr.Fl. 1.
Hob.1.
Hob.2.
Hob.3.
(A) Cl.1.
(A) Cl.2.
(A) Cl.3.
Engl. Hr.
Bs.Cl. (A)
Fag.1.
Fag.2.
Fag.3.
fp
f
p

Hör. 2 u. 4. (E)
Hör. 5 u. 6. (E)
Hör. 7 u. 8. (E)
Tromp. 2 u. 3. (E)
Bs. Tromp. (D)
Pauk. (1. Paar in E)
Viol.
Br.
Gerh.
Hojo - to - ho! Hojo - to - ho! Hei - a - ha! Hei - a - ha! Helm - wi - ge!
Vc.
Hoïo - to - ho! Hoïo - to - ho!
CB.
cresc.
tr

gr. Fl. 1.
Hob. 1.
Hob. 2.
Hob. 3.
Cl. 1. (A)
Cl. 2. (A)
Cl. 3. (A)
Engl. Hr.
Bs. Cl. (A)
Fag. 1.
Fag. 2.
Fag. 3.

Hör. 2 u. 4. (E)

Hör. 5 u. 6. (E)

Hör. 7 u. 8. (E)

Tromp. 2 u. 3. (E)

Bs. Tromp. (D)

Pauk.

(2. Paar Fis.)

Viol.

Br.

Gerh.

Hier! — Hie - her — mit dem Ross!
Here! — Guide hith- - - - er thy horse!
Viens! — i - ci — ton che - val!

Helmw.

Helmwige's Stimme (im Hintergrunde) (durch ein Sprachrohr.)

Hojo - to - ho! — Hojo - to - ho! —
Hoïo - to - ho! — Hoïo - to - ho! —

Vc.

CB.

cresc. p f mf fp

kl. Fl. 1.
gr. Fl.
Hob. 1.
Hob. 2.
Hob. 3.
Cl. 1. (A)
Cl. 2. (A)
Cl. 3. (A)
Engl. Hr.
Bs. Cl. (A)
3 Fag.
tr
p
cresc.
ff

27002 c

E. E. 6119

648 649

kl. Fl.
gr. Fl.
Hob. 1.
Hob. 2.
Hob. 3.
Cl. 1. (A)
Cl. 2. (A)
Cl. 3. (A)
Engl. Hr.
Bs. Cl. (A)
3. Fag.
zu 2
ff
8

Hör. 5 u. 7. (E)
zu 2.
Hör. 6 u. 8. (E)
zu 2.
Tromp. 3. (E)
3 allein
Bs. Tromp. (D)
zu 2
4 Pos.
zu 2
2. Pauk. (H)
Viol.
geth.
Br.
Helmw.
(In dem Gewölk bricht Blitzesglanz aus: eine Walküre zu Ross wird in ihm sichtbar, über ihrem Sattel hängt ein erschlagener Krieger.)
ha!
Vc. u. CB.
Vc. allein

2 kl. Fl.
ff
8
2 gr. Fl.
Hob. 1.
Hob. 2.
Hob. 3.
Clar. 1. (A)
Clar. 2. (A)
Clar. 3. (A)
Engl. Hr.
Bs. Clar. (A)
3 Fag.
(zu 3)

Hr. 2.4.6 u.8.(E) (zu 4)
Tromp.1.(E)
Tromp. 2.(E)
Tromp. 3.(E)
Bs. tromp.(D)
4 Pos.
(immer ff)
Viol.
(immer ff)
Br.
(Die Erscheinung zieht, immer näher, am Felsensaume von links nach rechts vorbei.)
Vc.
(immer ff)

2 kl. Fl.
8
2 gr. Fl.
Hob. 1.
Hob. 2.
Hob. 3.
Clar. 1. (A)
Clar. 2. (A)
Clar. 3. (A)
Engl. Hr.
Bs. Clar. (A)
3 Fag.

Hr. 2.4.6 u.8. (E)
Tromp. 1. (E)
Tromp. 2. (E)
Tromp. 3. (E)
Bs. tromp. (D)
4 Pos.
3 u. 4.
Viol.
Br.
Vc.

2 kl. Fl.
(immer ff)
2 gr. Fl.
8
Hob. 1.
Hob. 2.
Hob. 3.
Clar. 1. (A)
Clar. 2. (A)
Clar. 3. (A)
Engl. Hr.
Bs. Clar. (A)
3

27002 c
E. E. 6119

2 kl. Fl.
8
2 gr. Fl.
Hob. 1.
Hob. 2.
Hob. 3.
Clar. 1. (A)
Clar. 2. (A)
Clar. 3. (A)
Engl. Hr.
Bs. Clar. (A)

27002 c
E. E. 6119

2 kl. Fl.
2 gr. Fl.
Hob. 1.
Hob. 2.
Hob. 3.
Clar. 1. (A)
Clar. 2. (A)
Clar. 3. (A)
Engl. Hr.
Bs. Clar. (A)
3 Fag.
(zu 3)
1. (allein)
4 erste.
8 Hör. (E)
4 zweite.
(zu 4)
tr
ff

Bs.tromp.(D)
4 Pos.
2. Pauk.
(H)
tr
dim.
p
Becken. (natürlich)
Viol.
Br.
Gerhilde.
Hei-a-ha!
Hei-a - ha!
(Die Wolke mit der Erscheinung ist rechts hinter dem Tann verschwunden.)
Waltraute.
Hei-a-ha!
Hei-a - ha!
Schwertl.
Hei-a-ha!
Hei-a - ha!
Vc.
CB.

Clar. 1.(A)
f dim.
Clar. 2.(A)
f dim.
Clar. 3.(A)
f dim.
Engl. Hr.
f dim.
Bs.Clar. (A)
f dim.
3 Fag.
f dim.
Viol.
Br.
Ortlinde. (In den Tann hinein rufend.)
Zu Ort-lin-de's Stu - te stell' dei-nen Hengst: mit mei-ner
By Ort-lin-de's fil - ly fas-ten thy horse: glad-ly my
De-vers ma ju-ment con - duis ton che-val: près de ton
Vc.
C.B.
pizz.

1.(E)
Hör.
3.(E)
Tromp. 1. (E)
Bs. tromp. (D)
(immer p)
Viol.
(immer p)
Br.
Ortl.
Grau - en gras't gern dein Brau-ner!
grey will graze near thy chest - nut!
Brun ma Grise aime à paî - tre!
Waltraute.
(hinein rufend)
Wer hängt dir im Sat-tel?
Who hangs at thy saddle?
Qui pend à ta sel-le?
Helmwige.
(aus dem Tann auftretend)
Sin-tolt, der He-ge-ling!
Sintolt, the He-ge-ling!
Sin-told, le He-ge-ling!
Vc.
CB.

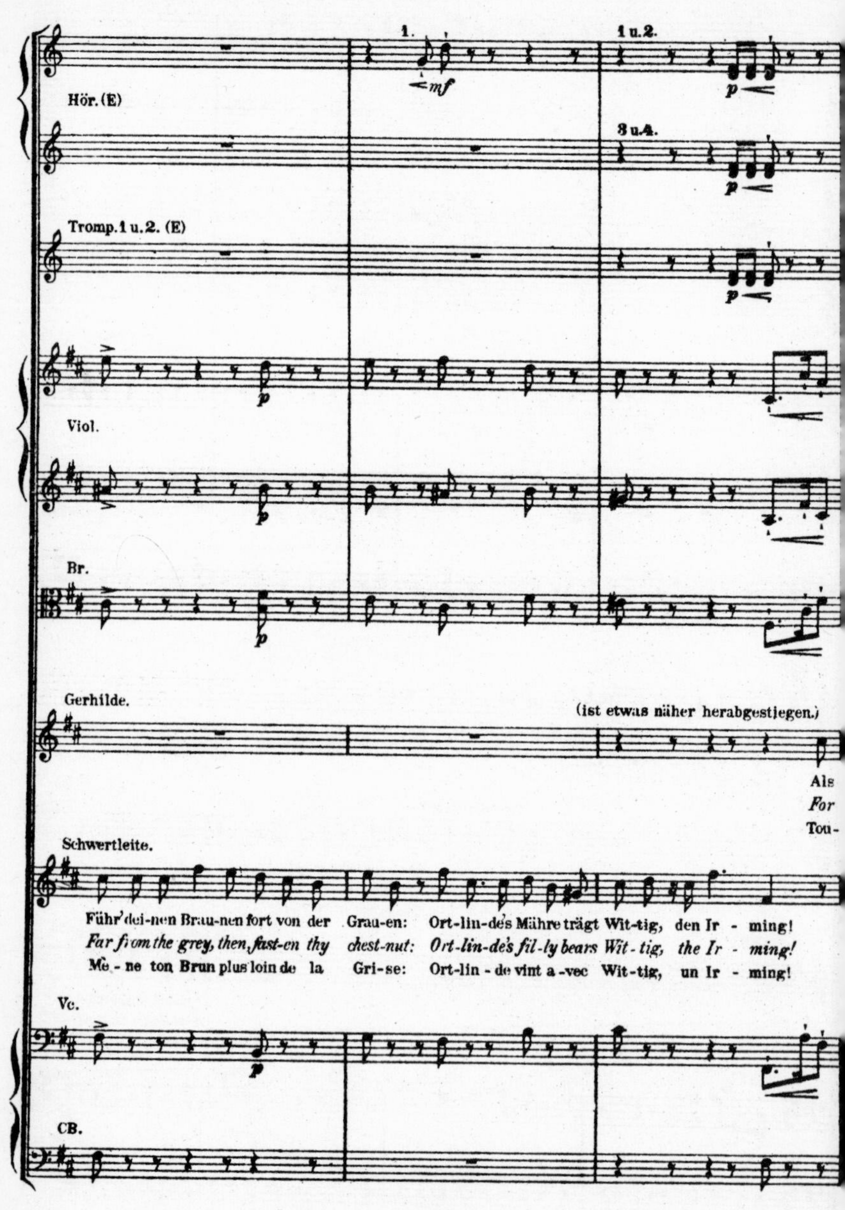
1.
1 u. 2.
Hör. (E)
3 u. 4.
Tromp. 1 u. 2. (E)
Viol.
Br.
Gerhilde.
(ist etwas näher herabgestiegen.)
Als
For
Tou-
Schwertleite.
Führ' dei-nen Brau-nen fort von der Grau-en: Ort-lin-de's Mähre trägt Wit-tig, den Ir - ming!
Far from the grey, then, fast-en thy chest-nut: Ort-lin-de's fil-ly bears Wit-tig, the Ir - ming!
Mè - ne ton Brun plus loin de la Gri-se: Ort-lin - de vint a-vec Wit-tig, un Ir - ming!
Vc.
CB.

Hob.
Engl. Hr.
Hr. 1 u. 2.
cresc.
Hr. 3 u. 4.
cresc.
Hr. 5. 6. 7 u. 8.
(zu 4)
3 Fag.
(zu 3)
Pauk. 1. Paar. (Du.H.)
cresc.
Viol.
cresc
Br.
cresc.
Ortlinde.
(springt auf)
Hei-a-ha! Hei-a-
Hei-a-ha! Hei-a-
Hei-a-ha! Hei-a-
Gerhilde.
Fein-de nur sah'ich Sintolt und Wit-tig!
foes have been e-ver Sintolt and Wit-tig!
-jours en-nemis furent Sintold et Wit-tig!
Vc.
cresc.
CB.
(Bog.)

Hob.
Engl. Hr
Hr. 1 u. 2. (E)
Hr. 3 u. 4. (E)
Hr. 5. 6. 7 u. 8. (E)
3 Fag.
1. u. 2. (allein)
cresc.
Pauk. 1. Paar. (D u. H)
cresc.
Viol.
Br.
Ortl.
(Sie läuft in den Tann)
ha! Die Stu - te stösst mir der Hengst!
ha! The horse at - tack - eth my mare!
ha! L'étalon qui mord la ju - ment!
Gerh.
(lachend)
Ha ha ha ha ha ha ha ha ha ha
Helmwige.
(lachend)
Ha ha ha ha ha ha ha ha ha ha
Schwertleite.
(lachend)
Ha ha ha ha ha ha ha ha ha ha
Vc.
CB.

3 Hob.
Engl. Hr.
Hr. 1 u. 2.
cresc.
Hr. 3 u. 4.
cresc.
Hr. (zu 4.)
3 Fag. (zu 3.)
1 u. 2. (allein)
cresc.
Pauk. 1.
p cresc.
2. Paar. (Cis)
cresc.
cresc.
Viol.
cresc.
Br.
cresc.
Waltraute (auf der Höhe, wo sie für Gerhilde die Wacht übernommen)
Gerh.
ha! Der Re-cken Zwist ent-zweit noch die Ros - se!
ha! The he-roes' strife makes foes of the hors-es!
ha! Des chefs la haine ex-ci - te les bê - tes!
Helm.
(in den Tann zurückrufend)
ha! Ru-hig, Brau - ner!
ha! Qui-et, Brown - ie!
ha! Assez! Brun!
Schwert.
ha!
Vc.
CB.

Hob. 1.
Hob. 2.
Hob. 3.
Cl. 1. (A)
Cl. 3. (A)
1 u. 2.
4 Hör. (E)
3 u. 4.
3 Fag.
(zu 3)
2. Pauk. (Cis.)
Viol.
Br.
Waltr.
Hojo-ho!
Hoïoho!
Hojoho!
Hoïoho!
Helm.
brich nicht den Frie - den.
break not the peace, now.
gar- -de la trè - - ve!
Vc.
CB.

2 kl. Fl.
2 gr. Fl.
Hob. 1.
Hob. 2.
Hob. 3.
Clar. 1.
Clar. 2.
Clar. 3.
Engl. Hr.
Bs. Clar.
3 Fag.
(zu 3)
Hr. 1 u. 3.
(zu 2)
Hr. 2 u. 4.
(zu 2)
Hr. 6 u. 8.
(zu 2)
Bs. tromp. (D)
(geth.)
Viol.
Br.
(geth.)
Waltr. (nach rechts in den Hintergrund rufend)
(Sie lauscht nach rechts.)
Sie-gru-ne, hier! Wo säumst du so lang?
Sie-gru-ne here! Where stay'st thou so long?
Sie-gru-ne, viens! Que tar-des-tu donc?
Vc.

cresc. p

2 kl. Fl.

cresc. f dim.

cresc. p

2 gr. Fl.

cresc. f dim.

Hob. 1.

cresc. f dim.

Hob. 2.

cresc. f dim.

Hob. 3.

cresc. f dim.

Clar. 1. (A)

cresc. f dim.

Clar. 2. (A)

cresc. f dim.

Clar. 3. (A)

cresc. f dim.

Engl. Hr.

3 Fag.
Hr. 1 u. 3. (E)
Hr. 2 u. 4. (E)
Hr. 5 u. 7. (E)
Hr. 6 u. 8. (E)
Bs. tromp. (D)
Viol.
Br.
Vc.
cresc.
dim.

2 kl. Fl.
2 gr. Fl.
Hob. 1.
Hob. 2.
Hob. 3.
Clar. 1. (A)
Clar. 2. (A)
Clar. 3. (A)
Engl. Hr.
Bs. Clar. (A)
p
cresc.

Hr. 1 u. 3. (E)
(zu 2)
Hr. 2 u. 4. (E)
Hr. 5 u. 7. (E)
(zu 2)
Hr. 6 u. 8. (E)
Tromp. 3. (allein) (E)
Bs. tromp. (D)
Viol.
Br.
Siegrune's Stimme (durch ein Sprachrohr) von der rechten Seite des Hintergrundes her.
Ar - beit gab's!
Work to do!
Long tra - vail!
Vc.
cresc.

2 kl. Fl
2 gr. Fl.
Hob. 1.
Hob. 2.
Hob. 3.
Clar. 1. (A)
Clar. 2. (A)
Clar. 3. (A)
Engl. Hr.
Bs. Clar. (A)
f
dim.
p

Hr. 1 u. 3. (E)
Hr. 2 u. 4. (E)
Hr. 5 u. 7. (E)
Hr. 6 u. 8. (E)
Tromp. 3. (E)
Bs. tromp. (D)
Viol.
Br.
Siegr.
Vc.
dim.
Sind die And'- ren schon da?
Are the o - thers all here?
Où les au - tres sont elles?

2 kl.Fl.
2 gr.Fl.
Hob.1.
Hob.2.
Hob.3.
Clar.1.(A)
Clar.2.(A)
Clar.3.(A)
Engl. Hr.
Bs.Clar.(A)
3 Fag.
(zu 3)

27002 c
E. E. 6119

2 kl. Fl.
2 gr. Fl.
Hob. 1.
Hob. 2.
Hob. 3.
Clar. 1. (A)
Clar. 2. (A)
Clar. 3. (A)
Engl. Hr.
Bs. Clar. (A)
3 Fag.
Hr. 1 u. 3. (E)
dim.
p

27002 c
E. E. 6119

2 kl.Fl.
cresc.
molto cresc.
2 gr.Fl.
cresc.
Hob.1.
cresc.
Hob.2.
p
cresc.
Hob.3.
p
cresc.
Clar.1.(A)
cresc.
Clar.2.(A)
p
cresc.
Clar.3.(A)
p
cresc.
Engl.Hr.
cresc.
Bs.Clar.(A)
cresc.
3 Fag.

27002 c
E. E. 6119

2 kl. Fl.
2 gr. Fl.
Hob. 1.
Hob. 2.
Hob. 3.
Clar. 1. (A)
Clar. 2 (A)
Clar. 3. (A)
Engl. Hr.
Bs. Clar. (A)
3 Fag.
Hr. 1 u. 3. (E)
Hr. 2 u. 4. (E)
Hr. 5 u. 7. (E)
molto cresc.
più f
più cresc.
ff
f
(zu 3)

4 Pos.
CB. Tuba.
Triangel.
6 Harfen.
(zu 6)
Becken.
Rührtrommel.
Viol.
Br.
Gerhilde.(ebenso)
Sie rei - ten zu zwei.
To - geth - er they ride.
A deux che-vau - chant!
(In einem blitz-erglänzenden Wolkenzuge, der von
Waltr.
Ross - - weis - se!
Ross - - weis - se
Ross - - wei - sse!
Vc.
CB.

2 kl. Fl.
2 gr. Fl.
8
Hob. 1 u. 2.
Hob. 3.
Clar. 1 u. 2. (A)
Clar. 3. (A)
Engl. Hr.
Bs. Clar. (A)
3 Fag.
Hr. 1. 3. 5 u. 7. (E)
Hr. 2. 4. 6 u. 8. (E)
Tromp. 1 u. 2. (E)
(2 allein)
Tromp. 3. (E)
ff

4 Pos.
C B. Tub.
Triangl.
6 Harfen.
Becken.
Viol.
Br.
links her vorbeizieht, erscheinen Rossweisse und Grimgerde, ebenfalls auf Rossen, jede einen Erschlagenen im Sattel führend.)
Vc.
CB.

2 kl. Fl.
(immer ff)
2 gr. Fl.
8
Hob. 1 u. 2.
Hob. 3.
Clar. 1 u. 2. (A)
1.
Clar. 3. (A)
2.
Engl. Hr.
3.
Bs Clar. (A)
3 Fag.
Hr. 1. 3. 5 u. 7. (E)
Hr. 2. 4. 6 u. 8. (E)
Tromp. 1 u. 2. (E)
2 allein
(1 u. 2 zus.)
ff
Tromp. 3. (E)

4 Pos.

CB. Tuba.

Triangel.

8

8

6 Harfen.

Becken.

Viol.

Br.

Vc.

CB.

2 kl. Fl.
2 gr. Fl. 8
3 Hob. (zu 3)
Clar. 1. (A)
Clar. 2 u. 3. (zu 2) (A)
Engl. Hr.
Bs Clar. (A)
3 Fag.
(d. 4 ersten)
8 Hör. (E)
(d. 4 zweiten)
3 Tromp. (zu 3) (E)
Bstromp. (D)
(zu 2)
4 Pos.
(immer ff)

27002 c
E. E. 6119

2 kl. Fl.
2 gr. Fl.
8
3 Hob.
Clar. 1. (A)
Clar. 2 u. 3. (A)
Engl. Hr.
Bs Clar. (A)
3 Fag.
(zu 3)
(d. 4 ersten)
8 Hör. (E)
(d. 4 zweiten)
3 Tromp. (E)
(zu 3)
ff
Bs tromp. (D)
ff
(zu 2)
ff
4 Pos.

Triangel.
6 Harfen.
Becken.
Viol.
Br.
Helmw.
Ross - - weiss' und Grim - - ger - de!
Ortl.
Ross - - weiss' and Grim - - ger - de!
Siegr.
Ross - - weiss et Grim - - ger - de!
(Rossweisse's und Grimgerde's Stimmen (durch ein Sprachrohr)
Ho - jo - to - ho!
Ho - jo - to - ho!
Vc.
CB.
ff
ff

2 kl.Fl.
2 gr.Fl. 8
3 Hob.
Clar.1.(A)
Clar.2 u.3.(A)
Engl.Hr.
BsClar.(A)
3 Fag.
(d.4 ersten)
8 Hör. (E)
(d.4 zweiten)
3 Tromp.(E)
Bstromp.(D)
4 Pos.

Triangel.
6 Harfen.
Pauk. (1 P. H.)
Becken u. Rührtrommel.
molto cresc.
Viol.
Br.
(Die Erscheinung verschwindet hinter dem Tann.)
Rossw. u. Grimg.
Ho - jo - to - ho!
Ho - jo - to - ho!
Hei - a - ha!
Vc.
CB.

2 kl.Fl.
gr.Fl.3.
Hob.1.
Hob.2u.3.
Clar.1. (A)
Cl.2u.3.(A)
Engl.Hr.
Bs.Clar.(A)
Fg.1u.2.
Fg.3.
8 Hör. (E)
3 Tr. (E)
Bs tr. (D)
zu 2
più f

27002 c
E. E. 6119

2 gr. Fl.
zu 2
Hob. 1.
Hob. 2 u. 3.
Cl. 1 (A)
Cl. 2 u. 3. (A)
Eg. Hr.
Bs. Clar. (A)
1. 2. 5 u. 6.
Hr. 3. 4. 7 u. 8. (E)
Fag. 1 u. 2.
Fag. 3.
Tromp. 1. (E)
Tromp. 2 u. 3. (E)
Bs. tromp. (D)
più f

4 Pos.
CB.Tuba.
Pauk. 2.P. Fis u.C
Becken u.Rührtr.
Viol.
Br.
Helmw. u.Ortl.
Ho-jo - to-ho!
Ho-jo - to-ho!
Hei-a - ha!
Hei - a - ha!
Gerh.
Waltr.
Siegr.
Schwtl.
Vc.
CB.

2 kl.Fl.
1.
1.u.2.
più f
2 gr.Fl.
Hob.1.
Hob.2 u.3.
Cl.1. (A)
Cl.2 (A) u.3.
Engl.Hr.
Bs.Cl. (A)
1u.2. 5u.6.
8 Hr. (E)
3u.4. 7u.8.
Fag.1u.2.
Fag.3.
Tr. 2 u.3. (E)
Bs.tr. (D)

4 Pos.
Pauk. 1.P.(E u.H.)
Pauk. 2.P.(Fis u.C.)
Rührtr.
Viol.
Br.
Helmw. u. Ortl. (zusammen)
Ho-jo-to-ho!
Gerh. Ho-io-to-ho!
Waltr.
Hei-a-ha!
Siegr. u. Schwertl.
Hei-a-ha!
Ho-jo-to-ho!
Ho-io-to-ho!
Hei-a-ha!
Hei-a-ha!
Ho-jo-to-ho!
Ho-io-to-ho!
Hei-a-ha!
Hei-a-ha!
Ho-jo-to-ho!
Ho-io-to-ho!
Hei-a-ha!
Hei-a-ha!
Vc.
CB.
più f

2 kl. Fl.

(zu 2)

2 gr. Fl.

Hob. *f più f*

Clar. (A)

Engl. Hr. *f più f*

Bs Clar. (A)

8 Hör. (E) *più f*

Fag. *f più f*

Tromp. (E) *più f*

27002 c E. E. 6119

1.
Kl.Fl.
2.
1.
Gr.Fl.
2.
Hob.1.
Hob.2.
Hob.3.
Clar.1.(A)
Clar.2u.3.(A)
Engl.Hr.
Bs Clar.(A)
(zu4)
8 Hr.
ff (E)
ff

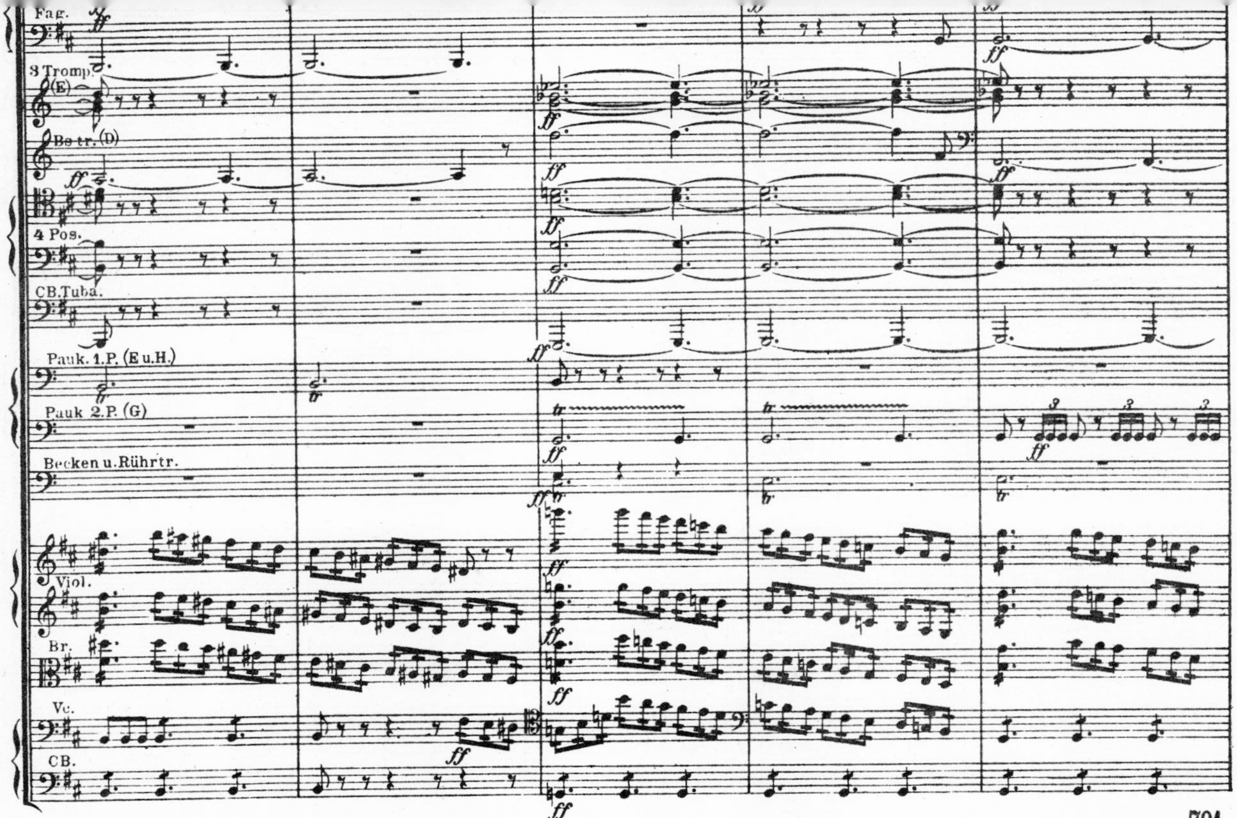

Fag.

3 Tromp. (E)

Bs tr. (D)

4 Pos.

CB. Tuba.

Pauk. 1. P. (E u. H.)

Pauk 2. P. (G)

Becken u. Rührtr.

Viol.

Br.

Vc.

CB.

Kl.Fl.1.

Gr.Fl.1.

Gr.Fl.2.

Hob.1.

Hob.2.

Hob.3.

Clar.1.(A)

Clar.2 u.3.(A)

Engl.Hr.

Bs Clar.(A)

Fag.1 u.2.

Fag.3.

8 Hr.(E)

Tromp.1 u.2.(E)

p cresc. f zu 2.

4 Pos.
CB.Tuba.
(E u.H)
Pauk.
4.P.
2.P.(G)
Becken u.Rührtr.
Viol.
Br
Gerhilde (in den Tann rufend)
Im Wald mit den Rossen zu Rast und Weid!
Leave there in the fo-rest your steeds to graze!
Au bois vos mon-tu-res, pour paître en repos!
Vc.
CB.
pizz.
(Bog.)
cresc.
p cresc.

Kl.Fl.1.

Gr.Fl.1.

p *cresc.*

Gr.Fl.2.

p *cresc.*

Hob.1.

p *cresc.*

Hob.2.

p *cresc.*

Hob.3.

p *cresc.*

Clar.1.(A)

Clar.2.(A)

p *cresc.*

Clar.3.(A)

p *cresc.*

Engl.Hr.

p *cresc.*

Bs Clar.(A)

Fag.1u.2.

Fag.3.

27002 c
E. E. 6119

Kl.Fl.

Gr.Fl.

Hb.1.

Hb.2 u.3.

Cl.1. (A)

Cl.2 u.3. (A)

Engl.Hr.

Bs Clar.(A)

(zu 2)

3 Fag.

(4)

8 Hör. (E)

(4)

Tromp. 2 u.3.(E)

4 Pos.
CB.Tuba.
Pauk. 2.P.(Fis)
Becken u.Rührtr.
(C)
Viol.
Br.
Helmw.
Der Hel - - den Hass büss - te schon die
The grey has paid for the he - roes
La pau - - vre Grise a pâ - ti deleur
(lachend)
Gerh.
Ha ha ha ha ha ha ha ha ha ha!
Siegr.
Ha ha ha ha ha ha ha ha ha ha!
Waltr. (lachend)
Ha ha ha ha ha ha ha ha ha ha!
Schwertl.
Ha ha ha ha ha ha ha ha ha ha!
Vc.
CB.

Kl.Fl.1.
Kl.Fl.2.
1.
Gr.Fl.
2.
3.
Hob.
(3 allein)
Clar.1.(A)
Clar.2 u.3.(A)
Engl.Hr.
Bs Clar.(A)
Fag.1.
Fag.2.
(4)
8 Hör.(E)
p
cresc.
f
più f

Bs tromp. (D)

4 Pos.

CB. Tuba.

Pauk. 2 P. (C u. Fis) 1. (E) 2.

Becken u. Rührtr.

cresc. Viol. *cresc.*

Br. *cresc.*

f *più f*

Helmw.

Grau - - - e!
an - - - ger!
guer - - - re!

Helmw. u. Gerh. (lachend)
Ha ha ha ha ha ha ha ha ha ha!

Waltr. u. Schwertl. (lachend)
Ha ha ha ha ha ha ha ha ha ha!
Ha ha ha ha ha ha ha ha ha

Vc.

CB.

Kl.Fl.
Gr.Fl.
Hob.
Clar. (A)
Engl.Hr.
Bs.Cl. (A)
Fag.
8 Hr. (E)
Trp.1. (E)
cresc.
più f
molto cresc.

4 Pos.
CB.Tuba.
Pauk. 1 P. (H)
Beck. u. Rührtr.
Viol.
Br.
Helmw. u. Gerh.
Ha ha ha ha ha ha ha ha ha ha!
Rossw. u. Grimg.
(aus dem Tann tretend)
Ho-jo-to-ho! Ho-jo-to-ho!
Ho-jo-to-ho! Ho-jo-to-ho!
Waltr. u. Schwertl.
ha! Ha ha ha ha ha ha ha ha ha ha!
(zu 8)
Will- Be Vail-
Siegr.
(lachend)
Ha ha ha ha ha ha ha ha ha ha!
(zu 8)
Will- Be Vail
Vc.
CB
molto cresc.
cresc.
più f
fp

2 kl. Fl.
ff
2 gr. Fl.
ff
ff
Hob.
ff
ff
Clar. (A)
Engl. Hr.
ff
Bs Cl. (A)
ff
ff
Fag.
ff
ff
(4)
8 Hr.
ff
(4) (E)
ff
ff
d. m.
dim.
Trp. (E)
ff
1.
dim.
Bs trp. (D)
ff
dim.

27002 c
E. E. 6119

(nur 2)
8 Hör. (E)
(nur 2)
(immer p)
(immer p)
Tromp. 1 (E)
Bs. tromp. (D)
Pos. 1 u. 2.
Rührtrommel.
Viol.
(immer p)
(immer p)
Br.
(immer p)
Grimg.
Ge-trennt
A-part
Non pas
rit - ten wir,
journeyed we,
tout d'a-bord,
und tra-fen uns
and met but to -
mais bien au re -
Schwertl.
War't ihr Kühnen zu
Rode ye val-iant ones
Tou-jours deux au com -
zwei?
paired?
bat?
Vc.
dim.
(immer p)
CB.
pizz.
dim.

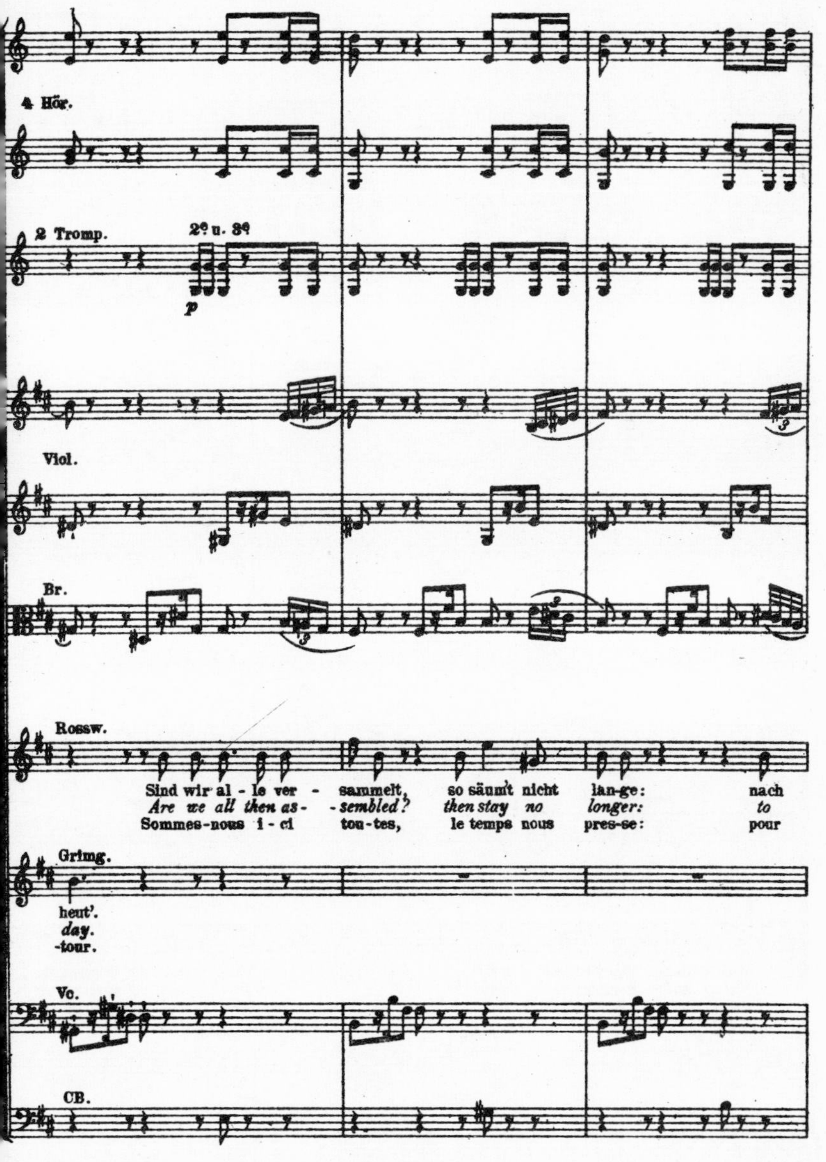
4 Hör.
2 Tromp.
2º u. 3º
p
Viol.
Br.
Rossw.
Sind wir al - le ver - sammelt, so säum't nicht lan-ge: nach
Are we all then as- -sembled? then stay no longer: to
Sommes-nous i - ci tou-tes, le temps nous pres-se: pour
Grimg.
heut'.
day.
-tour.
Vc.
CB.

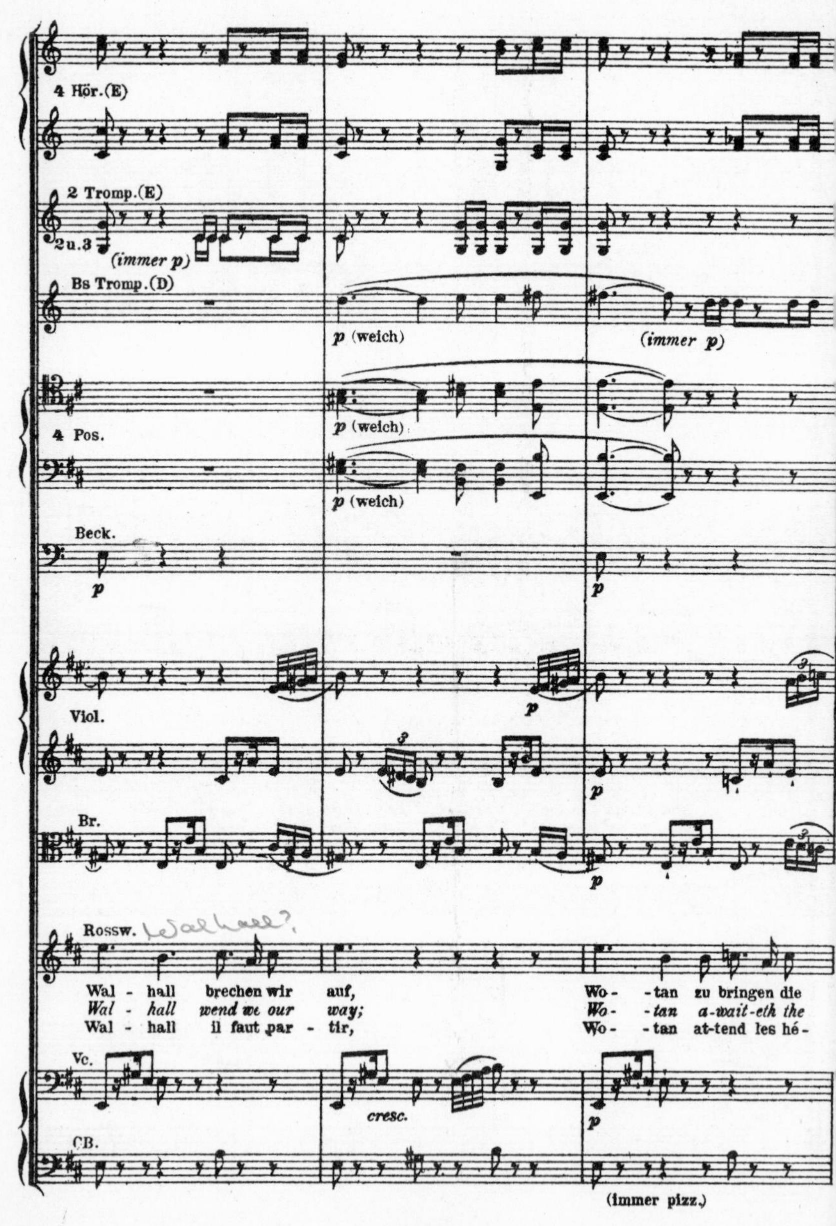
4 Hör.(E)
2 Tromp.(E)
2 u.3
(immer p)
Bs Tromp.(D)
p (weich)
(immer p)
p (weich)
4 Pos.
p (weich)
Beck.
p
p
p
Viol.
3
p
p
Br.
p
Rossw.
Wal - hall brechen wir auf,
Wal - hall wend we our way;
Wal - hall il faut par - tir,
Wo - tan zu bringen die
Wo - tan a-wait-eth the
Wo - tan at-tend les hé -
Vc.
cresc.
p
CB.
(immer pizz.)

4 Hör.
p (weich)
p (weich)
Tromp. (weich)
p
p
Bs. Tromp.
4 Pos.
p (weich)
p (weich)
Viol.
cresc.
p
più p
cresc.
p
più p
Br.
cresc.
p
più p
Helmw.
Acht sind wir erst: ei-ne noch fehlt!
Are we but eight? wanting is one.
Huit nous voi-ci: une encor manque.
Gerh.
Bei dem
By the
Près du
Rossw.
Wal.
slain.
-ros!
Vc.
cresc.
p
CB.
più p

4 Hör. (E)
Tromp. (E)
più p
Tromp. 2 u. 3.
pp
Viol.
Br.
Waltr.
Auf sie noch
Till she comes
Il faut l'at-
Gerh.
braunen Wälsung weil't wohl noch Brünnhild'.
brown-eyed Wälsung lingers yet Brünnhild'.
fauve Wälsung Brünnhild' s'attardel
Vc.
più p
CB.
(immer pizz.)
4 Hör.
Tromp.
(zu 2)
Viol.
Br.
Waltr.
harren müssen wir hier: Walvater gäb' uns
hither still must we stay: greeting full grim would
-tendre encore en ce lieu: Wotan nous fait man-
Vc.
CB.

gr. Fl. 2.
Hob. 2.
Cl. 2.(A)
Engl. Hr.
Bs Cl.(A)
Hör.
2 Tromp.
Viol.
Br.
Siegr.
Ho-jo - to-ho!
Ho-jo - to-ho!
Ho-ïo - to-ho!
Waltr.
grimmigen Gruss, säh' oh-ne sie er uns nah'n.
Warfather give, if without her we should come.
-vais ac-cueil, lors-que sans elle il nous voit.
Vc.
CB.
cresc.

gr. Fl.
Hob. 1.
Hob. 2.
Hob. 3.
Cl. 1. (A)
Cl. 2. (A)
Cl. 3. (A)
Engl. Hr.
Bs Cl. (A)
2 Tromp. (E)
cresc.
Viol.
cresc.
cresc.
Siegr. (auf der Warte.)
(in den Hintergrund rufend)
Ho - jo - to - ho!
Ho - jo - to - ho!
Ho - io - to - ho!
Hie - her!
Hal - lo!
I - ci!
Hie-
Hal-
I-
f

gr. Fl.
Hob. 1.
Hob. 2.
Hob. 3.
Cl. 1.
Cl. 2.
Cl. 3.
Engl. Hr.
Bs Cl.
Viol.
Br.
Siegr.
(zu den Andern)
ff
mf
p
cresc.
her! lo! -ci!
In brün - sti-gem Ritt jagt
In fu - ri-ous haste there
D'un vol de tem - pê - - -te

gr. Fl.
Hob. 1.
Hob. 2.
Hob. 3.
Cl. 1. (A)
Cl. 2.
Cl. 3. (A)
Engl. Hr.
Bs Cl. (A)
Hr. 1 u. 2. (E)
Hr. 3 u. 4. (E)
Hr. 5 u. 6. (E)
Hr. 7 u. 8. (E)
Tromp. (E)
Rührtrommel.
Viol.
cresc.
Br.
Siegr.
Brünn-hil-de her!
Gerh. u. Ortl.
Brünn-hil-de flies!
Brünn-hil-de vient!
(Alle oben auf der Warte.)
Ho-jo-to-ho!
Waltr. u. Rossw.
Ho-jo-to-ho!
Grimg. u. Schwertl.
Ho-jo-to-
Vc.

kl. Fl.
2 gr. Fl.
Hob. 1 u. 2.
Hob. 3.
Cl. 1 u. 2.
Cl. 3.
Engl. Hr.
Bs Cl.
Hr. 1 u. 2.
Hr. 3 u. 4.
Hr. 5 u. 6.
Hr. 7 u. 8.
Tromp.
Rührtrommel.
cresc.
Helmw. u. Siegr.
Ho-jo-to-ho! Ho-jo-to-ho! Hei-a-ha!
Gerh. u. Ortl.
Ho-jo-to-ho! Brünn-hil-de, hei!
Waltr. u. Rossw.
Ho-ïo-to-ho! Brünn-hil-de, hei!
Grimg. u. Schwertl.
ho! Brünn-hil-de, hei!

Noch bewegter.
kl. Fl.
2 gr. Fl.
Hob. 1 u. 2.
Hob. 3.
Cl. 1 u. 2. (A)
Cl. 3. (A)
Engl. Hr.
Bs Cl. (A)
1 u. 2 (zusammen)
3 Fag.
Hr. 1 u. 2. (E)
Hr. 3 u. 4. (E)
Pauk. (C)
Schneller.
Viol.
Br.
cresc.
Helmw. u. Siegr.
(Sie spähen mit wachsender Verwunderung.)
Vc. u. CB. (Bog.)

3 Fag.
poco cresc.
poco cresc.
Viol.
poco cresc.
poco cresc.
Br.
poco cresc.
Vc.u.CB.
mf
3 Fag.
mf
Viol.
p
p
Br.
p
Waltr.
Nach dem Tann lenkt sie das tau- - meln-de
To the wood guides she her stag- - ger-ing
Vers le bois fuit son che - val chan-ce-
Vc. u. CB.
mf
p
3 Fag.
Viol.
Br.
Waltr.
Ross.
horse
lant!
Grimg.
Wie schnaubt Gra- - ne vom schnel- len
From fierce rid- - ing how Gra- - ne
J'en- - tends Gra- - ne hen-nir ha-le-
Vc. u. CB.
p

(zu 2)
3 Fag.
p
p
Viol.
Br.
Rossw.
So jach sah ich nie Wal - kü - ren
So fast none e'er saw Val - ky - rie
Ja - mais je n'ai vu cour - se si
Grimg.
Ritt!
pants!
-tant!
Vc.u.CB.
p
(zu 2)
3 Fag.
cresc.
cresc.
mf
mf
Viol.
cresc.
cresc.
mf
Br.
cresc.
mf
Helmw.
Das ist kein
That is no
Ce n'est pas un guer-
Rossw.
ja - gen!
fly - ing!
promp - te!
Ortl.
Was hält sie im Sat - tel?
What lies on her sad - dle?
Que vois - je à sa sel - le?
Vc. u. CB.
cresc.
mf

2 Hob.
2 Cl.(A)
(zu 2)
3 Fag.
Hr. 1 u. 2 (F)
Hr. 3 (D)
(in Es)
Hr. 4 (D)
(in Es)
Pauk. (D)
(Bewegt.)
cresc.
Viol.
cresc.
Br.
cresc.
Helmw.
Held!
man!
rier!
Siegr.
Ei-ne Frau
See, a maid
U-ne femme
Vc. u. CB.
cresc.

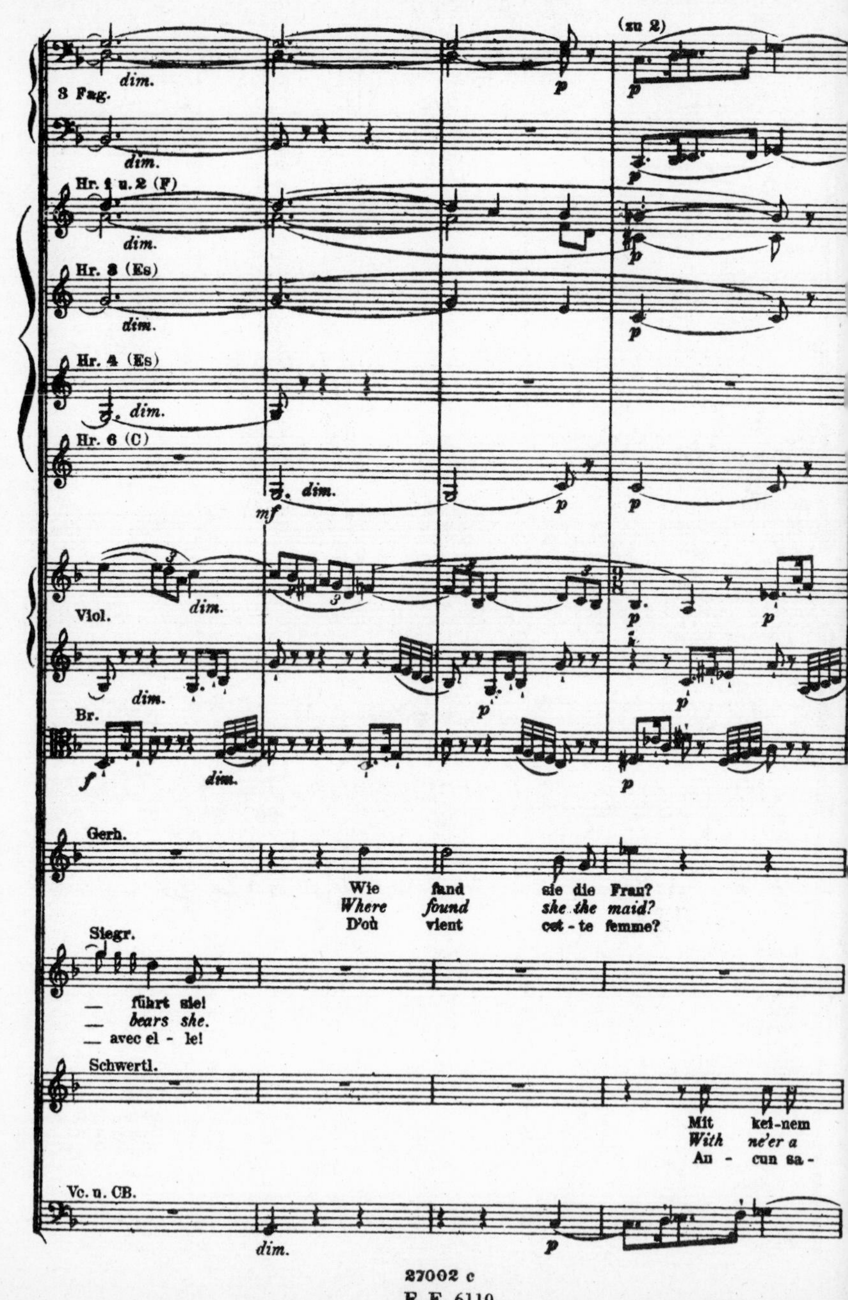
(zu 2)
3 Fag.
dim.
Hr. 1 u. 2 (F)
Hr. 3 (Es)
Hr. 4 (Es)
Hr. 6 (C)
mf
dim.
p
Viol.
Br.
f
Gerh.
Wie fand sie die Frau?
Where found she the maid?
D'où vient cet - te femme?
Siegr.
— führt sie!
— bears she.
— avec el - le!
Schwertl.
Mit kei-nem
With ne'er a
An - cun sa-
Vc. u. CB.

3 Fag.
Viol.
Br.
Waltr.
(hinabrufend, sehr stark)
Hei-a - ha!
Hei-a - ha!
Hei-a - ha!
Schwertl.
Gruss' grüsst sie die Schwe - stern!
sign greets she the sis - ters!
lut vers ses com - pa - gnes!
Vc. u. CB.
3 Fag.
Es Tromp. (D)
4 Pos.
1. Pauk. (E)
Viol.
Br.
Waltr.
Brünn - hil - - de, hörst du uns nicht?
Brünn - hil - - de, hear - - - est thou not?
Brünn - hild', en - tends notre ap - pel!
Vc. u. CB.
cresc.
p

(zu 2)
3 Fag.
più f
più f
Bs Tromp. (D)
4 Pos.
1. Pauk. (E)
Viol.
Br.
Ortl.
Helft der Schwes ter vom Ross' sich schwingen!
Hast - - en ye from her horse to help her!
Vite ai - dez no - tre sœur à des - cen-dre!
Vc. u. CB.
più f

Hob. 1 u. 2.
(zu 2)
Hob. 3.
Cl. 1 (A)
Cl. 2 u. 3. (A)
(zu 2)
3 Fag.
Hr. 1 u. 2 (E)
Hr. 3 u. 4 (E)
Hr. 5 u. 6 (E)
cresc.
Hr. 7 u. 8 (E)
cresc.
Tromp. 2 u. 3 (E)
1. Pauk. (E)
poco cresc.
Viol.
cresc.
cresc.
Br.
cresc.
Ortl.
Hei-a - ha!
Helmw. u. Gerh. (beide nach dem Tann laufend.)
Ho-jo-to-ho!
Ho-jo-to-ho!
Sgr. u. Rossw.
(Siegr. u. Rossw. laufen ihnen nach.)
Ho-ïo-to-ho!
Ho-ïo-to-ho!
Waltr.
(in den Tann blickend.)
Hei-a - ho!
Hei-a - ha!
Zu
To
A
Grimg.
Hei-a - ho!
Hei-a - ha!
Schwertl.
Hei-a - ho!
Hei-a - ha!
Vc. u. CB.
più f

2 gr. Fl.
Hob. 1.
molto cresc.
Hob. 2.
molto cresc.
Hob. 3.
molto cresc.
Cl. 1. (A)
molto cresc.
Cl. 2. (A)
molto cresc.
Cl. 3. (A)
molto cresc.
Engl. Hr.
molto cresc.
Bs. Cl. (A)
Fag. 1.
Fag. 2.
molto cresc.
Fag. 3.
molto cresc.
molto cresc.
Hr. 1 u. 2 (E)
Hr. 3 u. 4 (E)
Hr. 5 u. 6 (E)

4 Pos.

molto cresc.

CB. Tub.

molto cresc.

Pauk. 1.(H)

Tamtam.

Rührtrommel.

p (wieder schlaff gespannt.)

Viol.

molto cresc.

molto cresc.

Br.

molto cresc.

dim.

Waltr.

Grun - - de stürzt Gra - - - ne, der Star - ke!
earth sinks down Gra - - ne the strong one!
bout d'efforts Gra - - - ne s'af - - fais - se!

Grimg.

Aus dem Sat - tel hebt sie
From the sad - dle swift - ly
El - le fait descendre en

Vc. u. CB.

(zu 2)

2 gr. Fl.

p molto cresc.

ff

p molto cresc.

ff

3 Hob.

p *molto cresc.*

ff

p molto cresc.

ff

3 Cl. (A)

p molto cresc.

ff

Engl. Hr.

p *molto cresc.*

ff

Bs. Cl. (A)

p *molto cresc.*

ff

p *molto cresc.*

ff

3 Fag.

ff

Hr. 5 u. 6. (E)

p *molto cresc.*

ff

Hr. 7 u. 8. (E)

p *molto cresc.*

ff

3 Tromp. (E)

ff

ff

4 Pos.

Pauk.(H)
(Fis)
Rührtrommel.
p
cresc.
ff
Viol.
cresc.
molto cresc.
Br.
(Alle in den Tann laufend.)
Ortl.
Schwe - ster! Schwe - ster! was ist ge - scheh'n?
Sis - ter! sis - ter! What has be - fall'n?
Sœur! Sœur! qu'est tout ce - la?
Waltr.
Schwe - ster! Schwe - ster! was ist ge - scheh'n?
Sis - ter! sis - ter! What has be - fall'n?
Sœur! Sœur! qu'est tout ce - la?
Grimg.
has - tig das Weib!
swings she the maid!
hâ - te la femme!
Schwe - ster! was ist ge - scheh'n?
Sis - ter! What has be - fall'n?
Sœur! qu'est tout ce - la?
Schwertl.
Schwe - ster! Schwe - ster! was ist ge - scheh'n?
Sis - ter! sis - ter! What has be - fall'n?
Sœur! Sœur! qu'est tout ce - la?
Vc. u. CB.

Schnell.
Hob. 1.
Hob. 2 u. 3.
(zu 2)
Cl. (A)
Engl. Hr.
Fag. 2 u. 3.
Hr. 1 u. 2 (in F)
Hr. 3 u. 4 (in F)
Schnell und heftig.
Viol.
Br.
(Alle Walküren kehren auf die Bühne zurück; mit ihnen kommt Brünnhilde, Sieglinde unterstützend und hereingeleitend.)
Vc.
CB.
f
più f

2 gr. Fl.
Hob.
Cl.
Engl. Hr.
Fag.
Hr. 1 u. 2 (in F)
Hr. 3 u. 4 (in F)
4 Pos.
Viol.
Br.
Brünnh. (athemlos)
Schützt mich, und helft in höch - ster
Shield me and help in dir - est
Ai- - de! se - - cours! dan - ger pres-
Vc.
Cb.

Fl.
Hob. 1.
Hob. 2 u. 3.
Cl. (A)
Engl. Hr.
Fag.
4 Hör. (F)
Viol.
Br.
(2e allein.)
2 u. 3.
cresc.

I flee for the first time, and am pursued:
C'est ma première fui - te, et l'on me suit!
Noth!
need!
-sant!
Helmw.
Wo-her in ra-sen-der Hast?
Whence comest thou in such haste?
D'où vient ton vol fu - ri - eux?
Gerh.
Wo rit-test du her in ra-sen-der Hast?
Whence rodest thou hither? why in such haste?
D'où viens-tu vers nous d'un vol fu-ri - eux?
Siegr.
Wo-her in ra-sen-der Hast? Bist du in Flucht?
Whence comest thou in such haste? art thou pur - sued?
D'où vient ton vol fu - ri - eux? d'où ton ef - froi?
Grimg.
Wo rit-test du her in ra- - sen-der Hast?
Whence rodest thou hith - - er? why in such haste?
D'où viens-tu vers nous d'un vol fu - ri - eux?
Ortl.
So flieht nur, wer auf der Flucht!
So ride those on - - ly who flee!
Ta fui - - te prou - - ve l'ef - froi!
Waltr.
So flieht nur, wer auf der Flucht!
So ride those on - - ly who flee!
Ta fui - - te prou - - ve l'ef - froi!
Rossw.
So flieht nur, wer auf der Flucht!
So ride those on - ly who flee!
Ta fui - te prou - ve l'ef - - froi!
Schwertl.
So flieht nur, wer auf der Flucht!
So ride those on - - ly who flee!
Ta fui - - te prou - - ve l'ef - froi!
Vc. u. CB.
p cresc. f p cresc.

2 Fl.
Hob. 1.
Hob. 2.
Hob. 3.
Engl. Hr.
(1e allein)
(zu 2)
Fag.
(F)
Hör.
(F)
Tromp. (F) 1 u. 2.
4 Pos.
Viol.
Br.
ff
p
cresc.
f
fp

War - fa - ther fol - lows close!
Wo - tan est sur mes pas!
(Alle Walküren heftig erschreckend.)
Helmw.
Bist du von Sin-nen? Sa - ge uns! Wie? Fliehst du vor ihm?
Lost are thy sen-ses? Speak to us! What? Fleest thou from him?
N'es-tu pas fol - le? Con - te-nous! Quoi! Dois - tu le fuir?
Ortl.
Ha! Sprich! Ver-folgt dich Heer - va - ter? O sag'!
Ha! Speak! Pursues thee War - fa - ther? O say!
Ha! Dis! Le Père - Ar - mé te pres - se? oh! dis!
Gerh.
Bist du von Sin-nen? Sa - ge uns! Wie? Fliehst du vor ihm?
Lost are thy sen-ses? Speak to us! What? Fleest thou from him?
N'es-tu pas fol - le? Con - te-nous! Quoi! Dois - tu le fuir?
Waltr.
Ha! Sprich! Ver-folgt dich Heer - va - ter? O sag'!
Ha! Speak! Pursues thee War - fa - ther? O say!
Ha! Dis! Le Père - Ar - mé te pres - se? oh! dis!
Siegr.
Bist du von Sin-nen? Sa - ge uns! Wie? Fliehst du vor ihm?
Lost are thy sen-ses? Speak to us! What? Fleest thou from him?
N'es-tu pas fol - le? Con - te-nous! Quoi! Dois - tu le fuir?
Rossw.
Ha! Sprich! Ver-folgt dich Heer - va - ter? O sag'!
Ha! Speak! Pursues thee War - fa - ther? O say!
Ha! Dis! Le Père - Ar - mé te pres - se? oh! dis!
Grimg.
Bist du von Sin-nen? Sa - ge uns! Wie? Fliehst du vor ihm?
Lost are thy sen-ses? Speak to us! What? Fleest thou from him?
N'es-tu pas fol - le? Con - te-nous! Quoi! Dois - tu le fuir?
Schwertl.
Ha! Sprich! Ver-folgt dich Heer - va - ter? O sag'!
Ha! Speak! Pursues thee War - fa - ther? O say!
Ha! Dis! Le Père - Ar - mé te pres - se? oh! dis!
Vc. u. CB.
f p f p cresc. f p

2 Fl.
Hob. 1.
Hob. 2 u. 3.
Engl. Hr.
Fag. 1 u. 2.
(zu 2)
Fag. 3.
(F) (d. 1e allein)
4 Hör.
(E)
4 Pos.
Viol.
Br.
und kehrt wieder zurück.)
Brünnh.
O Schwestern, späht von des Felsen's
O sisters, look from the rocky
O sœurs, vite oc-cu-pez la
Vc.
CB.
p
f
dim.
mf

Hob. 1.
p
cresc.
più f
Hob. 2 u. 3.
cresc.
Engl. Hr.
p
cresc.
più f
Fag. 1 u. 2.
(zu 2)
p
cresc.
Fag. 3.
p
cresc.
(F)
f
Hör.
(E)
p
cresc.
Pos. 3 u. 4.
(4 allein)
p
p
p
cresc.
p
cresc.
Viol.
p
cresc.
Br.
p
cresc.
(Ortlinde und Waltraute springen
auf die Felsenspitze zur Warte.)
Brünnh.
Spitze! Schaut nach Norden, ob Walvater naht?
summit! Look to northward, if Warfather nears.
cime! Vers le Nord re-gardez s'il ac - court!
Vc.
p
p
cresc.
CB.
p
p
cresc.

Hob. 1.
Hob. 2 u. 3.
Engl. Hr.
Cl. 1 u. 2 (in B)
Fag. 1 u. 2.
Fag. 3.
Hör.
Pos. 4e.
Viol.
geth. (nur 8)
(alle)
Br.
Brünnh.
Schnell! Seht ihr ihn schon?
Speak! Tell what ye see!
Vite! Di - tes s'il vient!
Ortl.
Ge-
A
Du
Vc.
CB.

Fag. 1 u. 2.
(zu 2)
Fag. 3.
4 Pos.
Viol.
Br.
Waltr.
Star - kes Ge - wölk staut sich dort auf!
Gath - er - ing clouds range themselves there!
Som - bres va - peurs mon - tent là - bas!
Ortl.
wit - tersturm weht von Nor - den!
thunderstorm nears from north - ward.
Nord ob - scur vient l'o - ra - ge.
Vc.
CB.

Fag. 1 u. 2.
cresc.
p
cresc.
p
Fag. 3.
cresc.
p
cresc.
p
4 Pos.
Pauk. (C)
tr
p
Viol.
cresc.
p
cresc.
p
B^{e}
cresc.
Brünnh.
Der wil - de
The wild pur-
Chasseur sau-
Helmw. u. Gerh.
Heer - va - ter rei - tet sein hei - li-ges Ross!
War - fa - ther ri - deth his sa - cred steed!
Wo - tan chevau - che l'au - gus - te cour-sier!
Siegr. u. Rossw.
Heer - va - ter rei - tet sein hei - li-ges Ross!
War - fa - ther ri - deth his sa - cred steed!
Wo - tan chevau - che l'au - gus - te cour-sier!
Grimg. u. Schwertl.
Heer - va - ter rei - tet sein hei - li-ges Ross!
War - fa - ther ri - deth his sa - cred steed!
Wo - tan chevau - che l'au - gus - te cour-sier!
Vc. u. CB.
cresc.
p
cresc.
p

3 Hob.
2 Clar.(B)
Hör.(F) 1. 2.
(zu 2.)
Fag.
cresc.
Viol.
Br.
Brünnh.
Jä - ger, der wü - thend mich jagt, er naht, er naht, von Nor - den!
su - er who hunts me in wrath, he nears, he nears from north - ward!
vage, il me suit — en fu - reur, il vient, il vient du Nord! —
Vc.u. CB.

3 Hob.
Clar. (B) 1 u. 2.
4 Hör. (F)
Fag.
Viol.
Br.
Brünnh.
Schützt mich, Schwestern! Wah - ret diess Weib!
Shield me sis - ters! Shel - ter this wife!
Ai - de, sœurs! Grâ - ce pour elle!
Hört mich in
Hear me then
Vi - te j'ex-
Helmw. u. Gerh.
Was ist mit dem Wei - be?
What ail - eth the wo - man?
Quelle est cet - te fem - me?
Siegr. u. Rossw.
Was ist mit dem Wei - be?
What ail - eth the wo - man?
Quelle est cet - te fem - me?
Grimg. u. Schwertl.
Was ist mit dem Wei - be?
What ail - eth the wo - man?
Quelle est cet - te fem - me?
Vc. u. CB.

Streng im Zeitmaass.
Viol.
Br.
Brünnh.
Ei - le: Sieg-lin-de ist es, Siegmund's Schwester und Braut: ge-gen die Wäl-sungen
quickly: Sieg-lin-de is she, Siegmund's sis - ter und bride: 'gainst all the Wälsungs doth
-pli-que: Sieglinde on la nomme, de Siegmund sœur et amante: contre les Wäl-sungen
Vc.
CB.
Viol.
Br.
Brünnh.
wü - thet Wo - tan in Grimm; dem Bru - der soll-te Brünn-hil-de heut' ent -
Wo - tan an - gri - ly rage; to strike the bro-ther dead in the fight was
Wo - tan gronde en cour - roux; au frè - re je de - vais en ce jour ô -
Vc.
CB.

Viol.
Br.
Brünnh.
zie - hen den Sieg; doch Siegmund schützt' ich mit meinem Schild, tro-tzend dem Gott; der
Brünnhil-de's task; but Siegmund held I safe with my shield; Wo - tan in wrath then
-ter la vic-toire; mais Siegmund fut cou-vert par mon bras, con-tre le Dieu; ce
Vc.
CB.
Viol.
Br.
Brünnh.
traf ihn daselbst mit dem Speer: Siegmund fiel; doch ich floh fern mit der
struck him himself with his spear: Siegmund fell; but I fled forth with the
Dieu l'a lui-mê - me frap - pé: Siegmund meurt; et moi, prom - pte, je m'en-
Vc.
CB.

Viol.
cresc.
f
Br.
Brünnh.
Frau: sie zu ret - ten eilt ich zu euch, ob mich Ban-
wife; and to save her flew I to you that in dan-
-fuis; j'en-traî-nai vers vous cet-te femme, im-plo-rant
Vc.
CB.
p
(kleinmüthig)
-ge auch ihr ber-get vor dem stra - fen-den Streich!
-ger ye might hide me from the threat - en-ing blow!
de vous, trem-blan-te, son sa-lut et le mien!

Hob.
Clar. (B)
Hör.
Fag.
2 Tromp. (F)
4 Pos.
Pauk. (D)
Viol.
ff
f
più f
1. tr
p
fp

f più f ff fp

Helmw.

Be - thör - - te Schwe - - ster! was tha - - test du?
What mad - - ness urged thee this deed to do?
Ô sœur trop fol - - le, qu'as - tu o - sé?

Gerh.

Be - thör - - te Schwe - - ster! was tha - - test du?
What mad - - ness urged thee this deed to do?
Ô sœur trop fol - - le, qu'as - tu o - sé?

Siegr.

Be - thör - - te Schwe - - ster! was tha - - test du?
What mad - - ness urged thee this deed to do?
Ô sœur trop fol - - le, qu'as - tu o - sé?

Rossw.

Be - thör - - te Schwe - - ster! was tha - - test du?
What mad - - ness urged thee this deed to do?
Ô sœur trop fol - - le, qu'as - tu o - sé?

Grimg.

Be - thör - - te Schwe - - ster! was tha - - test du?
What mad - - ness urged thee this deed to do?
Ô sœur trop fol - - le, qu'as - tu o - sé?

Schwertl.

Be - thör - - te Schwe - - ster! was tha - - test du?
What mad - - ness urged thee this deed to do?
Ô sœur trop fol - - le, qu'as - tu o - sé?

Vc.u.CB.

f più f ff

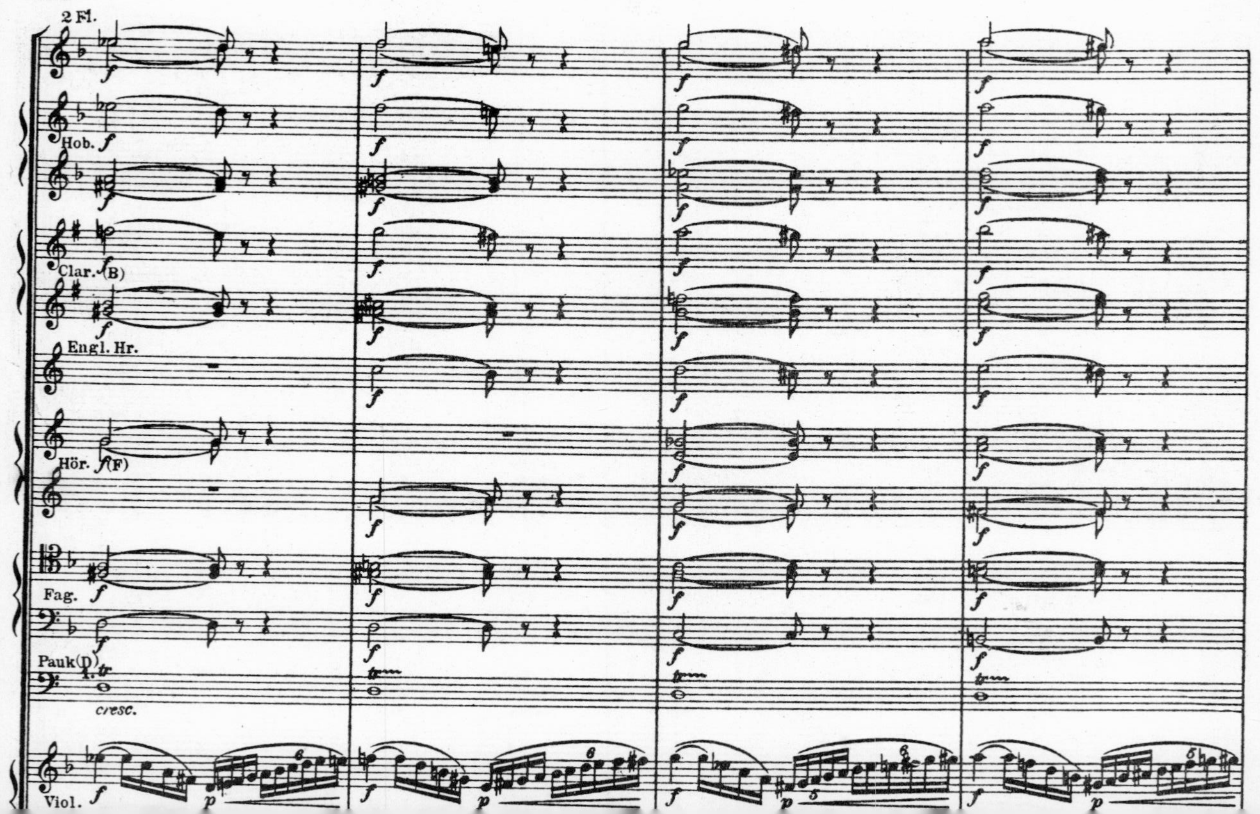
2 Fl.
Hob.
Clar. (B)
Engl. Hr.
Hör. (F)
Fag.
Pauk (D)
cresc.
Viol.

f p f p f p p
Helmw.
We - he! Brünn - hil - de, we - he! Brach
Lost one! Brünn - hil - de lost one! Brok'st
Las! Brünn - hil - de, las! Ô
Gerh.
We - he! Brünn - hil - de we - he!
Lost one! Brünn - hil - de lost one!
Las! Brünn - hil - de, las!
Siegr.
We - he! Brünn - hil - de, we - he! Brach
Lost one! Brünn - hil - de lost one! Brok'st
Las! Brünn - hil - de, las! Ô
Rossw.
We - - - he! Brünn - hil - de we - he!
Lost one! Brünn - hil - de lost one!
Las! Brünn - hil - de, las!
Grimg.
We - he! Brünn - hil - de, we - he! Brach
Lost one! Brünn - hil - de lost one! Brok'st
Las! Brünn - hil - de, las! Ô
Schwertl.
We - he! We - he! Brünn - hil - de we - he!
Lost one! Lost one! Brünn - hil - de lost one!
Las! Las! Brünn - hil - de, las!
Vc.
f p f p f p f p
CB.
f f f f

2 Fl.
Hob.
Clar. (B)
Engl. Hr.
Hör. (F)
Fag.
Bs Tr. (D)
4 Pos.
più f
ff
p
cresc.
f

Br.

fp cresc. *più f*

Helmw.

un - ge - hor - sam Brünn - - hil - de Heer - va - ters hei - lig' Ge - bot?
thou re - bel - lious Brünn - - hil - de War - fa - ther's ho - ly be - hest?
cri - me fou de Brünn - - hild', qui bra - ve l'au - gus - te vou - loir!

Gerh.

Brach'st du Heer - - va - ters hei - lig' Ge - bot?
Brok'st thou War - - fa - ther's ho - ly be - hest?
Bra - - ves - tu son au - gus - te vou - loir?

Siegr.

un - ge - hor - sam Brünn - - hil - de Heer - va - ters hei - lig' Ge - bot?
thou re - bel - lious Brünn - - hil - de War - fa - ther's ho - ly be - hest?
cri - me fou de Brünn - - hild', qui bra - ve l'au - gus - te vou - loir!

Rossw.

Brach'st du Heer - - va - ters hei - lig' Ge - bot?
Brok'st thou War - - fa - ther's ho - ly be - hest?
Bra - - ves - tu son au - gus - te vou - loir?

Grimg.

un - ge - hor - sam Brünn - - hil - de Heer - va - ters hei - lig' Ge - bot?
thou re - bel - lious Brünn - - hil - de War - fa - ther's ho - ly be - hest?
cri - me fou de Brünn - - hild', qui bra - ve l'au - gus - te vou - loir!

Schwer.

Brach'st du Heer - - va - ters hei - lig' Ge - bot?
Brok'st thou War - - fa - ther's ho - ly be - hest?
Bra - - ves - tu son au - gus - te vou - loir?

Vc.

CB.

27002 c
E. E. 6119

2 Fl.
Hob.
Clar. (B)
Hör. (in F)
Fag.
4 Pos.
Pauk. (C)
Viol.
Br.
Waltr. (auf der Warte.)
Näch - tig zieht es von Nor-den her-an.
Dark - ness comes from the north like the night.
L'om - bre monte et du Nord vient vers nous.
Ortl.
(auf der Warte)
Wü - thend steu-ert hie-her der
Rag - ing steer-eth hith-er the
Gros de rage accourt l'ou-ra-
Vc. u. CB.

3 Hob.
zu 3
Engl. Hr.
Hör. (F)
3 Fag.
Pauk. 2 (D)
Viol.
Br.
Ortl.
Sturm!
storm.
-gan.
Helmw. Gerh. Siegr.
(zu 3)
Schreck-lich schnaubt es da-
Pant - ing hith - er it
Son souf - fle gronde ef-fray-
Rossw Grimg. Schwertl.
(zu 3)
Wild wie - hert Wal - va - ters Ross
Loud neigh - eth War-father's steed!
Fort a hen - ni son che - val!
Vc. u. CB.
cresc.

3 Hob.
più f
ff
Engl. Hr.
più f
ff
più f
ff
4 Hör. (F)
più f
ff
Fag. 1 u. 2.
più f
ff
p
cresc.
f
più f
Viol.
cresc.
f
più f
ff
Br.
cresc.
f
più f
ff
Helmw. Gerh. Siegr.
her!
flies.
-ant!
Vc.
ff
CB.
f

Viol.
cresc.
Br.
Brünnh.
We-he der Armen, wenn Wo-tan sie trifft: den Wäl-sungen al-len droht er Verder - ben!
Woe to the wife, if the god find her here: for all of the Wälsungs dooms he to down - fall!
Pauvre vic-ti-me, si Wotan l'atteint: sa hai-ne des Wälsungen veut les dé-trui - re!....
Vc.
CB.
3 Hob.
Clar.
4 Hör.
3 Fag.
Viol.
Br.
Brünnh.
Wer leiht — mir von euch das leich-tes-te Ross, das flink die Frau ihm ent-
O say, — who will lend the trust-i-est horse, to save the wife from his
Mes sœurs, — qui de vous me prête un che-val, pour lui ra-vir cet-te
Vc. u. CB.

2 Hob.
2 Hör. (F)
2 Fag.
Viol.
Br.
Brünnh.
führ'?
wrath?
femme?
Rossweisse, Schwester,
Rossweisse, sis-ter,
Rossweisse chè-re,
Siegr.
Auch uns räth'st du ra-sen-den Trotz?
Wouldst lead us his rage to de-fy?
Tu veux donc nous ren-dre re-belles?
Vc.u.CB.
Viol.
Br
Brünnh.
leih' mir deinen Renner!
lend me but thy courser!
prê-te ta montu-re!
Helmwi-ge hö-re!
Helmwi-ge, hear me!
Helmwige, é-coute!
Helmw.
Dem
I
Je
Rossw.
Vor Wal-va-ter floh der Fliegende nie!
From War-father ne'er yet fled he in fear.
Sa course ja-mais n'a fui loin du Père.
Vc.u.CB.

Viol.
cresc.
f
p
Br.
Brünnh.
Grim-ger-de! Ger-hil-de! gönnt' mir eu'r Ross!
Grim-ger-de! Ger-hil-de! Grant me a horse!
Grim-ger-de! Ger-hil-de! Vite un che-val!
Helmw.
Va-ter ge-horch' ich!
brave not our fa-ther.
res-te sou-mi-se.
Vc.u.CB.
2 Hob.
dim.
2 Clar.(B)
(F)
Hör.
(D)
3 Fag.
Viol.
Br.
Brünnh.
Schwert-lei-te! Sieg-ru-ne! Seht mei-ne Angst: O seid mir treu, wie traut ich euch
Schwert-lei-te! Sieg-ru-ne! See my dis-may! True be to me, as I have been
Schwert-lei-te! Sieg-ru-ne! Vois ma ter-reur! Oh! ai-dez-moi, mes sœurs tant ai-
Vc.u.CB.

ritard. Schnell.
2 Fl.
3 Hob.
Engl. Hr.
2 Clar. (B)
1.
cresc.
(F)
Hör.
(D)
3 allein
2 allein
3 Fag.
ritard. Schnell.
Viol.
Br.
(Sieglinde, die bisher finster und kalt vor sich hingestarrt, fährt, als Brünnhilde sie lebhaft – wie zum Schutze umfasst, mit einer abwehrenden Gebärde auf.)
Brünnh.
war: ret - - tet diess trau - ri-ge Weib!
true: save now this sor-rowing wife!
- mées: gra - - ce pour l'humble é-plo-rée!
Vc. u. CB.

Langsamer.
Engl.Hr.
3 Fag.
Langsamer.
pizz.
Viol.
Br.
Siegl.
Nicht seh-re dich Sor-ge um mich: ein-zig taugt mir der
Let sor-row not vex thee for me: on-ly death is my
Re-nonce à rien crain-dre pour moi: seu-le m'ai-de la
Vc.
(Bog.)
dim.
più p
C.B.
Engl.Hr.
Hör.1 u.2.(F)
Fag.
Viol.
Br.
Siegl.
Tod! Wer hiess dich Maid, dem Harst mich ent-füh-ren? Im Sturm dort hätt' ich den Streich em-
due. Who bade thee bear me, maid, from the bat-tle? Perchance my death-stroke I there had
mort. Pour-quoi vins-tu m'ô-ter au dé-sas-tre? J'au-rais re-cu là le coup mor-
Vc.u.C.B.(Bog.)

Hob.
1.
molto cresc.
poco cresc.
Clar.(B)
Engl Hr.
Hör.1 u 2.(F)
Fag.
Viol.
Br.
Siegl.
pfah'n von der-sel-ben Waf-fe, der Sieg-mund fiel; das En-de fand ich ver-eint mit ihm
won from the ve-ry weapon that dealt his death; in life's last mo-ment made one with him
-tel de cette ar-me mê-me, dont Sieg-mund meurt: frappée moi-mê-me, u-nie à lui!
Vc.
C.B.

Allmählich etwas bewegter.
Lebhaft.
3 Hob.
Clar.
Engl. Hr.
4 Hör.
(F)
Fag.
Allmählich etwas bewegter.
Lebhaft.
(Bog.)
Viol.
(Bog.)
Br. (Bog.)
cresc.
dim.
Siegl.
Fern von Siegmund. Sieg-mund, von dir! — O
Far from Siegmund. Sieg-mund from thee! O
Loin de Siegmund. Sieg-mund, de toi! Puis-
Vc. u. C.B.

1. allein
3 Hob.
3.
Clar. (B)
Engl. Hr.
2 Hör. (F)
3 Fag.
zu 2
Viol.
Br.
Siegl.
deck-te mich Tod, dass ich's den-ke! Soll um die Flucht dir Maid ich nicht flu-chen, so er
shel-ter me, death, from re-membrance! Lest for thy help my curse should re-quite thee, now
-sé-je en la mort fuir ce son-ge! Si je ne dois mau-di-re ton ai-de, sain-te-
Vc.
C.B.
cresc.

Hob.

più f

ff

Clar.

Engl. Hr.

molto cresc.

4 Hör.

3 Fag.

p molto cresc.

2 Tromp. (D)

Viol.

p molto cresc.

pizz.

Br.

p cresc.

Siegl.

hö - re hei-lig mein Fle-hen: sto - sse dein Schwert mir in's

heark - en, maid, to my pray-er: thrust thou thy sword in-to my

- ment ex-au-ce mes lar-mes: plon - ge ton glaive en mon

Vc.

C.B.

cresc.

Belebt.
1.(allein)
Hob.
cresc.
p cresc.
1.
Clar.(B)
3.
cresc.
Engl. Hr.
4 Hör.
(F)
p cresc.
3 Fag.
Belebt.
(Bog.)
Viol.
dim.
Br.
Brünnh.
Le - be, o Weib, um der Lie - - - - - be wil - len! Ret - te das
Live still, o wo - man for love doth call thee! Rescue the
Vis, pauvre fem - me, l'a - mour l'or - don - ne! Sau - ve le
Siegl.
Herz!
heart!
cœur!
Vc.
C.B.

string.
Hob.
cresc.
Clar.(B)
cresc.
Hör.(F)
3 Fag.
cresc.
string.
cresc.
Viol.
cresc.
Br.
cresc.
(stark und drängend)
Brünnh.
Pfand, das von ihm — du em-pfing'st: ein Wälsung wächst dir im
pledge that from him thou hast won: a Wälsung's life thou dost
gage, que de lui — tu re- cus: un Wälsung vit dans ton
Vc.
cresc.
C.B.
cresc.

Sehr schnell und heftig.
3 Fl.
Hob.
(zu 3)
Clar. (B)
(zu 3)
(E)
Hör.
(E)
Fag. (zu 2)
(zu 3)
3 Tromp. (in E)
(1. u. 2.)
4 Pos.
Sehr schnell und heftig.
Viol.
Br.
Brünnh.
(Sieglinde erschrickt zunächst heftig: sogleich strahlt aber ihr Gesicht in erhabener Freude auf.)
Schoos!
bear!
sein!
Vc.
C.B.

3 Fl.
3 Hob.
3 Clar.
(F)
Hör.
(F)
3 Fag.
Tromp. 1 u. 2. (E)
4 Pos.
Viol.
Br.
Siegl.
Ret - te mich, Küh ne!
Res - cue me, brave one!
Sau - ve moi, vier - ge!
Vc.
C.B.
mf
ff
fp
cresc.
f

3 Fl.
3 Hob.
3 Clar. (B)
Hör. (F)
3 Fag.
Tromp. 1 (E)
4 Pos.
Pauk. (G u.C)
Viol.
Br.
Siegl.
Ret - te mein Kind! Schirmt mich, ihr
Res - cue my child! Guard me, ye
Sau - ve mon fils! Grâ - - - - -ce, ô
Vc. (geth.)
C.B.

Hör.
(zu 2)
Fag.
4 Pos.
Pauk. (G u. C)
Viol.
Br.
Siegl.
(Immer finstereres Gewitter steigt im Hintergrunde auf.)
Mädchen mit mächtigstem Schutz!
maidens with mighty de - fence!
Fil - les! à moi votre ap - pui!
Waltr.
(auf der Warte)
Der Sturm kommt her - an!
The storm com - eth near!
L'o - ra - ge gran - dit!
Vc.
C.B.
dim.

2 Hob.
2 Clar.(B)
Hör. (F)
(zu 2)
3 Fag.
2 Tromp.(E)
4 Pos.
Pauk. 2e P. in A.
Viol.
Br.
fp
p
f
cresc.
tr

Fly, all who fear it!
Par - te qui trem - ble!
Gerh.
Fort mit dem Wei - be, droht ihm Ge - fahr! Der
Hence with the wo - man! dan - ger is here: the
Chas - se la fem - me loin du pé - ril: des
Helmw.
Fort mit dem Wei - be, droht ihm Ge -
Hence with the wo - man! dan - ger is
Chas - se la fem - me loin du pé -
Rossw.
Fort mit dem Wei - be, droht ihm Ge - fahr! Der
Hence with the wo - man! dan - ger is here: the
Chas - se la fem - me loin du pé - ril: des
Siegr.
Fort mit dem Wei - be, droht ihm Ge -
Hence with the wo - man! dan - ger is
Chas - se la fem - me loin du pé -
Grimg.
Fort mit dem Wei - be, droht ihm Ge - fahr! Der
Hence with the wo - man! dan - ger is here: the
Chas - se la fem - me loin du pé - ril: des
Schwertl.
Fort mit dem Wei - be, droht ihm Ge -
Hence with the wo - man! dan - ger is
Chas - se la fem - me loin du pé -
Vc.u.C.B.
fp
p
fp
cresc.
f

2 Fl.
2 Hob.
2 Clar.(B)
4 Hör. (F)
3 Fag.
2 Tromp. (E)
4 Pos.
Viol.1.
Viol.2.
cresc.
più f
fp
(sehr feurig)

Ret-te mich, Maid! ret - - - te die Mut-ter!
Res-cue me, maid! res - - - cue the mother!
Sau-ve-moi, vierge! sau - - - ve la mè-re!
Gerh.
Wal-kü-ren kei - ne wag' ih-ren Schutz!
Val-ky-ries' shel - ter dare we not give!
Wal-kü-ren nul - le n'o - se lai-der!
Helmw.
fahr! Kei - ne wag' ih-ren Schutz!
here: shel - ter dare we not give!
-ril: nul - le n'o - se lai-der!
Rossw.
Wal-kü-ren kei - ne wag' ih-ren Schutz!
Val-ky-ries' shel - ter dare we not give!
Wal-kü-ren nul - le n'o - se lai-der!
Siegr.
fahr! Kei - ne wag' ih-ren Schutz!
here: shel - ter dare we not give!
-ril: nul - le n'o - se lai-der!
Grimg.
Wal-kü-ren kei - ne wag' ih-ren Schutz!
Val-ky-ries' shel - ter dare we not give!
Wal-kü-ren nul - le n'o - se lai-der!
Schwertl.
fahr! Kei - ne wag' ih-ren Schutz!
here: shel - ter dare we not give!
-ril: nul - le n'o - se lai-der!
Vc.
CB.
f
piu f
ff (sehr feurig)
ff

zu 2.
2 Fl.
2 Hob.
2 Cl.(B)
4 Hör. (E)
3 Fag.
2 Tromp.(E)
4 Pos.
Pauk.2.(H)
Viol.
Br.
Brünnh. (mit lebhaftem Entschluss hebt Sieglinde auf.)
So flie - he denn
A - way, then, fly
Fuis donc au plus
Vc.
CB.

2 Hob.
(ten.)
mf
p
cresc.
f
2 Cl.
4 Hör.(E)
3 Fag.
Brünnh.
ei-lig, und flie-he al-lein! Ich blei-be zu-rück! bie-te mich Wo-tan's
swiftly, and fly thou a-lone! I stay in thy stead! draw on me Wo-tan's
vi-te et fuis toute seule! je.... reste et j'at-tends! seule à Wo-tan je
Viol.
Br.
Vc.
Ra-che: an mir zögr' ich den Zür-nen-den hier, während du
anger, by me hold-ing the wrath-ful one here, whilst thou
m'of-fre: sur moi seule ar-rê-tant ses fu-reurs, pour que toi

2 Hob.
2 Cl. (B)
4 Hör. (E)
zu 2.
3 Fag.
4 Pos.
Viol.
Br.
Brünnh.
sei-nem Ra - sen ent-rinnst.
from his ven - geance escap'st.
tu é-vi - tes sa rage.
Wer von euch
Which of you
Qui de vous
Siegl.
Wo - hin soll ich mich wenden?
Say, whither shall I turn me?
Où di-ri-ger ma fui-te?
Vc.
CB.

1.(Es)
4 Hör. (E)
3.(E)
3 Fag.
4 Pos.
Pauk. (2 Fis)
Viol.
più p
Br.
Brünnh.
Schwestern schweif - te nach O - sten?
sis - ters, jour - neyed to east-ward?
tou - tes vers l'Est prit sa course?
Siegr.
Nach O - sten weit - hin dehnt sich ein
A for - est wild spreads far to the
Vers l'Est au loin s'é - tend la Fo -
Vc. u. CB.
pizz.

3 Fag.
4 Pos.
Pauk. 2 (Fis u. H)
pizz.
pp
Viol.
più p
pp
Br.
più p
pp
Siegr.
Wald: der Nib - lun-gen Hort, ent - führ - te Faf - ner dorthin.
east: the Ni - be-lung's hoard by Faf - ner thith - er was borne.
-rêt: des Nib - lun-gen l'Or y fut par Faf - ner traîné.
Vc. u. CB.
pizz.
pp

Cl. 3. (A)
Bs.Cl.(A)
2.(allein)
4 Hör.(E)
4.(allein)
3 Fag.
4 Pos.
Pauk. (Fis u. H)
Viol.
Br.
Schwert.
Wur-mes-Ge-stalt schuf sich der Wil-de; in ei-ner Höh-le hü-tet er Al-berich's
There as a dread dra-gon he dwelleth, and in a cave there guardeth he Al-berich's
Som-bre dra-gon, sous cet-te for-me, au fond d'un antre il gar-de du Gnome l'An-
Vc. u. CB.
(Bog.)

Bs. Clar. (A)
Hr. 2. (E)
Hr. 4. (E)
3 Fag. zu 3
4 Pos.
Pk. 2 (H)
pizz.
Viol.
Br.
Brünnh.
Und doch, vor
And yet from
Pour-tant des
Schwertl.
Reif!
ring!
-neau!
Grimg.
Nicht ge-heu'r ist's dort für ein hülf-los' Weib.
For a help-less wo-man no home were there.
Maint pé-ril y guette u-ne fem-me sans aide.
Vc. u. CB.
pizz.

Clar. 3 (A)
Bs. Clar.
Hr. 2.
Hr. 4.
3 Fag.
4 Pos.
(Bog.)
Viol.
Br.
Brünnh.
Wo - tan's Wuth, schützt sie si - cher der Wald; ihn scheu't der
Wo - tan's wrath shel ter safe were the wood: our fa - ther
coups du Dieu seuls la sau - vent ces bois, car Wo - tan
Vc. u. CB.
p
pp
poco cresc.

Cl. 3.(A)
cresc.
molto cresc.
Bs.Cl.(A)
cresc.
molto cresc.
1.u.2.(E)
2.
1.u.2.
4 Hör.
cresc.
p
molto cresc.
3.u.4.(E)
4.
3.u.4.
cresc.
p
molto cresc.
cresc.
3 Fag.
p molto cresc.
cresc.
p molto cresc.
4 Pos.
p molto cresc.
Pauk. 1 (A)
tr
p molto cresc.
Viol.
molto cresc.
molto cresc.
Br.
molto cresc.
Waltr. (auf der Warte).
Furcht - bar fährt dort Wo - tan zum
Rag - ing rides the god to the
Wo - tan vient vers nous en fu-
Brünnh.
Mächt' - ge, und mei - det den Ort.
fear - eth and shunneth the place.
craint d'ap - pro - cher de ce lieu.
Vc. u. CB.
(Bog.) p molto cresc.

Cl. 3.
Bs. Cl.
4 Hör.
3 Fag.
Viol.
Br.
Waltr.
Fels!
rock!
-reur!
Gerh. u. Helmw.
Brünn - hil-de, hör' seines Na-hen's Ge-braus!
Rossw. u. Siegr.
Brünn - hil-de, hear how he nears like a storm!
Grimg. u. Schwertl.
Brünn - hild', en-tends, il ap-proche à grand bruit!
Vc. u. CB.
f
più f
ff

Sehr lebhaft und schnell.

Fl. 1.
2 Hob.
Cl. 1. u. 2. (B)
Hör. 1. u. 2. (F)
3 Fag.
Brünnh.
Mu - thi-gen Tro - tzes er - trag' al - le Müh'n;
Bold in de - fi - ance en - dure ev'ry ill,
Va, cou - ra - geu - se, bra - vant tout dan - ger,
Vc. u. CB.
Viol.
Br.
poco cresc.
Brünnh. (drängend)
Hun - ger und Durst, Dorn und Ge - stein;
hun - ger and thirst, thorns and rough ways;
faim et fa - tigue, ronce et ro - cher,
Vc.
CB.

Etwas zurückhaltend.
Drängend.
2 Fl.
3 Hob.
2 Cl. (B)
Hör. 1. u. 2. (F)
3 Fag.
Viol.
Br.
Brünnh.
la - che, ob Noth, ob Lei - den dich nagt! Denn
laugh whe-ther want or suf - fer-ing wound! For
ris de tes maux, des â - pres tour - ments! Qu'un
Vc.
CB.
cresc.

2 Fl.
1.
2 Hob.
2 Cl.
zu 3.
Hör. 1.u.2.(F)
(gut
Hör. 3.u.4.(E)
3 Fag.
pizz.
Viol.
Br.
dim.
Brünnh.
Ei - nes wiss' und wahr' es im-mer: den
one thing know and hold it ev-er: the
seul sa-voir en toi de-meu-re: le
Vc.
CB.

2 Fl.
2 Hob.
3 Clar.(B)
Engl. Hr.
Fag.
Hör. 1 u. 2 (E)
gehalten)
3 u. 4
(E)
5.6.7.8.
(zu 4 in E)
Br.
pizz.
Brünnh.
hehr - sten Hel - den der Welt heg'st du, o Weib, im schir - men-den
world's most glo - ri - ous he - - ro bears, o wo - man, thy shel - ter - ing
plus su - bli - me Hé - ros, fem - me, gran - dit, ca - ché dans ton
Vc.
pizz.
CB.
pizz.

2 Fl.
cresc.
f
3 Hob.
3. cresc.
3 Cl.
Hr. 1 u. 2. (F)
Fag. 1 u. 2.
Engl. Hr. (gut gehalten)
molto cresc.
Fag. 3. (gut gehalten)
Hör. (E) 3.5 u. 7. 4.6 u. 8.
ff
Tromp. 2 u. 3. (in E)
pizz.
p
(Bog.)
p cresc.
dim.
Viol.
Br.
più f
Brünnh.
(Sie zieht die Stücken von Siegmund's Schwert unter ihrem Panzer hervor, und überreicht sie Sieglinde.)
Schooss.
womb!
sein!_
Ver-
For
Con-
Vc.
f dim.
CB.

2 Fl.
dim.
p
3 Hob.
dim.
p
3 Cl.(B)
dim.
p
Hör. 1. u. 2. (F)
dim.
p
Fag. 1. u. 2.
dim.
p
Engl. Hr.
dim.
Fag. 3
dim.
p
Hör. (E) 3.5.7.4.6.8.
dim.
Tromp. 2. u. 3. (E)
dim.
p
Viol.
p
Br.
p
Brünnh.
wahr' ihm die star - ken Schwer - tes Stü-cken; sei-nes Va - ters
him ward thou well the might - y splinters; from his fa - ther's
ser - ve les deux moi - tiés du glai - ve; près du corps de
Vc.
p
CB.
p

3 Hob.
3 Cl.
Hör. 1. u. 2. (C)
3 Fag.
Viol.
Br.
Brünnh.
Vc.
pizz.
(Bog.)
cresc.
molto cresc.
Wal - statt ent - führt ich sie glück - lich: der neu - ge - fügt das
death - field by good hap I saved them: who once shall swing the
Sieg - mund ma main les a pri - ses: qui doit bran - dir le
Schwert einst schwingt, den Na - men nehm' er von mir
sword new wrought, his name from me let him take
fer re - for - gé, de moi re - çoi - ve son nom

acceler.

3 Fl.
molto cresc.
più f
3 Hob.
3 Clar. (B)
4 erste Hör. (1.3. 5.u.7. (E)
zu 4
Hör. 2.u.4. (E)
Hör. 6.u.8. (E)
3 Fag.
Bs.Tromp. (D)
4 Pos.
CB.Tub.
Pauk. (D)
pizz.
Viol.
(Bog.)
Br.
Brünnh.
Sieg - fried er - freu' sich des Siegs!
Sieg - fried in tri - umph shall live!
Sieg - fried: Joy - eux et Vain - queur!
Vc.
CB.

3 Fl.
ff
3 Hob.
3 Cl.
p
cresc.
4 erste Hör.
1.u.2.
Hör. 2.u.4. (E)
3.u.4.
Hör. 6.u.8. (E)
3 Fag.
Bs. Tromp. (D)
4 Pos.
CB. Tub.
Pauk. 1 (G)
tr
Viol.
più f
Br.
fp
Siegl. (in grösster Rührung.)
O hehr- - stes Wun - der!
O ra - -diant won - der!
O sain - te mer - veil - le!
Vc.
più f
CB.

3 Fl.
3 Hob.
3 Cl. (B)
4 Hör. (E)
3 Fag.
Bs. Tromp. (D)
4 Pos.
CB. Tub.
Pauk. (G)
Viol.
Br.
Siegf.
Herr - lich-ste Maid! Dir Treu-en dank' ich hei - li-gen Trost!
Glo - ri-ous maid! Thou bringst me, true one, ho - li-est balm!
Vier - ge su-blime! A toi je dois un saint ré-con-fort!
Vc.
CB.
pizz.
(Bog.)
cresc.

Fl. 2.u.3.
p
cresc.
cresc.
3 Hob.
cresc.
p
cresc.
3 Cl.
cresc.
p (bestimmt)
cresc.
4 Hör. (E)
cresc.
cresc.
3 Fag.
pizz.
(Bog)
Viol.
pizz.
cresc.
(Bog)
Br.
pizz.
cresc.
(Bog)
Siegl.
Für ihn, den wir lieb - ten, rett' ich das Lieb - ste: meines Dan-kes
For him whom we loved I save the be - loved one: may my thanks yet
Pour lui, notre ai - mé, — je sau - ve son ga - ge: que mes voeux un
Vc.
(Bog.)
CB.
(Bog.)

Fl. 2 u. 3.
Hob. 1. u. 2.
Cl. 1. u. 2. (B)
4 Hör. (E)
3 Fag.
Viol.
Br.
Siegl.
Lohn
bring
jour
la - che dir
laugh-ing re -
rient sur ton
einst!
ward!
front!
Le - be wohl!
Fare thou well!
A-dieu donc,
dich seg -
be blest
bé - nie
Vc. u. CB.

Stürmisch.
Fl.
zu 3
Hob.
zu 3
Clar.
zu 3
(alle Hör. in F)
zu 2
(zu 4)
1.u.3.
5.u.7.
4Hör.
(alle Hör. in F)
zu 2
(zu 4)
2.u.4.
6.u.8.
Fag.1u.2
zu 2
Tromp. 2.u.3.(F)
Bs.Tromp.(D)
4 Pos.
Pauk. (G u.D)
cresc.
Viol.
più f
Br.
Siegl.
(Sie eilt rechts im Vordergrunde von dannen.)
- net Sieg - lin - des Weh'!
in Sieg - lin - de's Woe!
par Sieg - lin - de en pleurs!
Vc. u. CB.

3 Fl.
zu 3
ff
ff
f
più f
3 Hob.
zu 3
ff
ff
f
più f
3 Cl. (B)
zu 3
ff
ff
f
più f
zu 2
ff
(zu 4)
1. u. 3.
5. u. 7.
ff
(immer zu 4)
f
f
Hörn. (F)
zu 2
ff
(zu 4)
2. u. 4.
6. u. 8.
ff
(immer zu 4)
f
f
zu 2
3 Fag.
ff
1. u. 2.
3.
ff
Tromp. 2. u. 3. (F)
f
Bs. Tromp. (D)
f
4 Pos.
f
Pauk. (G D)
f
p
p
cresc.
ff
(immer ff)
Viol.
ff
(immer ff)
Br.
ff
(immer ff)
(Die Felsenhöhe ist von schwarzen Gewitterwolken umlagert; furchtbarer Sturm braus't aus dem Hintergrunde daher: wachsender Feuerschein rechts daselbst.)
Vc. u. CB.
ff
ff
ff

3 Fl.
3 Hob.
3 Cl.
1.u. 2.
3.
Hör.
più f
più f
1.u.2.
3 Fag.
zu 3
Tromp. 2.(F)
f
Bs. Tromp.
f
4 Pos.
f
Pauk.1.
f
(trem.)
Viol.
ff
fp
(trem.)
ff
fp
Br
(trem.)
fp
Wotan's Stimme. (durch ein Sprachrohr.)
Steh'! Brünnhild'!
Stay! Brünnhild!
Reste! Brünnhild'!
Vc.
ff
fp (trem.)
CB.
ff

3 Fl.
1.
3 Hob.
3 Cl. (B)
1.u.2.
4 Hör. (F)
5.u.6.
4 Hör. (F)
1.u.2.
3 Fag.
3.
Tromp. 2 (F)
4 Pos.
Pauk. (G. u. A)
Viol.
zu 3
3. u. 4.
7. u. 8.
cresc.

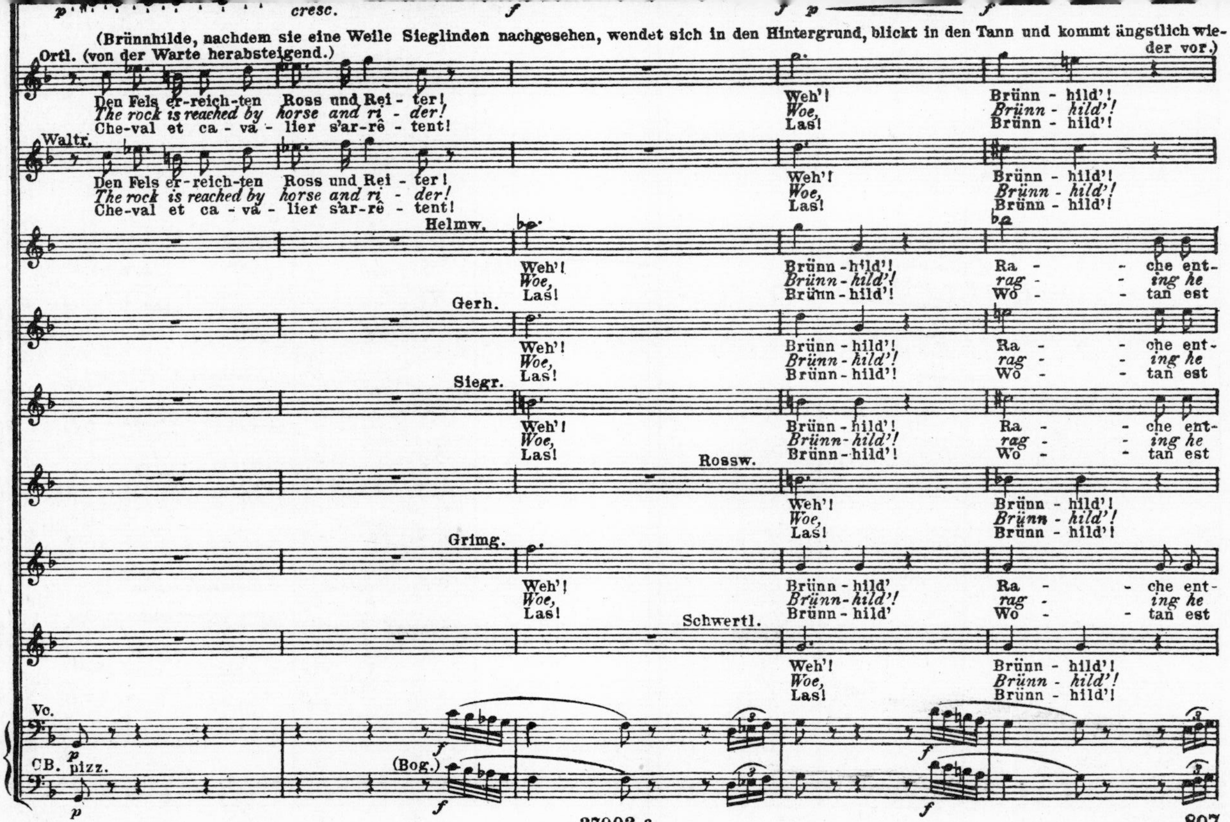

p cresc. f f p f

(Brünnhilde, nachdem sie eine Weile Sieglinden nachgesehen, wendet sich in den Hintergrund, blickt in den Tann und kommt ängstlich wieder vor.)

Ortl. (von der Warte herabsteigend.)

Den Fels er-reich-ten Ross und Rei - ter! Weh'! Brünn - hild'!
The rock is reached by horse and ri - der! Woe, Brünn - hild'!
Che-val et ca - va - lier s'ar-rê - tent! Las! Brünn - hild'!

Waltr.

Den Fels er-reich-ten Ross und Rei - ter! Weh'! Brünn - hild'!
The rock is reached by horse and ri - der! Woe, Brünn - hild'!
Che-val et ca - va - lier s'ar-rê - tent! Las! Brünn - hild'!

Helmw.

Weh'! Brünn-hild'! Ra - - che ent-
Woe, Brünn-hild'! rag - - ing he
Las! Brünn-hild'! Wo - - tan est

Gerh.

Weh'! Brünn-hild'! Ra - - che ent-
Woe, Brünn-hild'! rag - - ing he
Las! Brünn-hild'! Wo - - tan est

Siegr.

Weh'! Brünn-hild'! Ra - - che ent-
Woe, Brünn-hild'! rag - - ing he
Las! Brünn-hild'! Wo - - tan est

Rossw.

Weh'! Brünn - hild'!
Woe, Brünn - hild'!
Las! Brünn - hild'!

Grimg.

Weh'! Brünn-hild' Ra - - che ent-
Woe, Brünn-hild'! rag - - ing he
Las! Brünn-hild' Wo - - tan est

Schwertl.

Weh'! Brünn - hild'!
Woe, Brünn - hild'!
Las! Brünn - hild'!

Vc. p f f

CB. pizz. p (Bog.) f f

3 Fl.
ff dim.
3 Hob.
3 Cl. (B)
p
4 Hör. (F)
4 Hör. (F)
3 Fag.
zu 2.
cresc.
f
Tromp. 1 u. 2. (F)
4 Pos.
Pauk. (A)
tr
p

Brünnh.
Ach, Schwe-stern helft! mir schwankt das Herz! Sein Zorn zer-schellt mich, wenn eu-er
Ah, sis-ters, help! my heart is faint! His wrath will crush me, if ye no
Mes sœurs, pi-tié! Le cœur me manque! Son côur-roux m'é-cra-se, s'il n'est cal-
Ortl.
Ra-che ent-brennt!
rag-ing he comes!
Wo-tan est là!
Waltr.
Ra-che ent-brennt!
rag-ing he comes!
Wo-tan est là!
Helmw.
brennt!
comes!
là!
Gerh.
brennt!
come!
là!
Siegr.
brennt!
comes!
la
Rossw.
Ra-che ent-brennt!
rag-ing he comes!
Wo-tan est là!
Grimg.
brennt!
comes!
là!
Schwrtl.
Ra-che ent-brennt!
rag-ing he comes!
Wo-tan est là!
Vc. u. CB.
fp
ff
f
dim.
p
cresc.

Hob. 1.u.2.
Cl. 1. (B)
Hör. 1.u.2. (F)
Fag. 1.u.2.
più f
cresc.
4 Pos.
cresc.
Donnermaschine (auf d. Theater.)
p
(anschwellend)
Viol.
cresc.
cresc.
Br.
cresc.
Brünnh.
(Die Walküren flüchten ängstlich nach der Felsenspitze hinauf; Brünnhilde lässt sich von ihnen nachziehen.)
Schutz ihn nicht zähmt.
shel - ter can give.
mé par vos pleurs.
Helmw.

Lass' dich nicht seh'n. Hie - her, und
Be thou not seen. Be hid; *and*
Ca - che-toi bien, i - ci, mu -

Gerh.
Hie - her! Schmie - ge dich an uns!
Be hid! Hide thee in our midst!
I - ci! Viens par-mi tes sœurs!

Waltr.
Hie - her! Schmie - ge dich an
Be hid! Hide thee in our
I - ci! Viens par-mi tes

Siegr.
Hie - her, Ver - lor' - ne! und
Then hide, thou lost one! *and*
I - ci! per - du - ! mu -

Rossw.
Hie - her! Lass' dich nicht seh'n und
Then hide! Be thou not seen *and*
I - ci! Ca - che-toi bien, mu -

Grimg.
Hie - her! Schmie - ge dich an
Be hid! Hide thee in our
I - ci! Viens par-mi tes

Schwertl.
Hie - her! Schmie - ge dich an uns und
Be hid! Hide thee in our midst *and*
I - ci! Viens par-mi tes sœurs, mu -

Vc.
p *f* *f* *f* *f*

CB.
p *f*

Hob.
Cl.(B)
Hör.
in F.
(zu 4)
Fag.
4 Pos.
(immer ff)
CB. Tuba.
Donnermaschine (a. d. Th.)
(immer stärker)
Viol.

27002 c
E. E. 6119

Zweite Scene.

Ross! — Hie - her ras't sein rä - chen-der Schritt!
earth! — Hith - er haste his steps for re - venge.
-val — Tout fré - mit au pas du ven - geur!

Ortl.
Ross! — Hie - her ras't sein rä - chen-der Schritt!
earth! — Hith - er haste his steps for re - venge.
-val — Tout fré - mit au pas du ven - geur!

Gerh.
Ross! — Hie - her ras't sein rä - chen-der Schritt!
earth! — Hith - er haste his steps for re - venge.
-val — Tout fré - mit au pas du ven - geur!

(Wotan tritt in höchster zorniger Aufgeregtheit aus dem Tann auf, und schreitet vor der Gruppe der Walküren auf der Höhe, nach Brünnhilde spähend, heftig einher.)

Waltr.
Ross! — Hie - her ras't sein rä - chen-der Schritt!
earth! — Hith - er haste his steps for re - venge.
-val — Tout fré - mit au pas du ven - geur!

Siegr.
Ross! — Hie - her ras't sein rä - chen-der Schritt!
earth! — Hith - er haste his steps for re - venge.
-val — Tout fré - mit au pas du ven - geur!

Rossw.
Ross! — Hie - her ras't sein rä - chen-der Schritt!
earth! — Hith - er haste his steps for re - venge.
-val — Tout fré - mit au pas du ven - geur!

Grimg.
Ross! — Hie - her ras't sein rä - chen-der Schritt!
earth! — Hith - er haste his steps for re - venge.
-val — Tout fré - mit au pas du ven - geur!

Schwertl.
Ross! — Hie - her ras't sein rä - chen-der Schritt!
earth! — Hith - er haste his steps for re - venge.
-val — Tout fré - mit au pas du ven - geur!

Vc.

CB.

ff

Fl.
Hob.
Cl.(B)
Hör.(F)
Fag.
Tromp.(F)
Bss. Tromp.(D)
Pos.
CB.Tub.
Pauk.
(D)
Viol.
Br.
Vc.u.
CB.

Fl.
Hob.
Cl.
Hör.
Fag.
Tromp.
Bss.Tromp.
4 Pos.
Pauk.1.
Viol.
Br.
Wot.
Wo
Where
Où
ist
is
est
Vc.u.CB.

Hob.
p
cresc.
p cresc.
Cl. (B)
p cresc.
p cresc.
Engl. Hr.
p cresc.
Hör. (F)
cresc.
cresc.
Fag.
p cresc.
p cresc.
Viol.
cresc.
cresc.
Br.
cresc.
Wot.
Brünn - hild',
Brünn - hild',
Brünn - hild'?
wo
where
où
die Ver - bre - che - rin?
the re - bel - lious one?
la cou - pa - ble?
Ve. u. CB.
cresc.

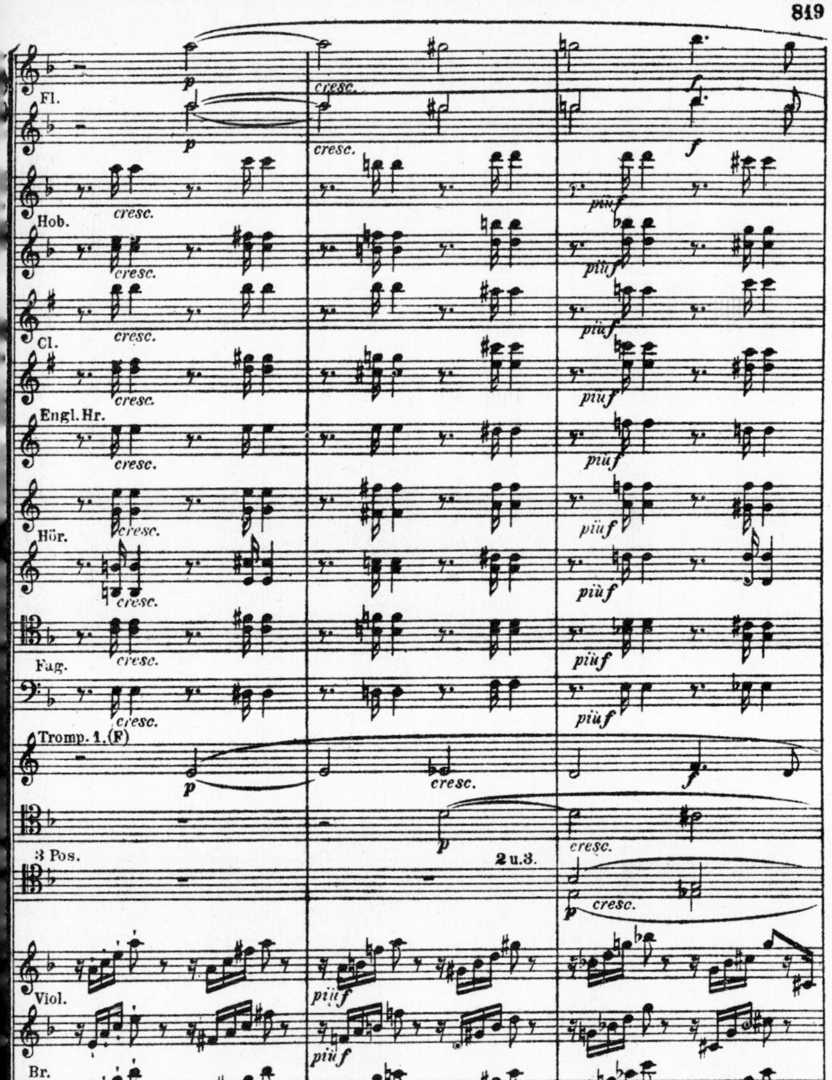

Fl.

Hob.

Cl.

Engl. Hr.

Hör.

Fag.

Tromp. 1. (F)

3 Pos.

2 u. 3.

Viol.

Br.

Wot.

Wag't ihr, die Bö - - - se vor mir zu ber - - gen?
Would ye then dare ——— to shield her from ven - - geance?
O seriez - vous ——— ca - cher la re - bel - - - le?

Vc. u. CB.

p cresc. f piu f

Fl.
Hob.
Cl.(B)
Engl.Hr.
Hör.(F)
Fag.
Tromp.1.(F)
Pos.
CB.Pos.
Pauk.(G)
Viol.
cresc.
più f
dim.

p *cresc.* *p*

Helmw.

Schreck - lich er - tost dein To - - - - ben! Was tha - ten, Va - ter, die Töch - ter, dass sie dich
Fear - ful thy fu - - ry sound - - - - eth! O fa - ther what did thy chil - dren, that they have
Som - bre ru - git ta ra - - - - ge! Que fi - rent, Pè - re, tes fil - les, pour t'ir - ri -

Gerh. *p*

Schreck - lich er - tost dein To - - - - ben! Wer reiz - - te
Fear - ful thy fu - - ry sound - - - - eth! How wak - - ened
Som - bre ru - git ta ra - - - - ge! D'où vient, ô

Ortl.

Schreck - lich er - tost dein To - - - - ben! Was tha - ten, Va - ter, die Töch - ter, dass sie dich
Fear - ful thy fu - - ry sound - - - - eth! O fa - ther what did thy chil - dren, that they have
Som - bre ru - git ta ra - - - - ge! Que fi - rent, Pè - re, tes fil - les, pour t'ir - ri -

Waltr. *p*

Schreck - lich er - tost dein To - - - - ben! Wer reiz - - te
Fear - ful thy fu - - ry sound - - - - eth! How wak - - ened
Som - bre ru - git ta ra - - - - ge! D'où vient, ô

Siegr.

Schreck - lich er - tost dein To - - - - ben! Was tha - ten, Va - ter, die Töch - ter, dass sie dich
Fear - ful thy fu - - ry sound - - - - eth! O fa - ther what did thy chil - dren, that they have
Som - bre ru - git ta ra - - - - ge! Que fi - rent, Pè - re, tes fil - les, pour t'ir - ri -

Rossw. *p*

Schreck - lich er - tost dein To - - - - ben! Wer reiz - - te
Fear - ful thy fu - - ry sound - - - - eth! How wak - - ened
Som - bre ru - git ta ra - - - - ge! D'ou vient, ô

Grimg.

Schreck - lich er - tost dein To - - - - ben! Was tha - ten, Va - ter, die Töch - ter, dass sie dich
Fear - ful thy fu - - ry sound - - - - eth! O fa - ther what did thy chil - dren, that they have
Som - bre ru - git ta ra - - - - ge! Que fi - rent, Pè - re, tes fil - les, pour t'ir - ri -

Schwertl. *p*

Schreck - lich er - tost dein To - - - - ben! Wer reiz - - te
Fear - ful thy fu - - ry sound - - - - eth! How wak - - ened
Som - bre ru - git ta ra - - - - ge! D'où vient, ô

Vc. u. CB. (Vc. allein)

p *cresc.* *f* *f* *p*

Hob.
molto cresc.
2 u. 3.
Cl. 1 u. 2. (B)
cresc.
più f
ff
Engl. Hr.
cresc.
più f
ff
cresc.
più f
ff
Hör. (F)
p cresc.
più f
ff
p cresc.
più f
ff
Fag. 1 u. 2.
p
cresc.
più f
ff
Viol.
cresc.
fp
f
cresc.
fp
f
Br.
cresc.
fp
f
Helmw.
reiz - ten zu ra - sen - der Wuth?
wak - ened thy ter - ri - ble wrath?
-ter du - ne tel - le fu - reur?
Gerh.

27002 c
E. E. 6119

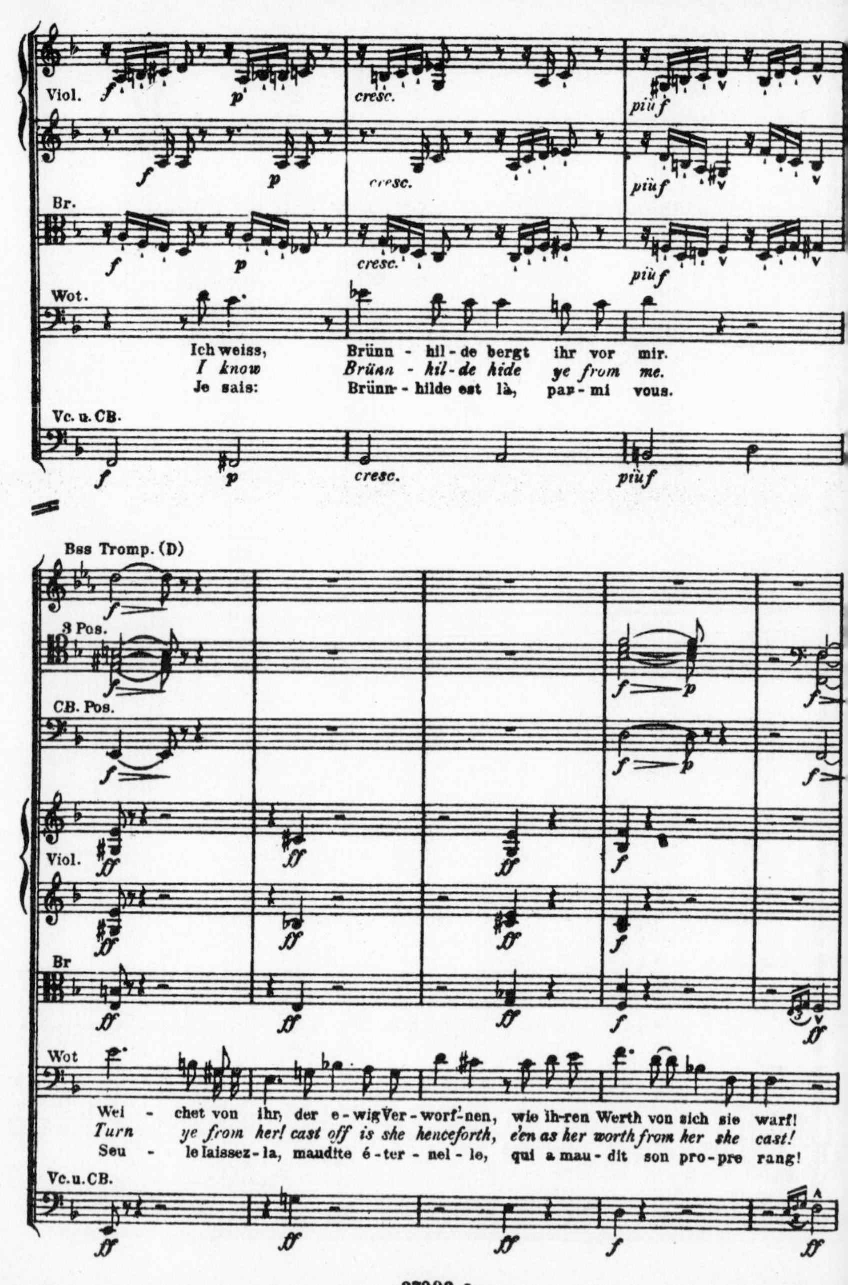
Viol.
Br.
Wot.
Ich weiss, Brünn - hil-de bergt ihr vor mir.
I know Brünn - hil-de hide ye from me.
Je sais: Brünn - hilde est là, par - mi vous.
Vc. u. CB.
Bss Tromp. (D)
3 Pos.
CB. Pos.
Viol.
Br
Wot
Wei - chet von ihr, der e-wig Ver-worf'-nen, wie ih-ren Werth von sich sie warf!
Turn ye from her! cast off is she henceforth, e'en as her worth from her she cast!
Seu - le laissez-la, maudite é-ter-nel-le, qui a mau-dit son pro-pre rang!
Vc.u.CB.

Hr. 2 u. 4. (F)
Fag. 1 u. 2.
3 Pos.
CB. Pos.
Viol.
Br.
dim.
Siegr.
Uns'-ren Schutz fleh-te sie
For our help prayed she to
Toute en pleurs. nous suppli-
Rossw.
Zu uns floh die Ver-folg - - te;
To us fled the pur-sued one.
Vers nous vint la cou - pa - - ble,
Grimg.
Uns-ren Schutz
For our help
Toute en pleurs,
Schwertl.
Uns'-ren Schutz fleh-te sie
For our help prayed she to
Toute en pleurs, nous suppli-
Vc.
CB.
dim.

Hob. 1.
Cl. (B)
1.
Hr. 2 u. 4. (F)
2 Fag.
Viol.
poco cresc.
Br.
Ortl.
Va - - - -
Fa - - - -
Pè - - - -
Waltr.
Mit Furcht und Za - gen fass't sie dein Zorn: für die
Thy rage a - woke her fear and dis - may for our
Son cœur dé - fail - le sous ton cour - roux: pour la
Siegr.
an: Furcht und Za - - - - gen
us: fear and trem - - - bling
-ant: Peur, an - gois - - - - se,
Rossw.
uns' - ren Schutz fleh - te sie an; für die
for our help prayed she to us; for our
toute en pleurs, nous sup - pli - ant; pour la
Grimg.
fleh - te sie an; mit Furcht und Za - gen
prayed she to us: with fear and trem - bling
nous sup - pli - ant: son cœur dé - fail - le
Schwertl.
an: mit Furcht und Za - - gen
us: thy rage a - wak - - ened
-ant: son cœur dé - fail - - le
Vc.

2 Fl.
2 Hob.
Cl. 1.
Hr. 2 u. 4.
3 Fag.
Viol.
Br.
Helmw.
Lass' dich er-wei - - - - - - - chen, für
Soft - en thine an - - - - - - - ger, for
Fais - lui grâ - - - - - - - ce, par pi -
Gerh.
Lass' dich er-wei - - - - chen, lass' dich er-
Soft - en thine an - - - - ger, soft - - - en thine
Fais - lui grâ - - - - ce: Fais - - - lui
Ortl.
- - ter, hör' uns fleh'n! Lass'
- - ther, hear our prayer! Soft - - -
- - re, vois nos pleurs! Grâ - - -
Waltr.
(dringend)
ban - ge Schwe ster bit - ten wir nun, dass den er - sten
trem - bling sis - ter pray we to thee that thy pas - sion's
sœur trem-blan - te, nous te pri - ons, cal - me ton pre -
Siegr.
fasst die Ver-folg - te. Zäh -
seize the pur-sued one Calm
prennent la cou-pa - ble! Cal -
Rossw.
ban - ge Schwe - ster bit-ten wir nun; dass den
trem - bling sis - ter pray we to thee that thy
sœur trem blan - te nous prions toutes, cal - me
Grimg.
fasst sie dein Zür - - - nen, für die Ban - ge
seized is our sis - - - ter: for our sis - ter
sous ta co - le - - - re: pour la sœur trem -
Schwertl.
fasst sie dein Zür - - nen: Für die
her fear and shrink - - ing, for our
sous ta co - lè - - re. Pour la
Vc. Vc. u. CB.
cresc.

Fl.
Hob.
Cl.(B)
1.
1 u. 2.
Hör.(F)
molto cresc.
Fag. 2 u. 3.
3 Pos.
CB. Pos.
Viol.
Br.
Helmw.
più f
cresc.

wei - - - - - - chen!
an - - - - - - ger!
grâ - - - - - - ce!
Ortl.
f
dich er - wei - chen!
- en thine an - ger!
- ce, fais grâ - ce!
Waltr.
Zorn du be - zähm'st
rage may be calmed.
-mier cour - roux!
Siegr.
f
- me den er - sten Zorn!
now thy pas - sion's rage!
- me ton pre - mier cour - roux!
Rossw.
er - sten Zorn du be - zähm'st
pas - sion's rage may be calmed!
ton pre - mier cour - roux!
Grimg.
bit - ten wir dich!
pray we to thee!
blante, en-tends - nous!
Schwertl.
Ban - ge bit - ten wir dich!
sis - ter pray we to thee!
sœur trem-blante, en-tends - nous!
Wot.
Weich-her-zi-ges Wei-ber-ge-zücht! So mat-ten Muth gewannt ihr von
Weak-heart-ed and wo-manish brood! Such sor-ry val-our won ye from
Fil - les au cœur faible et tremblant! D'esprit si lâche vous ai - je cré-
Vc.u.CB.
f
p cresc.
f

Bss. Tromp. (D)
3 Pos.
CB. Pos.
Allmählich etwas zurückhaltend.
Viol.
Br.
Wot.
mir? Er - zog' ich euch kühn zum Kam-pfe zu zieh'n, schuf ich die Her-zen euch
me? I fostered you bold to fare to the field, hard and re-lent-less your
-ées? Vous ai - je don - né l'au-dace aux combats, vous ai - je fait le cœur
Vc.
CB.
Viol.
Br.
Wot.
hart und scharf, dass ihr Wil - den nun weint und greint, wenn mein Grimm ei-ne Treu-lo-se
hearts I wrought, and ye wild ones now weep and whine, when my wrath on a trait or doth
froid et dur, pour vous voir je - ter pleurs et cris, quand mon bras sur l'in-fi - dè - le s'é-
Vc. u. CB.

Etwas breiter, doch nicht gedehnt.

3 Pos. 1 u. 2. 3. *p* *p*

CB. Pos. *p* *p*

CB. Tub. *p* *p*

Viol. *ff* *dim.* *p*

ff *dim.* *p*

Br. *ff* (ten.) *p*

Wot.

straft? So wisst denn, Win-seln-de, was die ver-

fall? Then know, ye trem-bling ones, what was her

-tend? Sachez, pleu - reu - ses, l'ac - te com-

Vc. u. CB. *ff* *dim.* (ten.) *p*

Viol. pizz. *p* pizz. *p* *p*

Br. pizz. *p* *p*

Wot.

brach, um die euch Za - gen die Zäh - re ent - brennt! Kei - ne wie sie

crime for whom your tears now in - pi - ty are shed: No one but she

-mis par cel - le que plaignent vos là - ches san - glots: nul - le comme elle

Vc. (allein) pizz. *p* *p*

3 Pos.
CB. Pos.
CB. Tub.
(Bog.)
Viol.
Br.
Wot.
kann - te mein in - ner - stes Sin - nen!
knew what lay hid in my bo - som;
n'a pé - né - tré ma pen - sé - e;
Vc. u. CB.
dim.
3 Pos.
CB. Pos.
CB. Tub.
Viol.
Br
Wot.
Kei - ne wie sie wuss - te den Quell mei - nes Wil - lens!
no one but she saw to the spring of my spi - rit!
nul - le comme elle n'a su mes vœux dans leur sour - ce!
Vc. u. CB.
dim.

3 Pos.
CB.Pos.
CB.Tub.
Viol.
Br.
Wot.
Sie selbst war mei-nes Wun-sches schaf-fen-der Schooss:
In her deeds my de-sires were born to the day:
C'est elle qui dans son sein cré-ait mon dé-sir:
Vc.u.CB.
dim.
3 Pos.
CB.Pos.
CB.Tub.
Viol.
Br.
(trem.)
Wot.
und so nun brach sie den se-li-gen Bund, dass treu-los sie mei-nem Wil-len ge-
our ho-ly bond she hath now so dis-dained that, faithless, she my own will hath de-
ain-si, bri-sant la douceur de ce lien, son traî-tre crime a bra-vé mon vou-
Vc.u.CB.

Viol.
p
cresc.
p
cresc.
Br.
p
cresc.
Wot.
trotzt mein herrschend' Ge - bot of - fen ver-höhnt, ge-gen mich die Waf - fe gewandt, die mein
fied, my sa - cred com - mand o - pen ly scorned, against me she lift - ed the spear that by
-loir, l'ar - rêt sou - ve - rain est ou - tra - gé, contre moi elle por - te les armes que moi
Vc. u. CB.
p
cresc.
2 Tromp. (E)
2 u. 3.
Bss. Tromp. (Es)
fp
f
3 Pos.
fp
f
CB. Pos.
fp
f
CB. Tub.
fp
f
Viol.
f
più f
ff
Br.
f
più f
ff
Wot.
Wunsch al - lein ihr schuf.
Wo - tan's will she bore! _
seul lui mis en main! _
Hörst du's,
Hear'st thou,
Par - le,
Vc. u. CB.
f
più f
ff

Bass Tromp.
3 Pos.
CB. Pos.
Viol.
Br.
Wot.
Brünn - hil - de? Du, der ich Brünne, Helm und Wehr, Won - ne und
Brünn - hil - de? Thou on whom bir - ny, helm and spear, name and re-
Brünn - hil - de! Toi, de qui for - ce, cas-queet lance. grâce et beau-
Vc. u. CB.
cresc.
3 Pos.
CB. Pos.
3 Fag.
Viol.
Br
Wot.
Huld, Na - men und Le - ben ver - lieh? Hörst du mich Kla - ge er-
nown, life and de - light I be - stowed? Hear'st thou my voice up -
-té, nom, e - xis - tence, sont à moi? Parle et ré - ponds à ma
Vc. u. CB.

3 Fag.
Pauk. (D)
Br.
pizz.
(Bog.)
Wot.
he - ben, und birgst dich bang dem Klä - ger; dass feig' du der Straf' ent-
rais - ed and shrink - ing hid'st thee from me, that thou mayst es-cape thy
plain - te, trem - blan - te qui te ca - ches, et fuis lâ - che - ment l'ar-
Vc. u. CB.
pizz.
(Bog.)
Langsamer.
Cl. 1 u. 2. (B)
Cl. 3. (B)
Bss. Cl. (in A)
Pauk. (D)
Br.
(Brünnhilde tritt aus der Schaar der Walküren hervor, schreitet demüthigen, doch festen Schrittes, von der Felsenspitze herab, und tritt so in geringer Entfernung vor Wotan.)
Wot.
flöhst?
doom?
-rêt?

Cl. 1.
Cl. 2 u. 3.
Bss. Cl.
3 Fag. 1 u. 2. 3.
Br.
Brünnh.
Vc.

p pp piu p

Hier
Here
Or-

Wieder etwas belebter.

4 Hör. (F) (zu 4.)
3 Fag. (zu 3.)
CB. Tub.
Viol.
Br. pizz. (Bog.)
Brünnh.
Wot.
Vc. pizz. (Bog.)
CB. (Bog.)

ff p

bin ich, Va - ter: ge - bie - te die Strafe!
am I, fa - ther: pronounce now my sentence!
-don - ne, Pè - re: dé - ci - de la pei - ne!

Nicht
I -
Ta

3 Pos.
CB. Pos.
Pauk. (Fis)
2.
Viol.
Br.
Wot.
straf' ich dich erst; dei-ne Stra-fe schufst du dir selbst. Durch mei-nen Wil-len warst du al-
sen-tence thee not: thou thy-self thy sen-tence hast shaped. My will a-lone a woke thee to
peine est ton œuvre, et toi-même as fait ton ar-rêt. Par mon vou-loir ton être ex-is-
Vc. u. CB.
2 Hör. (F)
3 u. 4.
2 Fag.
2 u. 3.
3 Pos.
CB. Pos.
Pauk. (As)
Viol.
Br.
Wot.
lein: ge-gen mich doch hast du ge-wollt; mei-ne Be-
life: yet a-gainst my will hast thou worked; thine 'twas a-
-tait: con-tre moi pour-tant tu vou-lus; mes or-dres
Vc.
CB.
cresc.

(F)
4 Hör.
(in Es)
Fag. 2 u. 3.
3 Pos.
CB. Pos.
Pauk. 1.
1.(G)
Viol.
Br.
Wot.
feh- le nur führtest du aus: gegen mich doch hast du be- foh - len;
lone to ful-fil my com-mands: yet a-gainst me hast thou com-mand - ed:
seuls devaient ê- tre ta loi: contre moi pour-tant tu or - don - - nes!
Vc.
CB.

(F)
4 Hör.
(Es)
Fag.
(zu 3)
3 Pos.
CB. Pos.
Pauk.
1. (C)
Viol.
cresc.
Br.
Wot.
Wunsch - maid war'st du mir gegen mich doch hast du ge-wünscht;
wish - maid thou wert to me: against me thy wish has been turned;
Mon vœu fut le tien: contre moi tu for-mes des vœux;
Vc.
CB.

Hör. 1 u. 2. (F)
2 Tromp.
(D)
3 Pos.
CB. Pos.
3 Fag. (zu 3)
1. u. 2.
3.
Pauk. (2. P.)
(A)
Viol.
cresc.
Br.
Wot.
Schild - maid warst du mir: ge-gen mich doch hobst du den Schild;
shield - maid thou wert to me: against me thy shield was up - raised;
mon bras seul t'armait: contre moi ton bras lè - ve l'arme;
Vc.
CB.
più f

(F)
4 Hör.
(F)
3 Fag.
(zu 3)
più f
2 Tromp. (D)
(E)
3 Pos.
CB Pos.
Pauk. 2.
2. (H) tr
Viol.
cresc.
cresc.
Br.
cresc.
Wot.
Loos - kie - se - rin war'st du mir: gegen mich doch kiestest du Loo - se;
lot - chooser thou wert to me: against me the lot hast thou chos - en;
seule, tu connus mes décrets: contre moi pourtant tu dé - crè - tes;
Vc. u. CB.
cresc.

(E)
(verdoppelt) (zu 4)
Hör.
(E)
(verdoppelt) (zu 4)
dim.
3 Fag.
1 u. 2.
3.
Tromp. (E)
(E) ten.
3 Pos.
CB Ps.
Pauk. (H)
(1. P. Cis)
p cresc.
più f
Viol.
più f
Br.
più f
Wot.
Hel - den-rei-ze-rin warst du mir: gegen mich doch reiztest du Hel - den.
he - rostirrer thou wert to me: against me thou stirredst up he - roes.
seule, tu fis surgir mes hé-ros: contre moi ta voix les in - sur - ge!
Vc. u. CB.

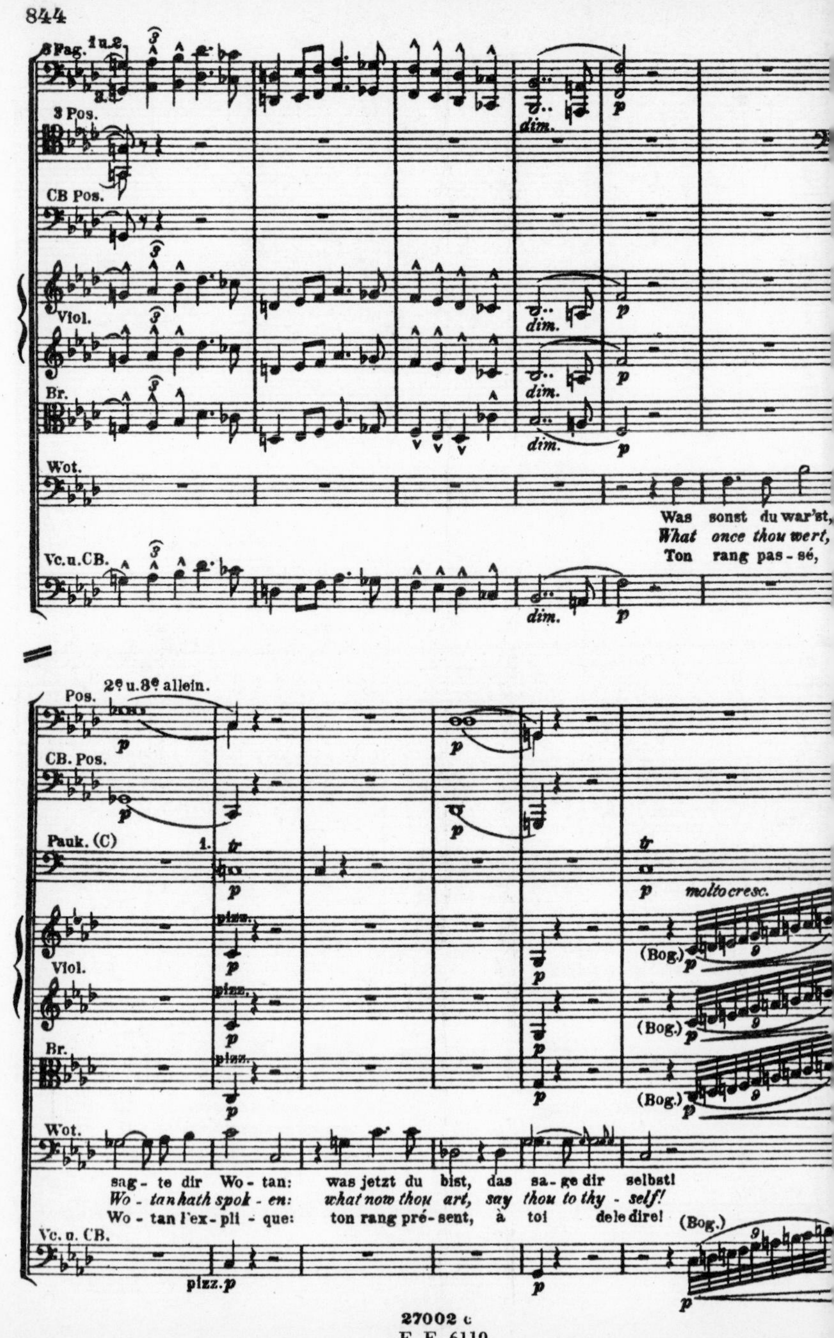

Fag.
1 u. 2
3 Pos.
CB Pos.
Viol.
Br.
Wot.
Vc. u. CB.
dim.
Was sonst du war'st,
What once thou wert,
Ton rang pas-sé,
2º u. 3º allein.
Pos.
CB. Pos.
Pauk. (C)
pizz.
(Bog.)
molto cresc.
sag-te dir Wo-tan: was jetzt du bist, das sa-ge dir selbst!
Wo-tan hath spok-en: what now thou art, say thou to thy-self!
Wo-tan l'ex-pli-que: ton rang pré-sent, à toi de le dire!

Pos. (2u.3)
CB Ps.
Pauk. 1.
2. P. (H)
Viol.
Br.
(gedehnt)
Wot.
Wunsch-maid bist du nicht mehr; Wal - kü - re bist du ge-
Wish - maid art thou no more; Val - ky - rie once wert thou
Mon vœu n'est plus le tien; Wal - kü - re n'est plus ton
Vc. u.CB.
3 Pos.
CB. Pos.
Pauk. 2.
Viol.
Br.
(trem.)
Wot.
(scharf)
we - sen: nun sei fort - an, was so du noch
cal - led: what now thou art, hence - forth shalt thou
ê - tre: de - meu - re donc, ce qu'en - cor tu se -
Vc.
(trem.)
CB.

Schnell.

Schnell.

2 Flöt.
3 Hob.
3 Clar.
3 Fag.
3 Tromp. (F)
3 Pos.
CB Ps.
CB Tub.
1. Pauk. (C)
Viol.
Br.
Brünnh.
ver-steh' ich den Sinn?
What mean-eth thy word:
c'est là — ton ar-rêt?
Wot.
(sehr getragen)
Nicht send' ich dich mehr aus Wal-hall; nicht
No more shall I send thee from Wal-hall; to
Vis loin des cieux, loin du Wal-hall; tes
Vc. u. CB.
f dim.
più p
trem.

3 Pos.
CB Ps.
Viol.
Br.
Wot.
weis' ich dir mehr Hel - den zur Wal, nicht führst du mehr
war - field no more far'st thou on quest; no more bring'st thou
pas n'i - ront plus vers les hé - ros, me - ner les vain-
Vc.u.CB.
Tromp.(F) 1.u.2.(allein)
Bs Trp. (Es)
3 Pos.
CB Pos.
CB Tub.
Pauk. (D G)
Viol.
Br.
Wot.
Sie - ger in mei - nen Saal: bei der Göt - ter trau - tem
he - roes to fill my halls: at the god-head's fest - al
-queurs au di - vin sé - jour: aux ban-quets des Dieux, fê - tes cé-
Vc.u.CB.

2 Flöt.
3 Hob.
3 Clar.
3 Fag.
Tromp.
Bs Trp. (Es)
3 Pos.
CB Pos.
CB Tub.
Pauk. (D.G)
Viol.
Br.
Wot.
Mah - le das Trink - horn nicht reich'st du trau - lich mir mehr; nicht
ban - quet the drink - horn for me thou fil - lest no more; thy
-les - tes, ta main ne doit plus m'of - frir l'hy - dro - mel; ma
Vc. u. CB.
pp
p

27002 c
E. E. 6119

3 Fl.
cresc.
(zu 2)
Hob.
2. poco cresc.
più cresc.
3 Clar.
3.
cresc.
Engl. Hr.
cresc.
Fag.
cresc.
2 Tromp. (F)
Bs Trp. (Es)
3 Pos.
CB Ps.
CB Tub.
Pauk.
(C)
tr
Viol.
(trem.)
Br.
Wot.
Schaar bist du ge - schie - den, aus - - ge - sto - ssen aus der
host no more shall know thee; out - - cast art thou from the
- cré tout te sé - pa - re, loin du tronc la bran-che
Vc. u. CB.

2 Tromp. (F)
Bs Trp.(Es)
3 Pos.
CB Ps.
CB Tub.
Pauk.(C)
Viol.
Br.
Wot.
E - wi-gen Stamm: ge - bro - chen ist un - ser
clan of the gods: for brok - en now is our
morte est tom - bée: je brise i - ci no - tre
Vc.
cresc.

2 Trp.
Bs Trp.
3 Pos.
(zu 3)
Treaty
f
p
cresc.
CB Pos.
CB Tub.
Pauk.
tr
Viol.
Br.
Wot.
Bund; aus mei-nem An - - gesicht bist du ver-
bond, henceforth from sight of my face art thou
lien, de mes re - gards di-vins je te ba-
Vc.u.CB.

Flöt.
Hob.
Clar.(B)
Fag.
(zu 2)
4 Hör. (F)
2 Tromp. (F)
3 Pos.
CB. Pos.
2 Pauk. (hoch F)
(tief F)
dim.

Viol.
Br.
Brünnh.
(Die Walküren verlassen in aufgeregter Bewegung ihre Stellung, indem sie sich etwas tiefer herabziehen.)
Nimmst du mir
All thou once
Tu me dé-
Helmw. u. Gerh.
We - he! Weh'! Schwe - ster, ach Schwe - ster!
Hor - ror! Woe! Sis - ter oh, sis - ter!
Las! Las! Grâ - ce pour el - le!
Ortl. u. Waltr.
Siegr. u. Rossw.
Grimg. u. Schwertl.
Wot.
bannt!
banned.
- nis!
Vc.
CB.
ff
dim.
pizz.

Pauk.
Viol.
Br.
Brünnh.
Al - les, was einst du gab'st?
gav - est thou takst a - way?
-pouil - les de tous tes dons?
Wot.
Der dich zwingt, wird dir's ent-
He who wins robs thee of
Ton vain-queur va te les
Vc.u.CB.
Flöt.
Hob.
Clar. (B)
Engl.Hr.
3 Fag.
3 Pos.
CB Pos.
Viol.
Br.
Wot.
zieh'n! Hie - her auf den Berg ban - ne ich dich; in
all! For here on the rock bound shalt thou be; de-
pren - - dre! I - ci, sur ce roc, reste en ex - il; i-
Vc.
CB.

Fl.
Hob.
Clar.
2 u.3.
Engl. Hr.
Bs Clar. (A)
Fag.
1 u.2
3 Pos.
CB Ps.
più p
CB Tub.
(ein wenig zurückhalten)
pizz.
Viol.
(Bog.)
Br.
Wot.
wehr-lo-sen Schlaf, schliess' ich dich fest; der Mann dann fan-ge die
fence-less in sleep li-est thou locked: the man shall mas-ter the
-nerte et sans armes, dors ton som-meil: qu'un Hom-me domp-te la
Vc.u.CB.
(gestossen)

poco riten.
a tempo
Flöt.
Hob.
Clar. (B)
Engl. Hr.
Bs. Cl. (A)
Fag.
(E)
Hör.
(F)
Tromp. 3 (D)
Viol.
cresc.

Halt' ein den
Re - call the
Ar - rê - - - te -
Ortl.
O Va - ter! halt' ein!
O fa - ther! re-pent!
O Pè - re! ar-rête!
Gerh.
Halt' ein den
Re - call the
Ar - rê - - - te - -
Waltr.
Halt' ein! halt' ein!
Re - pent! re-pent!
Ar - rête! Ar-rête!
Siegr.
Halt' ein den
Re - call the
Ar - rê - - - te - -
Rossw.
Halt' ein den
Re - call the
Ar - rê - - - te - -
Grimg.
O Va - ter! Soll die
O fa - ther! Shall the
O Pè - re! Veux-tu
Schwertl.
O Va - ter! Soll die
O fa - ther! Shall the
O Pè - re! Veux-tu
Wot.
Maid, der am We - ge sie fin - det und weckt.
maid, who shall find her and wake her from sleep.
vierge, s'il la trou - - ve sur son che - min!
Vc.u.CB.
f p f

Hob.
Clar. (B)
Engl. Hr.
4 Hör. (F)
(zu 2)
Fag.
Tromp.
3. (D)
1. u. 2. (Es)
Viol.
Br.

Fluch! Halt' ein! hör' un - ser Fleh'n!
curse! Re - pent! hear now our prayer!
toi! En - tends, Pè - re, nos cris!
Ortl.
Halt' ein! hör' un - ser Fleh'n!
Re - pent! hear now our prayer!
En - tends, Pè - re, nos cris!
Gerh.
Fluch! O Va - ter! Soll die Maid ver-blüh'n und ver-
curse! O fa - ther! Shall the maid - en pale and be
toi! O Pè - re! Veux-tu voir la vier - ge par
Waltr. (In höchster Aufregung kommen sie von der Felsenhöhe ganz herab, und umgeben in ängstlichen Gruppen Brünnhilde, welche halb knieend vor Wotan liegt.)
O Va - ter! Soll die Maid ver-blüh'n und ver-
O fa - ther! Shall the maid - en pale and be
O Pè - re! Veux-tu voir la vier - ge par
Siegr.
Fluch! Soll die Maid verblüh'n und ver - blei - chen dem Mann?
curse! Shall the maid - en pale and be with-ered by man?
toi! Veux-tu voir la vier - ge par l'Hom-me flé-trie?
Rossw.
Fluch! Soll die Maid verblüh'n und ver - blei - chen dem Mann? Schreck - li - cher
curse! Shall the maid - en pale and be with-ered by man? Hard - heart - ed
toi! Veux-tu voir la vier - ge par l'Hom-me flé-trie? O Dieu ter-
Grimg.
Maid ver-blüh'n und ver - blei - chen dem Mann? Ach wen - de ab die
maid - en pale and be with-ered by man? Bring not on her this
voir la vier - ge par l'Hom-me flé-trie? É - par - gne - lui les
Schwertl.
Maid ver-blüh'n und ver - blei - chen dem Mann? Soll die Maid ver-blüh'n und ver-
maid - en pale and be with-ered by man? Shall the maid - en pale and be
voir la vier - ge par l'Hom-me flé-trie? Veux-tu voir la vier - ge flé-
Vc
fp
p
fp

Flöt. 1. 2.

Hob. (zu 2)

Cl. (B) (zu 2)

Engl. Hr.

4 Hör. (F) cresc.

2 Fag. cresc. cresc.

2 Tromp. (F) (F) 1 (F) 2

Viol. cresc.

Wen - - - - - - - - de von ihr die schrei - - - en - de Schmach! Schreck - -
bring not on her this cry - - ing dis - grace! god,
Sau - - - - - - ve ton sang des hon - - - tes sans nom! O
Ortl.
Ach wen-de von ihr die schrei-en-de Schmach! Schreck - - - li-cher
o bring not on her this cry-ing dis-grace! god in thy
E - par-gne lui donc les hon-tes sans nom! O ter-ri-ble
Gerh.
blei-chen dem Mann? Du schreck - li-cher, schreck - - - li-cher Gott!
with-ered by man? O deal thou not, god, in thy wrath,
l'Hom-me flé-trie? O Dieu ter-ri-ble! O ter-ri-ble Dieu!
Waltr.
blei-chen dem Mann? Ach wen-de die Schmach! Ach wen-de, die schrei-en-de
with-ered by man? Ah deal not this shame! ah deal not this cry-ing dis-
l'Hom-me flé-trie? Ah! sau-ve la! E - pargne lui l'hor-rible af-
Siegr.
Wen - - - - - de von ihr die schrei - - - en-de Schmach; schreck - -
bring not on her this cry - - ing dis - grace! dread
Sau - - - - - ve ton sang, des hon - - - tes sans nom! Dieu
Rossw.
Va - - - - ter! Wen - - - de die Schmach! Schreck - - - li-cher, wen-de, ach
fa - - - - ther! deal not this shame! dread father bring not, ah
-ri - - - - ble! Sau - - - ve la! Dieu ter - ri - ble, é -
Grimg.
schrei - - en - de Schmach! Er - hö - re uns! Ach, wen-de, du Schreck-li-cher, wen - -
cry - - ing dis - grace! give ear to us! dread fa - ther, o bring not, o bring
hon - tes sans nom! E - xau - ce-nous! E - par-gne-lui donc, Dieu ter - ri - - - -
Schwertl.
blei-chen? Ach wen - de ab die Schmach! Ach wen-de, du Schreckli-cher, wen - - - de, ach
with-ered? Ah deal not this dis - grace! ah bring thou not, fa - ther, ah bring not, ah
-tri - e? E - par - gne lui l'af - front! E - par-gne lui donc Dieu ter - ri - - - ble, e -
Vc.
f fp cresc. fp p cresc.

3 Fl.
3 Hob.
3 Clar. (B)
Engl. Hr.
1.
Tromp. (F)
2.
cresc.
f
Bs. Trp. (Es)
4 Hör.
2 Fag.
(zu 2)
cresc.
più f
Viol.
Br.

- li - cher Gott! Wen - - - - de von ihr die schrei - - - - - en - de Schmach!
in thy wrath, bring not on her this cry - - - - ing dis - grace!
ter - ri - ble Dieu! sau - - - ve la d'af - front d'un tel af - front!

Ortl.

Gott! Wen - - - de die Schmach! Schreck - - - li - cher! Ach wen - de,
wrath deal not this shame, deal it not! ah bring not,
Dieu! sau - - - ve - la d'af - front! Dieu cru - el! E - par - gne -

Gerh.

Wen - - - de die Schmach! Schreck - - - - li - cher, ach, wen - de die Schmach!
deal not this shame, deal thou not, ah deal not this shame!
sau - - ve - la d'af - front! Dieu cru - el! é - - par - gne l'af - front!

Waltr.

Schmach! Wen - - - de die Schmach! Ach wen - de, Schreckli - cher, die Schmach! Ach wen - de,
grace! deal not this shame, ah deal not, fa - ther this dis - grace, ah deal not,
- front! sau - - - ve - la d'af - front! é - par - gne - lui l'horrible af - front, é - par - gne -

Siegr.

- - li - cher, wen - de von ihr die schrei - en - de Schmach! Ach wen - de die Schmach!
fa - ther, bring not on her this cry - ing dis - grace, ah deal not this shame!
ter - ri - ble sau - ve - la donc d'un tel af - front! Ah! c'est trop d'af - front!

Rossw.

wen - - - de die schrei - en - de Schmach von ihr! Ach wen - de,
bring not this cry - ing dis - grace on her ah deal not,
- par - - gne lui donc cet hor - ri - - - - ble af - front! E - par - gne -

Grimg.

- de, ach wen - de von ihr die - se schrei - en - de Schmach, wend' ab die Schmach,
not, ah bring not on her this cry - ing dis - grace, deal not this shame!
- ble, é - par - gne - lui donc, é - par - gne - lui cet af - front! c'est trop d'af - front!

Schwertl.

wen - de von ihr die - se schrei - en - de Schmach, ach wen - de die Schmach, ach wen - de,
bring not on her this cry - ing dis - grace, ah deal not this shame! ah deal not
- par - gne - lui donc é - par - gne - lui cet af - front, l'hor - reur de l'af - front! E - par - gne -

Vc.

più f

1. u. 2.
Fl.
3.
ff
Hob.
(zu 2)
f
3 Cl. (B)
(zu 2)
Engl. Hr.
2 Tromp. (F)
Bs. Trp. (Es)
(zu 2)
4 Hör. (F)
(zu 2)
2 Fag. (zu 2)
Viol.

Wie die Schwe - ster träf' uns auch
For our sis - - ter's shame on us,
Ton ar - rêt sur nous é - - - tend
Ortl.
wen - de die Schmach von ihr! Wie sie trä - fe uns
bring not dis - grace on her, on us her dis -
lui cet hor - ri - - - - - ble af - - - front: comme el - - le nous por -
Gerh.
ff
Wie die Schwe - ster träf' uns auch der Schimpf, soll die hei - li - ge Maid ver-blüh'n und ver -
For our sis - - ter's shame fal - leth on us, should the ho - li - est maid - en pale and be
Ton ar - rêt sur nous jet - te la hon - te, s'il faut que la sœur con-dam-née soit pas
Waltr.
wen - de die Schmach! Wie die Schwe - - - - ster träf' uns
deal not this shame for our sis - - - - ter's shame on
lui cet af - front: Ton ar - rêt sur nous é - - -
Siegr.
ff
Wie die Schwe - ster trä - fe uns sel - ber der Schimpf, soll die hei - li - ge Maid ver-blüh'n und ver -
For our sis - - ter's shame on us too would fall, should the ho - li - est maid - en pale and be
Ton ar - rêt sur nous fait tom-ber mê - me hon - te, s'il faut que la sœur condam-née soit par
Rossw.
wen - de die Schmach Wie sie auch träf' uns
deal not this shame our sis - - - ter's shame on
lui cet af - front: comme el - - - le nous por - - -
Grimg.
ff
Wie die Schwe - ster trä - fe uns sel - ber der Schimpf, soll die hei - li - ge Maid ver-blüh'n und ver -
For our sis - - ter's shame on us too would fall, should the ho - li - est maid - en pale and. be
Ton ar - rêt sur nous fait tom-ber mê - me hon - te, s'il faut que la sœur condam-née soit par
Schwertl.
wen - de die Schmach! Wie sie träf'
deal not this shame! on us her
lui cet af - front: Car nous por - - -
Vc.
tr
ff
CB.
f

3 Fl.
(zu 3)
Hob.
Clar. (B)
Engl. Hr.
2 Tromp. (F)
4 Hör. (F)
Fag.
(zu 3)
1. u. 2.
3.
Bs. Trp. (Es)
Pos.
cresc.
CB. Pos.
Pauk.
(G)
più f
dim.
ff
f
mf

Helmw.

ihr Schimpf, wie die Schwester träf' uns selbst auch ihr Schimpf!
would fall; for our sis-ter's shame on us too would fall!
l'af- - front! Ton ar- - rêt nous frap-pe d'un mê - - - -me af - front!

Ortl.

auch ihr Schimpf, wie die Schwester träf' uns selbst auch ihr Schimpf!
grace would fall; for our sis-ter's shame on us too would fall!
-tons l'af- - front! Ton ar- - rêt nous frap-pe d'un mê - - - -me af - front!

Gerh.

blei-chen dem Mann, wie die Schwester träf' uns selbst auch ihr Schimpf!
with-ered by man; for our sis-ter's shame on us too would fall!
l'Hom-me flé-trie; Ton ar- - rêt nous frap-pe d'un mê - - - -me af - front!

Waltr.

auch ihr Schimpf, wie die Schwester träf' uns selbst auch ihr Schimpf!
us would fall; for our sis-ter's shame on us too would fall!
tend l'af- - front! Ton ar- - rêt nous frap-pe d'un mê - - - -me af - front!

Siegr.

blei-chen dem Mann, wie die Schwester träf' uns selbst auch ihr Schimpf!
with-ered by man; for our sis-ter's shame on us too would fall!
l'Hom-me flé-trie; Ton ar- - rêt nous frap-pe d'un mê - - - -me af - front!

Rossw.

auch- ihr Schimpf, wie die Schwester träf' uns selbst auch ihr Schimpf!
us would fall; for our sis-ter's shame on us too would fall!
-tons l'af- - front! Ton ar- - rêt nous frap-pe d'un mê - - - -me af - front!

Grimg.

blei-chen dem Mann, wie die Schwester träf' uns selbst auch ihr Schimpf!
with-ered by man; for our sis-ter's shame on us too would fall!
l'Hom-me flé-trie; Ton ar- - rêt nous frap-pe d'un mê - - - -me af - front!

Schwertl.

uns ihr Schimpf, wie die Schwester träf' uns selbst auch ihr Schimpf!
shame would fall; for our sis-ter's shame on us too would fall!
-tons l'af- - front! Ton ar- - rêt nous frap-pe d'un mê - - - -me af - front!

Vc.

ff ff

CB.

ff

3 Fag.
Bs Tromp. (Es)
3 Pos.
CB Ps.
CB Tub.
Pauk.
(C)
p cresc.
pizz.
Viol.
dim.
(Bog.)
Br.
Wot.
Hör - tet ihr nicht, was ich ver - hängt?
Have ye not heard Wo-tan's de - cree?
N'est - - ce donc clair, ce que j'ai dit?
Aus eu' - rer Schaar ist die
From out your troop must your
De vo - tre grou - pe la
Vc.u.CB.

Bs Tromp.
3 Pos.
CB Ps.
CB Tub.
Viol.
Br.
dim.
Wot.

treu-lo-se Schwester ge-schie-den; mit euch zu Ross durch die
trai-tor-ous sis-ter be banished; as once she rode through the
sœur in-fi-dèle est chas-sé-e: et son che-val ne doit

Vc.u.CB.

Bs Tromp.
3 Pos.
CB Ps.
CB Tub.
Viol.
Br.
Wot.

Lüf-te nicht rei-tet sie länger; die magd - - li-che Blu-me ver-
clouds with you rides she no longer; her maid - - - en hood's flower will
plus se ca-brer près des vôtres; sa fleur vir-gi-na-le se

Vc.u.CB.
(trem.)

3 Hob.
Engl. Hr.
3 Clar. (B)
3 Fag.
Bs Cl. (B)
Hr. 1. (F)
Hr. 2. (F)
Hr. 3. (F)
Hr. 4. (D)
Pauk.
Viol.
Br.
Wot.
Vc. u. CB.
blüht der Maid; ein Gat - te ge-winnt ih-re weib-li-che Gunst, dem herrschenden
fade a - way; a hus-band will gain all her womanly grace: the will of her
fane et meurt; l'é - poux va ré - gner sur ce corps de douceur; à l'Homme, son

poco riten.
rallent.
3 Fl.
(zu 2)
3 Hob.
Engl. Hr.
Clar.
Fag.
p stacc.
Bs Cl.
1 u. 2.
Hör.
3 u. 4.
poco riten.
3 Pos.
CB Ps.
CB Tub.
Pauk. 1 (B)
poco rall.
rallent.
(Bog.)
Viol.
(Bog.)
Br.
pizz.
(Bog.)
(grell und etwas gedehnt.)
Wot.
Man - ne gehorcht sie fort - an; am Her - de sitzt sie und
mas - ter she now shall o - bey, by the hearth at home shall she
maî - tre, sa vie ap - par - tient; as - sise el - le file au foy -
Vc. u. CB.
cresc.
dim.

riten.
a tempo
kl. Fl.
3 Flöt.
2.
Hob. 1.
Hob. 2.
Hob. 3.
Cl. 1. (B)
Cl. 2. (B)
Cl. 3. (B)
Engl. Hr.
(F)
4 Hör.
(F)
Bs. Cl. (B)
zu 2
più f
ff
f
tr

Trp. 2.
(F)
ff
Trp. 3.
(in E)
Bs.Trp. (Es)
3 Pos.
(zu 3)
CB. Pos.
CB. Tuba.
1. Pauk.
(B)
Viol.
Br.
Wot.
spinnt, al-ler Spot-tenden Ziel und Spiel!
spin, to all mockers a mark for scorn!
er, condam - née au mépris de tous!
(Brünnhilde sinkt mit einem Schrei zu Boden; die Walküren weichen entsetzt, mit Geräusch von ihrer Seite.)
Vc.
CB.
più f

(F)
3 Tromp.
(3 in E)
3 Pos.
CB. Pos.
CB. Tuba.
Viol.
Br.
Wot.
Schreckt euch ihr Loos? So flieht die Ver-lor-
Frights you her lot? Then fly from the lost
Trem - blez - vous pas? Quit - tez la mau-di-
Vc.u.CB.
3 Tromp.
3 Pos.
CB. Tuba.
Viol.
Br.
Wot.
- ne! Wei-chet von ihr, und hal-tet euch fern! Wer von euch wag-te
— one! Wend ye from her and bide ye a - far! If one should ven-ture
- te! Et pour ja-mais fuy - ez loin d'i - ci! Car si quel-qu'u-ne
Vc.u.CB.

Tromp.
3 Pos.
CB. Tuba.
Viol.
Br.
Wot.
bei ihr zu wei-len, wer mir zum Trotz zu der Trau-ri-gen hielt, die
near her to lin-ger, in my de-spite be friend-ing her fate; that
près d'el-le res-te, et me pro-voque en pre-nant son par-ti, la
Vc.u.CB.
Tromp.
4 Pos.
(3 u. 4 Ten. Bass Pos.)
CB Tuba.
Viol.
Br.
Wot.
Thö-rin theil-te ihr Loos: das künd' ich der Küh-nen an.
rash one shar-eth her lot: then heed ye right well my word!
folle au-ra mê-me sort: j'an-nonce à l'or-gueil ce-la!
Vc.u.CB.

Tromp. 1 u. 2. (F)
Bs. Trp. (in D)
(in D)
4 Pos.
Viol.
Br.
Wot.
Fort jetzt von hier; mei-det den Fel - sen.
Hence now a - way; hither re - turn not!
Loin de ce roc! loin de ces ci - mes!
Vc. u. CB.
Bs. tromp. (in D)
4 Pos.
Viol.
Br.
Wot.
Hur - tig jagt mir von hin - nen, sonst er - harrt Jam - mer euch
Swift - ly ride from the moun-tain lest ill fate light on you
Promptes, pre - nez vo - tre cour - se: le mal - heur veille en ce
Vc. u. CB.

Lebhaft.
(doppelt)
1. u. 3.
5. u. 7.
8 Hör. (E)
(doppelt)
2. u. 4.
6. u. 8.
Tromp. 3 (in E)
Bs. tromp. (in D)
Pauk. 1. (Fis)
molto cresc.
Rührtrommel (tief gespannt.)
cresc.
Viol.
Br.
Helm. u. Ortl.
Weh'!
Woe!
(Die Walküren fahren unter wildem Schrei auseinander und stürzen in hastiger Flucht in den Tann.)
Gerh. u. Walt.
Las!
Siegr. u. Grimg.
Weh'!
Woe!
Rossw. u. Schwertl.
Las!
Wot.
hier!
here!
lieu!
Vc.
CB.

3 Fl.
Hob.
Cl.(in A)
Engl. Hr.
Bs.Cl.(A)
Fag.
8 Hör. (E)
(E)
3 Tromp.
(E)
Bs.tromp. (in D)
4 Pos.
più f
più f

27002 c
E. E. 6119

1 kl. Fl.
3 Fl.
8
ff
Hob.
Cl. (A)
più f
Engl. Hr.
Bs. Cl. (A)
Fag.
più f
8 Hör. (E)
(8)
1.u.3.
2.u.4.
5.u.7.

Tromp. (E)
più f
Bs. trp. (D)
ff
4 Pos.
CB. Tub.
Pauk. 1. (H)
tr
Rührtrommel.
mf
Viol.
Br.
Vc.
CB.

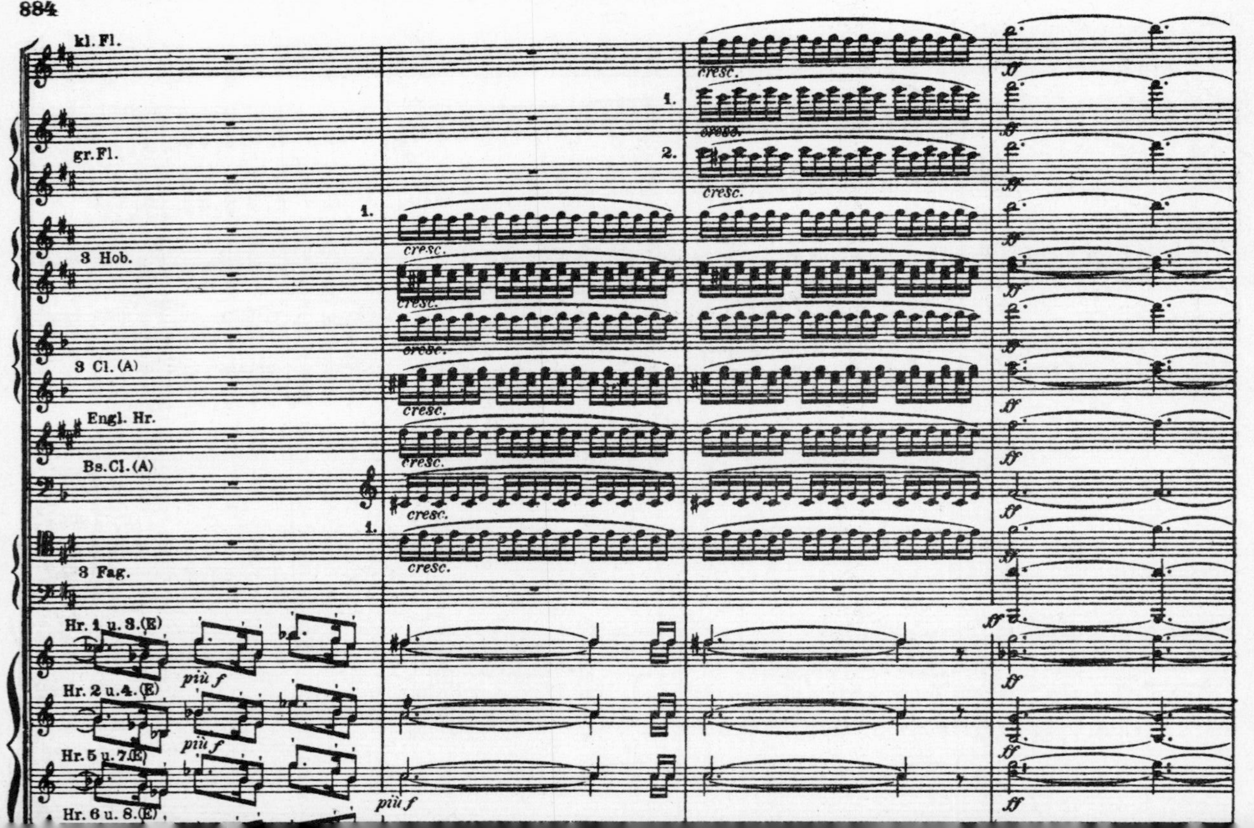
kl. Fl.
gr. Fl.
3 Hob.
3 Cl. (A)
Engl. Hr.
Bs. Cl. (A)
3 Fag.
Hr. 1 u. 3. (E)
Hr. 2 u. 4. (E)
Hr. 5 u. 7. (E)
Hr. 6 u. 8. (E)
cresc.
più f
ff

3 Tromp. (E)

Bs. tromp. (D)

Pos. 1 u. 2.

CB. Tuba.

Pauk. 1 (H)

Rührtrommel.

cresc.

più cresc.

Viol.

Br.

(Ein greller Blitzesglanz bricht in dem Gewölk aus; in ihm erblickt man die Walküren mit verhängtem Zügel, in eine Schaar zusammengedrängt, wild davon jagen.)

Vc.

(geth.)

CB.

kl. Fl.
gr. Fl.
3 Hob.
meno f
zu 2
meno f
dim.
(A)
3 Cl.
(A)
meno f
zu 2
meno f
dim.
Engl. Hr.
Bs. Cl. (A)
meno f
3 Fag.
meno f
(zu 2)
meno f
Hr. 1 u. 3.
(E)
(zu 2)
meno f
dim.
Hr. 2 u. 4.
(E)
(zu 2)
meno f
Hr. 5 u. 7.
(E)
meno f
Hr. 6 u. 8.
(E)

3 Tromp. (E)

Bs.tromp. (D)

4 Pos.

CB. Tuba.

Pauk. 1 (H)

Rührtrommel.

Viol.

Br.

Vc.

CB.

ff ff dim. dim. dim. dim. dim. dim. dim. meno f meno f meno f meno f meno f meno f p tr

1.
3 Hob.
2.3.
dim.
1.
3 Cl.(A)
2.3.
dim.
3.
Bs.Cl.(A)
dim.
dim.
3 Fag.
(zu 2)
Hr. 1 u. 3. (E)
Hr. 2 u. 4. (E)
Hr. 5 u. 7. (E)
dim.
Hr. 6 u. 8. (E)
dim.
Bs.tromp.(D)
mf
Pauk. 1.(H)
tr
tr
dim.
Viol.
dim.
Br.
dim.
(Bald legt sich der Sturm; die Gewitterwolken verziehen sich allmählig. In der folgenden Scene bricht, bei endlich ruhigem Wetter, Abenddämmerung ein, der am Schlusse Nacht folgt.)
Vc.
dim.

Hob. 2.
p
Cl. 1.
dim.
più p
Cl. 2.
dim.
più p
Cl. 3.
p
Bs. Cl.
p
p
Fag.
dim.
p
1 u. 3.
p
2. u. 4.
p
Hör. 5.6.7.8.
p
Bs. tromp.
mf
dim.
p
Pauk.
tr
più p
Viol.
Br.
Vc.

1.
Cl. (A)
2.
Fag. 2 u. 3.
(zu 2)
Hör. 2 u. 4. (E)
Pauk. 1
tr
Viol.
p
più p
p
più p
Br.
pizz.
p
Vc.
p
Allmählich etwas langsamer
Bs Cl. (A)
p
(ausdrucksvoll)
Viol.
pp
pp
Br.
(Bog.)
pp
Vc.
pp

Bs.Cl.
Viol.
Engl. Hr.
Bs.Cl.
mf
dim.
più p
p
Viol.
mf
più p
Engl. Hr.
(ausdrucksvoll)
f
p
Bs.Cl.
pp
(ausdrucksvoll)
Fag.1.
pp
mf
p
(nur 8) trem.
Viol.
pp
(nur 8)
trem.
pp
Br. (nur 6)
trem.
pp
Vc. (nur 6)
trem.
pp

Dritte Scene.

Etwas langsam.

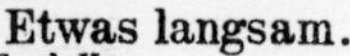

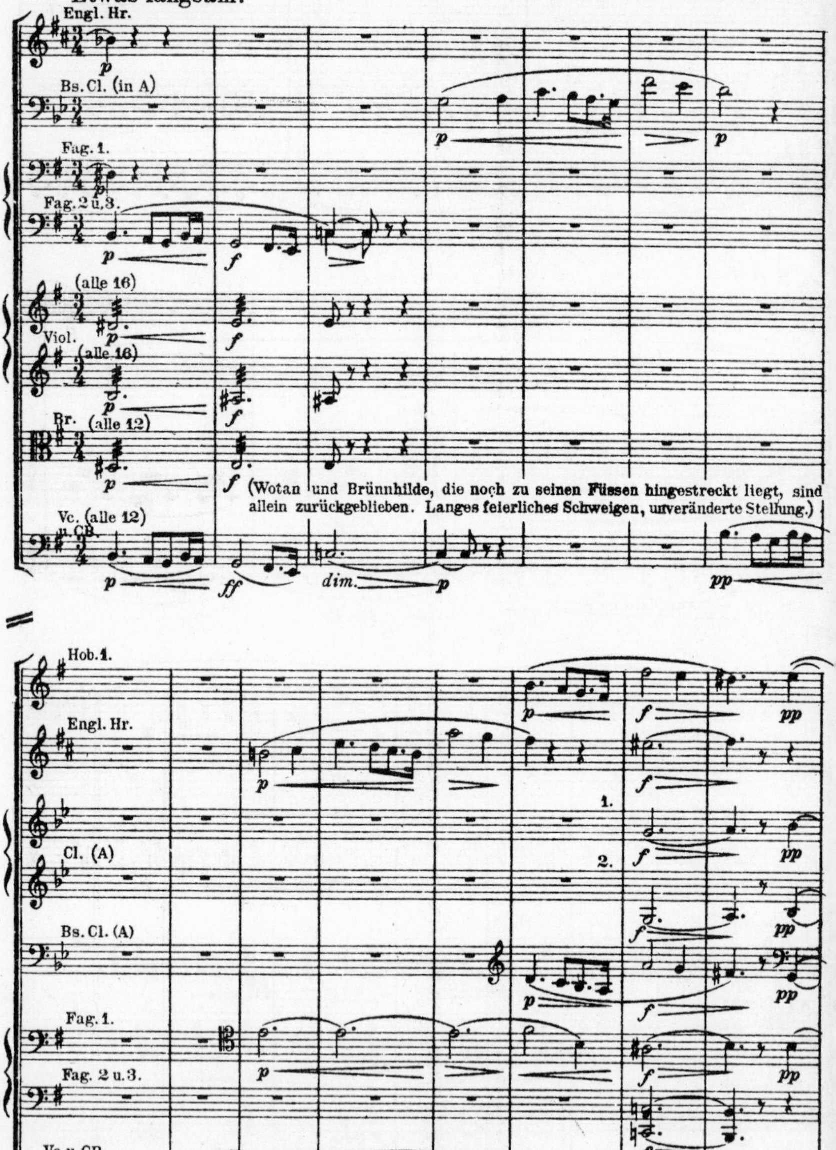

Engl. Hr.

Bs. Cl. (in A)

Fag. 1.

Fag. 2 u. 3.

Viol. (alle 16) (alle 16)

Br. (alle 12)

(Wotan und Brünnhilde, die noch zu seinen Füssen hingestreckt liegt, sind allein zurückgeblieben. Langes feierliches Schweigen, unveränderte Stellung.)

Vc. (alle 12) u. CB.

Hob. 1.

Engl. Hr.

Cl. (A)

Bs. Cl. (A)

Fag. 1.

Fag. 2 u. 3.

Vc. u. CB.

Hob. 1.
Engl. Hr.
Clar. (A)
Bs. Cl.
Fag. 1.
(ausdrucksv.)
4 Hör. (in E)
(Sie beginnt das Haupt langsam ein wenig zu erheben.)
Bs. Cl.
(schüchtern beginnend und sich steigernd)
Brünnh.
War es so schmäh-lich, was ich ver - brach, dass mein Ver - bre - chen so
Was my of - fence so lad - en with shame, that the of - fend - er so
Si gran-de hon - te ai - je com - mis, que sur mon cri - me la
Hob. 1.
Engl. Hr.
Fag. 1.
Bs. Cl.
Brünnh.
schmäh-lich du be - strafst?
shame - ful - ly is scourged?
hon - te tombe ain - si?
War es so nied - rig, was ich dir
Was there such deep dis - grace in my
Fus - je si bas - se, dans mon for -

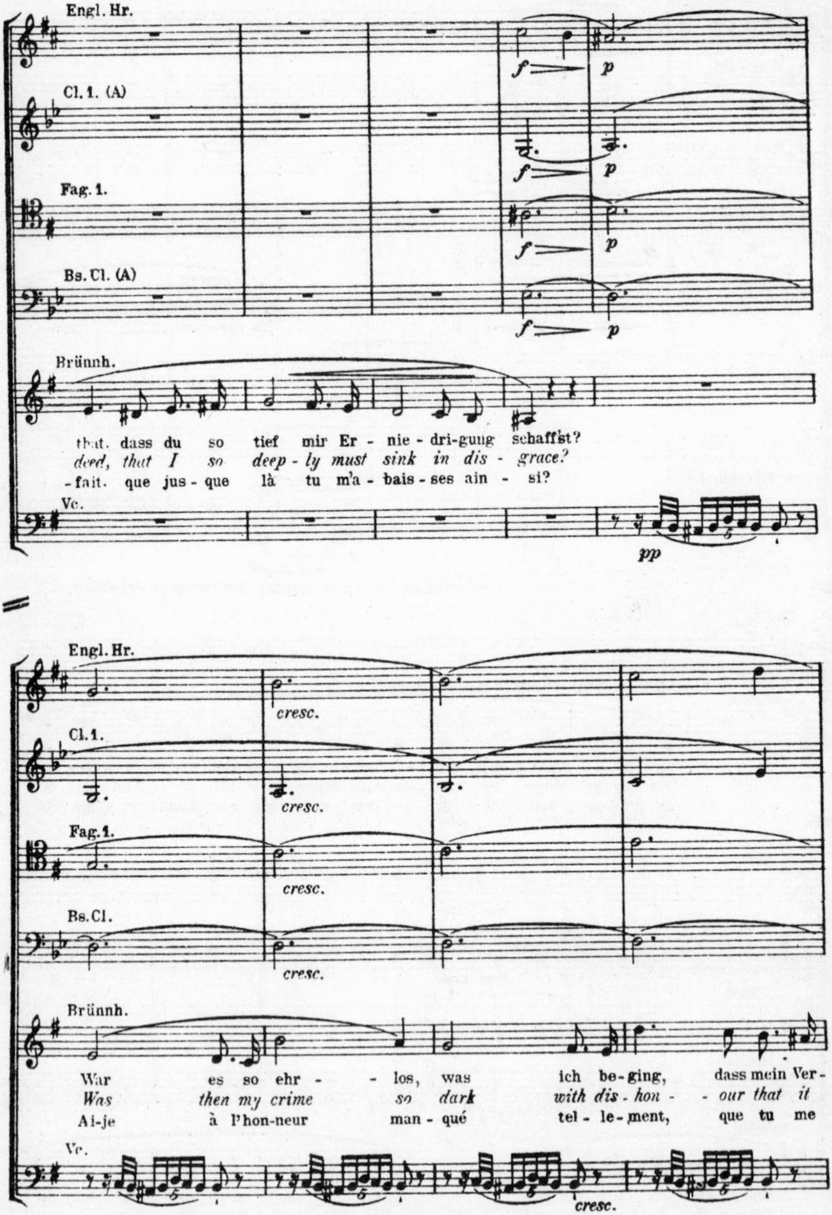

Engl. Hr.

Cl. 1. (A)

Fag. 1.

Bs. Cl. (A)

Brünnh.

that. dass du so tief mir Er - nie - dri-gung schaffst?
deed, that I so deep - ly must sink in dis - grace?
-fait. que jus-que là tu m'a - bais - ses ain - si?

Vc.

Engl. Hr.

Cl. 1.

Fag. 1.

Bs. Cl.

Brünnh.

War es so ehr - - los, was ich be - ging, dass mein Ver -
Was then my crime so dark with dis - hon - - our that it
Ai-je à l'hon-neur man - qué tel - le - ment, que tu me

Vc.

Hob. 1.
Engl. Hr.
Cl. 1.
Fag. 1.
Bs. Cl.
Brünnh.
(Sie erhebt sich allmählig bis zur knieenden Stellung:)
geh'n nun die Eh - - - re mir raubt?
robs me of hon - - - our for aye?
pren - - - nes l'hon-neur à ja - mais?
Vc.
Hob. 1.
Engl. Hr.
2 Cl.
Fag. 1.
Bs. Cl.
Brünnh.
O sag': Va - ter! Sieh' mir ins Au-ge:
O say: fa - ther! Look in my eyes:
O dis Pè - re! Vois dans mon â - me:

Hob. 1.
più cresc.
molto cresc.
ff dim.
Engl. Hr.
p cresc.
Cl. (A)
più cresc.
Fag. 1.
Bs. Cl. (A)
Brünnh.
schwei-ge den Zorn,
si - lence thy wrath,
cal-me ta fu-reur;
zäh - me die Wuth, und deu - te mir
soft - en thy rage, and shew to me
dompte ta ra-ge et mon-tre-moi
poco acceler.
dim.
trem.
Viol.
(am Stege)
pp
Br.
Vc.
klar die dun - kle Schuld, die mit star - rem Tro - tze dich zwingt, zu ver-
clear the hid - den guilt that in cru - el an - ger doth force thee to
clair l'ob-scur for - fait, qui con - traint ton coeur en cour - roux à mau-

Hob. 1.
riten.
Engl. Hr.
Cl.
Fag.
Bs. Cl.
Hr. 1. (E)
Hr. 3. (E)
Hr. 2. (E)
Hr. 4. (E)
riten.
Viol.
(gewöhnlich)
Br.
Brünnh.
riten.
sto - ssen dein trau - te-stes Kind?
cast off the child of thy heart.
-di - re l'en - fant le plus cher!
(in unveränderter Stellung, ernst und heiter)
Wot.
Frag' dei-ne That, sie
Ask of thy deed, and
Songe à ton acte, lui
Vc.
riten.
CB.

Belebend.
Hr. 1. (E)
(ten.)
(ten.)
Hr. 3. (E)
(ten.)
(ten.)
(ten.)
Hr. 2. (E)
(ten.)
(ten.)
Hr. 4. (E)
(ten.)
(ten.)
Viol.
Br.
Brünnh.
Deinen Be - fehl führte ich aus.
By thy com - mand on - ly I fought.
A ton vou - loir j'o - bé - is - sais.
Wot.
deu - tet dir dei - ne Schuld!
that will shew thee thy guilt!
seul t'ex - pli - que ta faute!
Be - fahl
By my
T'a - vais -
Vc. u. CB.

4 Pos.
Viol.
più p
pp
p
cresc.
Br.
più f
Brünnh.
So hie-ssest du mich als
So didst thou de-cree as
Ain - si tu di-sais, seul
Wot.
ich dir, für den Wälsung zu fechten?
command didst thou fight for the Wälsung?
je dit de lut-ter pour le Wälsung?
Vc.u.CB.
poco cresc.
Belebt.
2 Hob.
Engl. Hr.
fp
dim.
Herrscher der Wal!
lord of the lots!
maî-tre du Choix!
Doch mei-ne Wei-sung nahm ich wieder zu-rück!
But my de-cree thou knew'st a-gain I re-called!
Mais cet ar-rêt pour-tant je te le re-pris!

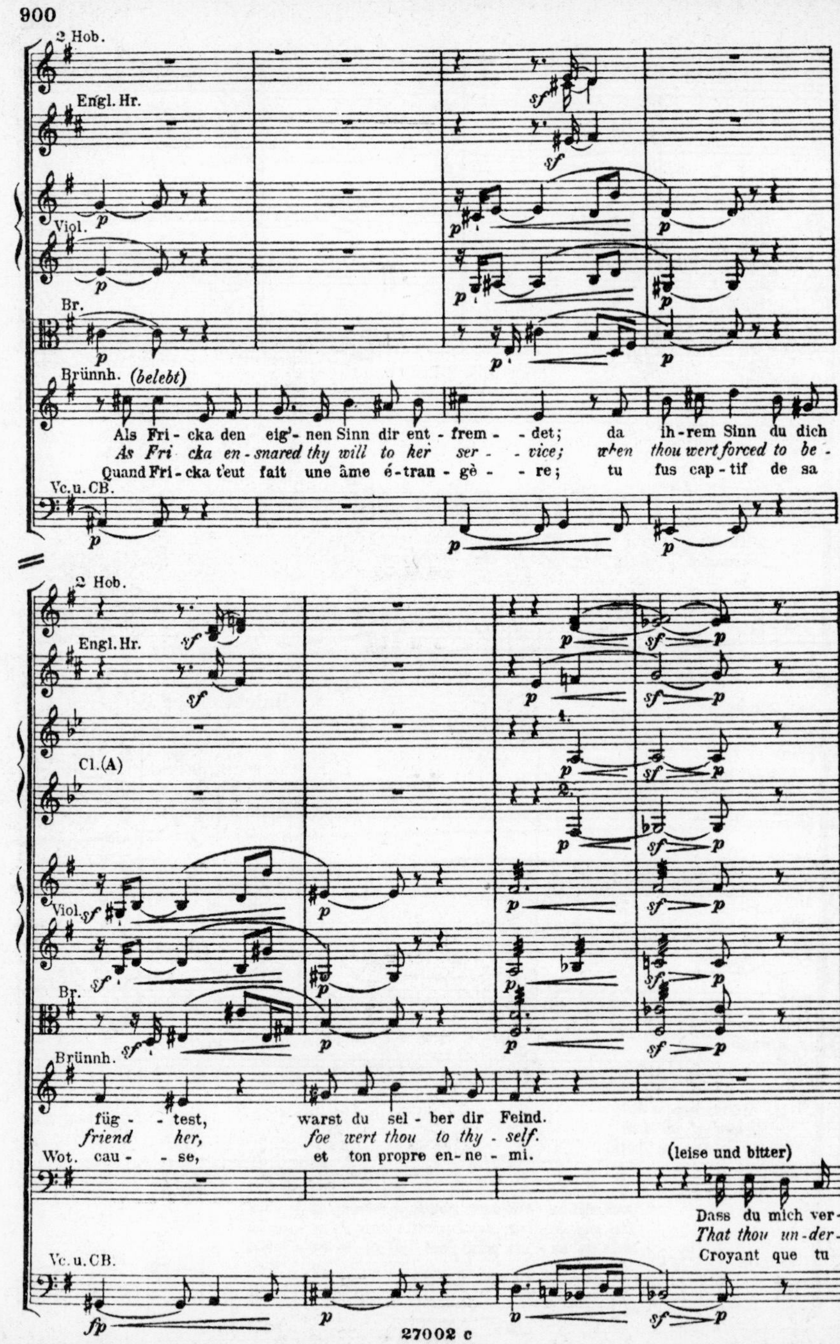
2 Hob.
Engl. Hr.
Viol.
Br.
Brünnh.
(belebt)
Als Fricka den eig'nen Sinn dir ent-frem-det; da ih-rem Sinn du dich
As Fri cka en-snared thy will to her ser-vice; when thou wert forced to be-
Quand Fricka t'eut fait une âme é-tran-gè-re; tu fus cap-tif de sa
Vc. u. CB.
2 Hob.
Engl. Hr.
Cl. (A)
Viol.
Br.
Brünnh.
füg-test, warst du sel-ber dir Feind.
friend her, foe wert thou to thy self.
Wot. cau-se, et ton propre en-ne-mi.
(leise und bitter)
Dass du mich ver-
That thou un-der-
Croyant que tu
Vc. u. CB.

2 Hob.
Engl. Hr.
Cl.
Viol.
Br.
Wot.
stan-den, wähnt' ich, und straf-te den wis - sen-den Trotz: doch
stood'st me, weened I, and chid-ed thy in - so-lent thought: but
sus com-pren - dre, je dus châ-ti-er ta ré - volte: mais
Vc.u.CB.
Viol.
Br.
Wot.
feig und dumm dach-test du mich! So hätt' ich, Ver-rath nicht zu
coward and fool deem-edst thou me! So had I not trea - son to
lâche et vil tu m'as ju - gé! a - lors j'oublie-rais l'in-fi -
Vc.

Etwas breit wie im Anfang.
Hob. 1.
Engl. Hr.
Viol.
pizz.
Br.
(geth.)
pizz.
Wot.
rä-chen; zu ge-ring wär'st du mei-nem Grimm?
punish, all too mean wert thou for my wrath.
-dè-le, trop in-di-gne de mon cour-roux?
Vc.
pizz.
Belebend.
Hob. 1.
Engl. Hr.
Fag. 1.
(ausdrucksvoll)
2 Cl. (A)
cresc.
Bs. Cl. (A)
cresc.
Br.
(Bog.) pp
cresc.
Brünnh.
Nicht wei-se bin ich, doch wusst' ich das
No wis-dom have I, yet knew I this
J'i-gno-re tout, hors cet-te cho-se
Vc.
(Bog.) p
cresc.

riten. Langsam.
a tempo
3 Fl.
p dol.
pp
Hob. 1.
Engl. Hr.
f
dim.
p
p cresc.
Cl.
mf
p dol.
Bs.Cl.
pp
Fag. 1.
cresc.
4 Hör. (E)
(Bog.)
mf
Viol.
Br.
Brünnh.
riten.
(Sehr langsam.)
(bewegt)
Ei - ne, dass den Wäl - sung du lieb - - test.
one thing, that the Wäl - sung thou lov - - edst.
seu - le, que le Wäl - sung, tu l'ai - - mes.
Ich wuss - te den
I knew all the
J'ai vu la dé -
Vc.
CB.
pizz.

Viol.
Br.
Brünnh.
Zwiespalt, der dich zwang, diess Ei - ne ganz zu ver - ges-sen. Das An - d're
strife for-cing thy will that drove that love from re - membrance. The o - ther
tres - se qui te - treint, l'u - nique a - mour que tu quit - tes. Le res - te;
Vc.
Vc.u.CB.
fp
sfp
musstest ein - zig du sehn, was zu schau'n so herb schmerz - te dein Herz, dass
on - ly couldst thou dis - cern, which, so sad to sight, preyed on thy heart that
seul re - tint tes re - gards, et te fit souf-frir l'â - pre tour - ment à
cresc.
sf p
Sieg - mund Schutz du ver - sag - test.
Sieg - mund might not be - shield - ed.
Sieg - mund d'ô - ter ton ai - de.
Wot.
Du wusstest es so, und wag - test dennoch den Schutz?
Then knew - est thou that and nathless gave him thy shield?
Tu vis tout ce - la, et tu l'o - sas pro - té - ger?
Vc. (allein)
Vc.u.CB.

Bs. Cl. (A)
Viol.
Br.
Brünnh.
(leise beginnend)
Weil für dich im Au - ge das Ei - - - ne ich
As for thee I held but the one in my
Mon re - gard n'a vu que l'u - ni - - - que ten -
Vc. pizz.
(Bog.)
CB. pizz.
Fag. 1.
Bs. Cl.
poco cresc.
Viol.
Br.
più p
Brünnh.
hielt, dem, im Zwan - ge des An - d'ren schmerz - lich ent - zweit, rath - - - -
eyes, when en - trammeled wert thou by two - fold de - sire, blind - - -
- dresse, de qui, dans la con - trainte où sai - gne ton coeur, fai - - -
Vc.
CB.
pizz.

2 Clar.(A)
2 Fag.
Bs.Cl. (A)
Hr.4 allein
Bs.tromp. (in D)
Viol.
Br.
Brünnh.
los den Rü - cken du wan - dtest! Die im Kam - pfe
ly thy back on him turn - ing! She who in the
-bles, tes yeux se dé - tour - nent! Cel - le qui cou -
Vc.
CB.

Hob. 1.
Cl. 1.
Cl. 2.
Fag. 1.
Fag. 2.
Bs. Cl.
Hr. 4. (C)
Bs. tromp.
Viol.
Br.
Brünnh.
Wo- -tan den Rücken be-wacht, die sah nun Das nur, was
field wards thy back from the foe_ she saw now on- -ly what
-vrait ta retraite au com-bat, a vu ce-la seul, ca-
Vc.
CB. pizz.
cresc.
cre-
p

Hob.
Cl. 1. (A)
Cl. 2. (A)
Engl. Hr.
Fag. 1.
Fag. 2.
Fag. 3.
Bs. Cl. (A)
4 Hör. (in E)
Viol.
Br.
Brünnh.
du nicht sah'st: Sieg - - -
thou saw'st not: Sieg - - -
- ché pour toi: Sieg - - -
Vc.
CB.

Belebend.
Hob.
Engl. Hr.
Cl.
2 u. 3.
2 u. 5.
Hör.
3 u. 8.
Bs. Cl.
Fag.
Bs. tromp. (D)
1 u. 2.
Pos.
3 u. 4.
Pauk. (Fis u. A)
pizz.
Viol.
Br.
(Bog.)
Brünnh.
mund musst' ich seh'n.
mund I be - held.
mund, je dus le voir.
Tod kün - dend trat ich vor
Death - doom I brought to him
Vers lui, fu - nè - bre, je
Vc.
(Bog)
CB.
immer pizz.

Hob. 2.
cresc.
Engl. Hr.
Cl. (A) 2 u. 3.
Hör. (E) 2 u. 5.
3 u. 8.
Bs. Cl. (A)
Fag.
cresc.
Bs. tromp. (D)
dim.
4 Pos.
Pauk. (Fis u. A.)
pizz.
(Bog.)
Viol.
Br.
Brünnh.
ihn, gewahr - te sein Au - ge, hör - te sein
there; I looked in his eyes, heard his la -
vins; j'ai vu son vi - sa - ge, j'ou-ïs sa pa -
Vc.
Bog.
CB.

Hob. 1.
Engl. Hr.
2 Hr. (E).
1.u.2.
3 Fag.
Viol.
Br.
Brünnh.
Wort; ich ver-nahm des Hel - - den hei - - li - ge
ment: I discerned the he - - ro's bit - - ter dis-
-ro - le; je compris du hé-ros la sain - - te dou-
Vc.
CB.
(Bog.)p
Tromp. 1. (E)
3 Pos.
Viol.
Br.
Brünnh.
Noth; tö - - nend er-klang mir des Ta - - pfer-sten
tress; loud - - ly re-sound - ed the plaint of the
-leur; triste en mon cœur fut l'é-cho de sa
Vc. u. CB.

Hob.
1.
Cl. (A)
1.
Engl. Hr.
Hör. 1 u. 2. (D)
1.
Fag.
2 u. 3.
Viol.
cresc.
Br.
Brünnh.
Kla - ge: frei - es - ter Lie - be furcht - ba - res
bold one: un - bound-ed love's most hope - less des-
plain - te: li - bre ten-dres - se, som - bre tour-
Vc. u. CB.

Hob. 1.
sf p
cresc.
più f
Cl. 1.
sf
Engl. Hr.
sf p
cresc.
più f
Hr. 1 u. 2.
sf
p
sf
3 Fag.
sf
p
cresc.
sf
p
mf
cresc.
Viol.
sf
sf
Br.
sf
p
cresc.
Brünnh.
Leid trau - - rig - sten Mu - - thes mäch - tig - ster
pair, sad - - dest heart's most daunt - less dis-
- ment, d'une â - - me en dé - tres - - se â - - pre dé-
Vc.
p
cresc.
sf
CB.
p
fp

Hob. 1.
(ausdrucksvoll)
Cl. (A)
Engl. Hr.
Hör. (E)
3 Fag.
4 Pos.
Viol.
Br.
Brünnh.
Trotz!
dain.
- fi!
Meinem Ohr er - scholl,
My ears have heard,
Mon oreille en - ten - dit,
Vc.
CB.

2 Hob.
più f
ff
Cl. 1.
p molto cresc.
ff
Cl. 2.
p molto cresc.
più f
Engl. Hr.
più f
ff
Hör.
dim.
f
più f
dim.
f
più f
dim.
p
molto cresc.
più f
3 Fag.
cresc.
più f
p
4 Pos.
p
p cresc.
più f
ff
Viol.
p
sf
molto cresc.
ff
Br.
p
più f
ff
Brünnh.
mein Ang' er-schau - - te was tief im
my eyes have seen what, deep in my
mon oeil vit clair ce qu'au fond de
Vc.
p
più f
ff
CB.
molto cresc.
più f

2 Hob.
rallent.
dim.
p
Cl. 1.
dim.
Cl. 2. (A)
ff
Engl. Hr.
dim.
p
ff
p
Hör.
(E)
ff
p
4 (in D)
p
ff
dim.
p
p
3 Fag.
ff
dim.
p
pp
4 Pos.
pp
dim.
più p
pp
Viol.
dim.
più p
pp
Br.
dim.
più p
Brünnh.
Bu - sen das Herz zu heil' - gem Be - ben mir
bo - som with awe and trem - bling filled all my
l'ê - tre mon cœur sen - tait d'un trou - ble sa -
Vc.
dim.
più p
pp
CB.
ff
dim.
più p
pp

I° Tempo.
2 Cl.
più p
Fag. 1.
più p
Hr. 4. (D)
più p
pp
Bs. Cl.
(A)
pp
4 Pos.
Br.
pp
Brünnh.
traf!
heart.
cré!
Scheu und staunend stand ich vor Scham.
Dazed and shrinking stood I in shame.
Pâle, mu - et - te, j'ai vu ma honte.
Vc.
pp
pp
CB.
geth.
pizz.
pp
pp
Cl.
1 u. 2.
Hr. 2 u. 4. (in E)
zu 2
p
Fag.
p
2. p
Bs. Cl.
Viol.
dolce
cresc.
pp
Br.
pp
Brünnh.
belebend
Ihm nur zu die - nen konnt' ich noch den - ken:
How I might serve him must I be - think me:
Toute à sa cau - se fut ma pen - sé - e
Vc.
cresc.
CB.
pp
p

Hob.1.
1 u.2.
fp
Cl.(A)
fp
cresc.
Engl. Hr.
fp
1 u.3.
Hör. (in E)
2 u.4.
zu 2.
cresc.
poco a poco
2 Fag.
fp
p
p cresc.
Bs. Cl.(A)
fp
Bs.tromp.(D)
p
mf
cresc.
Viol.
poco a poco
Br.
cresc. poco a poco
Brünnh.
Sieg o-der Tod mit Sieg - - - mund zu thei - len:
tri - - umph or death to share with Sieg - mund:
vaincre ou pé - rir avec Sieg - - - mund sur l'heu - re,
Vc.
poco a poco
CB.
cresc.

Hob.
poco f
più f
Cl.
Engl. Hr.
1 u. 3.
Hör.
2 u. 4.
1u. 2.
Fag.
3.
Bs Cl.
2 Tromp. (E)
p
cresc.
Viol.
Br.
Brünnh.
dies nur er - kannt' ich zu kie - - - sen als
that seemed on - ly the lot I could
tel fut mon rô - - le, et le choix et le
Vc.
CB.

rallent.
Hob.
Cl. (A)
Engl. Hr.
1 u. 3.
Hör (E)
2 u. 4.
1 u. 2.
Fag.
3.
Bs. Cl. (A)
2 Tromp. (E)
dim.
Viol.
Br.
Brünnh.
langsam
Loos!
choose!
sort!
Der diese
He who this
Par cet a -
Vc. u. CB.
dim.
più p

Etwas breit.
2 Fl.
(ausdrucksvoll)
cresc.
Hob. 1.
Cl. 1.
p dolce
(ausdrucksvoll)
Engl. Hr.
p dolce
1 u. 2.
Hör.
3 u. 4.
p dolce
3 Fag.
p dolce
Bs. Cl.
p dolce
1. Pauk. (H.)
tr
pp
Br.
geth.
trem.
Brünnh.
Lie - - be mir in's Herz ge - legt, dem Wil - len, der dem
love in - to my heart had breathed, whose will had placed the
mour qu'en moi toi seul as cré - é, par l'or - dre qui du
Vc. u. CB.
pizz.
pp

2 Fl.
p cresc.
pp
cresc.
2 u.3.
3 Hob.
1.
mf
Cl.(A)
Engl. Hr.
4 Hör. (E)
3 Fag.
4 Pos.
Pauk. (E.)
tr
poco cresc.
Viol.
Br.
Brünnh.
Wälsung mich ge - sellt, ihm in-nig ver-traut
Wäl-sung at my side, true on-ly to him,
Wälsung me fit sœur, tou - te à ton dé - sir,
Vc.
Bog.
CB.
Bog.

Lebhaft.
2 Fl.
2 u. 3.
Hob. 1.
3 Cl.
Engl. Hr.
4 Hör. (E)
3 Fag.
zu 3.
4 Pos.
Pauk.
Viol.
Br.
Brünnh.
f breiter
dim.
trotzt' ich dei-nem Ge - - bot.
thy word did I de - - fy.
fiè - re, je t'ai bra - - vé.
Wot.
So tha-test du, was so
So thou hast done what so
Toi seule ain-si tu pus
Vc.
CB.

3 Hob.
zu 3.
Engl. Hr.
Fag.
zu 3
(E)
Hör.
(F)
Viol.
Br.
Wot.
gern zu thun ich be-gehrt;
dear-ly I had de-sired,
fai - re l'ac-te rê - vé,
doch was nicht zu thun die Noth zwie-fach mich
yet by two-fold fate to my will was de -
qu'à mon cœur dé-fend un dou - ble dé - ses-
Vc. u. CB.
dim.
2 Hob.
Engl. Hr.
4 Hör. (E)
2 Fag. (zu 2)
Viol.
Br.
Wot.
zwang?
nied!
-poir?
So leicht wähn-test du Won-ne des Her-zens er-
So light deem-edst thou winning of hearts deep-est
Si vi - te tu goû - tas le bonheur d'un cœur
Vc. u. CB.
più f

accel.

2 Fag. · Viol. · Br. · Wot. · Vc. · CB. pizz. (Bog.)

wor - ben, wo bren - nend Weh' in das Herz mir brach, wo gräss - li-che Noth den

rap - ture, when burn - ing woe in my heart out-broke, when an - guish a-woke the

li - bre, tan-dis qu'en moi la dou-leur brû-lait, dé tres - se de mort qui

riten. a tempo

Engl. Hr. · Fag. 1 u. 2. · 3 Pos. · CB. Pos. · Viol. · Br. · Wot. · Vc. u. CB.

Grimm mir schuf, ei-ner Welt zu Lie - be der Lie - be Quell im ge-quäl - ten Her-zen zu

grim intent, for the world I loved so, the spring of love in my tor-tured heart to im-

m'a contraint, pour l'a-mour d'un mon-de, d'ô - ter l'A - mour de ce cœur ron-gé de tor-

Engl. Hr.
3 Fag.
Bs. tromp. Es.
3 Pos.
CB. Pos.
Viol. 2.
heftig
Br.
(heftig)
Wot.
hem - men?
pris - - on?
tu - - res?
Wo ge - gen mich sel - - ber ich seh-rend mich
When 'gainst my own self in my tor-ment I
A - lors contre moi je luttais dans l'an -
Vc.
CB.
CB. Tuba.
Viol.
Br.
cresc.
dim.
wand - - te, aus Ohnmacht Schmer - - zen schäumend ich auf - schoss,
turned me, from weakness' pangs I rose up in fren - zy,
gois - - se, vaincu d'a - van - - ce, fou de co - lè - re, —

2 Hr. (F)
1 u. 2.
Bs.tromp.
3 Pos.
CB. Pos.
CB. Tuba.
Viol.
Br.
Wot.
wü - thender Sehnsucht sen - gender Wunsch den schreck - li-chen Wil - len mir
fu - - ri-ous yearning's fier - cest de-sire the fear - - ful design in me
rage et dé-sir, ré - volte en courroux, m'ont fait ce vouloir meurtri-
Vc.
CB.
p
mf
cresc.

accel.
3 Hob.
2 u 3.
3 Cl.(B)
2 u 3.
1 u. 2.
cresc.
4 Hör. (F)
3 u. 4.
3 Fag.
Bs. tromp. (Es)
cresc.
3 Pos.
cresc.
più f
CB. Pos.
cresc.
più f
CB. Tuba.
Viol.
Br.
Wot.
schuf in den Trüm - mern der eig' - - - - nen
wrought, in the wreck of my ru - - - - ined
er, en la mort de mon pro - - - - pre
Ve. u. CB.

molto accel.
rallent.
Fl. 1 u. 2.
Hob.
Cl.
Hör.
Fag.
1. u. 2. (F)
Tromp.
3. (E)
Bs. tromp.
3 Pos.
CB. Pos.
CB. Tuba.
1. Pauk. (Es.)
Viol.
Br.
Wot.
Welt — meine ew'ge Trauer zu enden:
world — my unending sorrow to bury:
monde — de finir ma peine éternelle:
Vc. u. CB.
pizz.

Mässig und zurück-
Hör. 2 u. 4. (Es)
(ten.)
Fag. 2 u. 3.
Pos.
zu 3.
ten.
più p
Pauk. 1. (Es)
Viol.
Br.
Wot.
(etwas frei)
da lab - te süss dich
then thou wert lapped in
mais toi, — de purs trans-
Vc. u. CB.
haltend.
Viol.
Br.
Wot.
se - li-ge Lust; won - ni-ger Rüh-rung üp - pi-gen Rausch ent-trank'st du
bliss-ful de-light; filled with e - mo-tion's rap - turous joy thou drank - est
ports t'eni-vraient; trou - ble su - a - ve, char - me puis - sant, tu bois, heu-
Vc. u. CB.

Hob.
3 (allein)
Engl. Hr.
Cl. 3. (B)
3.
Fag.
2 u. 3.
Bs. tromp. (Es)
3 Pos.
CB. Pos.
Viol.
Br.
Wot.
la - chend der Lie - be Trank, als mir gött - li - cher Noth na - gen-de
laughing the draught of love with mine gall of the god's bit - ter - est
- reu - se, le philtre A - mour, quand moi, Dieu plein d'an-goisse, seul, je m'a-
Vc.
CB.

vide 10

Etwas bewegter.

Hob. 3.
pp

E 1. Hr.
pp

Cl. 3. (B)
pp

Fag. 2 u. 3.
pp

Viol. 2.
p mf

Br.
p cresc. mf

Wot.
(trocken und kurz)

Gal - le ge-mischt? Dei-nen
bond-age was mixed. Now thy
breu - ve de fiel? Que ton

Vc.
p cresc. mf

CB.
p cresc. mf

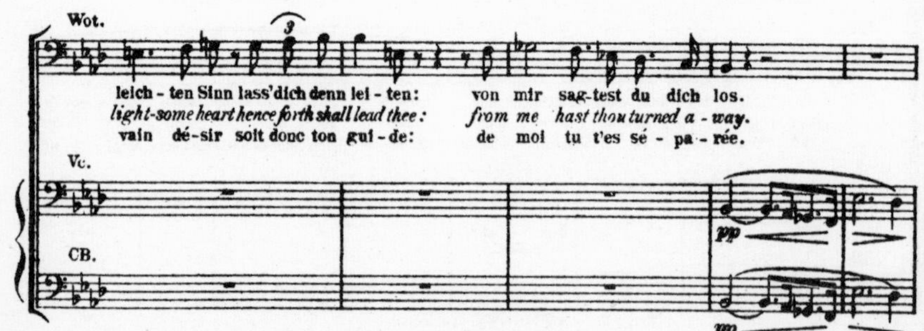

Viol.
Br.
Wot.
Dich muss ich mei-den; ge-mein-sam mit dir nicht darf ich Rath mehr
Aye must I shun thee; to-ge-ther no more may we e'er whis - per
Mon cœur t'é - car - te; je dois m'affran - chir de ton con - seil fu-
Vc.
CB.
accel.
Bs. tromp. (Es.)
3 Pos.
CB Pos.
CB. Tub.
Viol.
Br.
Wot.
rau-nen; ge-trennt nicht dür-fen traut wir mehr schaffen, so weit Le-ben und
coun-sel; hence-forth our paths are part-ed for e-ver, for while life shall en-
nes - te; dis-tincts, nous ne de-vons vivre en-sem - ble: dans le temps et l'es-
Vc.
CB. pizz.
(Bog.)

Lebhaft.
rall.
Bs. tromp. (Es)
3 Pos.
CB Pos.
CB. Tub.
Viol.
Br.
Wot.
Luft, darf der Gott dir nicht mehr be-geg-nen!
dure may the god ne'er give thee his greeting!
-pa-ce, le Dieu ne doit te con-nai-tre!
Vc. u. CB.
Langsamer.
Engl. Hr.
Hob.
Cl. (B)
1 u. 2.
Fag.
Viol. 1 u. 2.
Br.
Brünnh.
(einfach)
Wohl taug-te dir nicht die thör-ge
Un-fit was for thee this fool-ish
Ain-si ton en-fant n'a su t'ai-
Vc. u. CB.

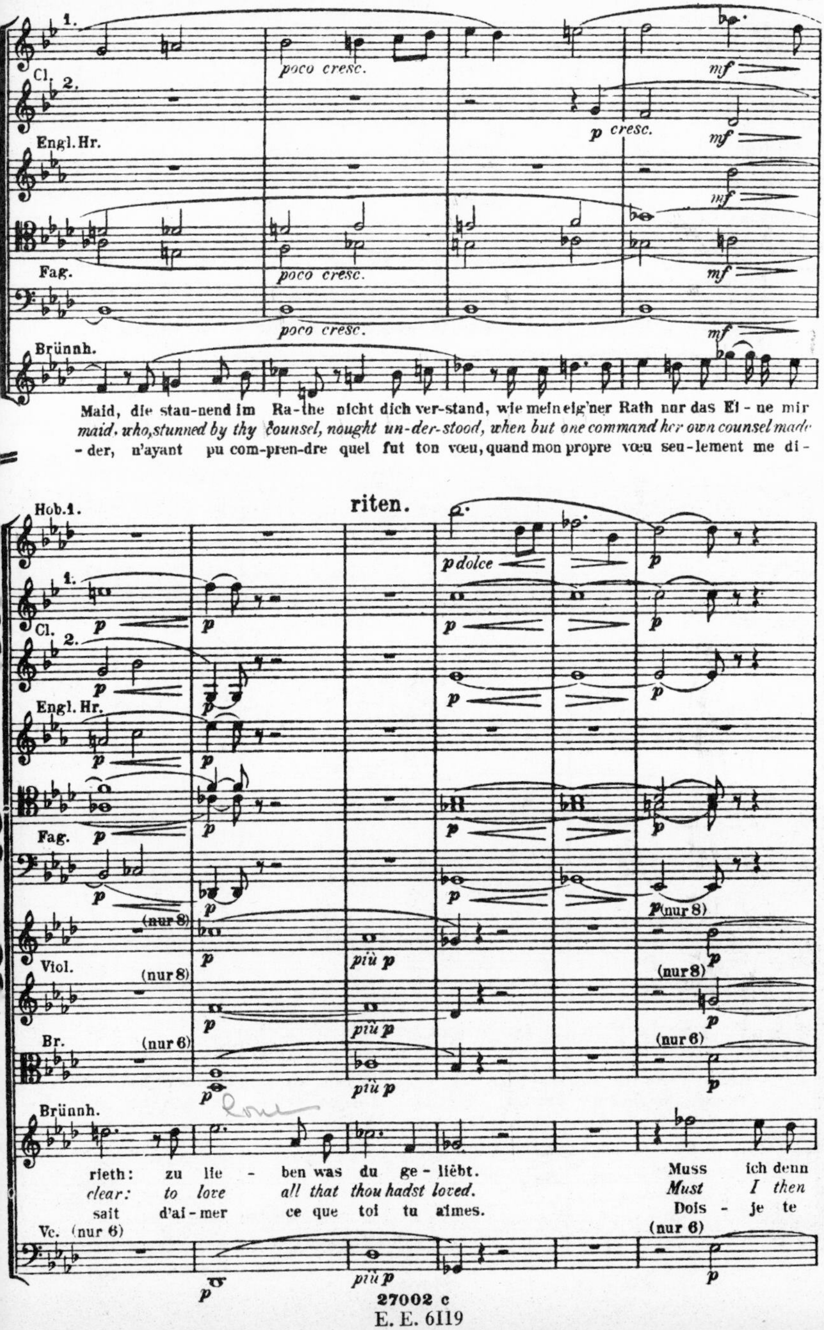

riten.

Hob. 1.

p dolce

Cl. 1. 2.

Engl. Hr.

Fag.

Viol. (nur 8)

più p

Br. (nur 6)

Brünnh.

rieth: zu lie - ben was du ge - liebt. Muss ich denn
clear: to love all that thou hadst loved. Must I then
sait d'ai - mer ce que toi tu aimes. Dois - je te

Vc. (nur 6)

(8)
Viol.
(8)
poco cresc.
poco cresc.
Br.
(6)
poco cresc.
Brünnh.
scheiden und scheu dich meiden, musst du spalten was einst sich umspannt, die eig'-ne
leave thee and, fear - ing, shun thee, must thou loosen our fast - woven bond, and half thy
per-dre, te fuir crain - ti - ve, dois - tu rompre ce qui fut u - ni, frappant d'e-
Vc. (6)
poco cresc.
Hob.
riten.
tempo
f dim.
p
Cl. (B)
f dim.
Hör. (E)
1.
f dim.
p
f dim.
Fag.
f dim.
p
f dim.
(alle)
più cresc.
f
p
sf dim.
Viol
(alle)
più cresc.
f
p
sf dim.
Br.
(alle)
più cresc.
f
p
sf dim.
Brünnh.
riten.
tempo
Hälfte fern von dir hal - ten, dass sonst sie ganz dir ge - hör - te — du Gott, ver-
be - ing far from thee ban - ish, who once belonged to thee on - ly — thou god, for-
-xil la moitié de ton ê - tre: ja - dis à toi je fus tou - te, ô Dieu, re-
Vc.
(alle)
più cresc.
f
p
sf dim.
CB.
(alle)
p
sf dim.

Allmählig belebter.
Hob.
(zu 2.)
(zu2.)
Cl. (B)
cresc.
(E)
Hör.
(F)
3 Fag.
1.
2.
Viol.
Br.
Brünnh.
giss das nicht! Dein e-wig' Theil nicht wirst du ent-eh - ren, Schan-de nicht
get not that! Thy o-ther self thou wilt not dis-hon - our, deal not dis-
-tiens - le bien! Ne souil-le pas ton essence é-ter-nel - le, crains un af-
Vc. u. CB.
Etwas breiter.
Hob.
Cl.
Engl. Hr.
(E)
Hör. (F)
Fag.
Viol.
Br.
Brünnh.
wol-len, die dich be-schimpft. dich selbst liessest du sinken, säh'st du dem
grace that will shame thee too! thy own fame would be darkened, were I the
-front re-tombant sur toi: toi-même gis dans la hon-te, si tu me
Vc. u. CB.
più f
cresc.

Schnell.
Ruhig.
Hob.
Cl. (B)
Engl. Hr.
(E)
Hör.
(F)
Fag. 2 u. 3.
ff
f
Viol.
fp
Br.
Brünnh.
Spott mich zum Spiel!
play-thing of scorn!
vois in-sul-tée!
Wot.
(ruhig) p
Du folg - test
The might of
Ton cœur sui -
Vc.
CB.
dim.
più p
pp
(ten.)
pizz.
(Bog.)
se-lig der Lie-be Macht: fol-ge nun dem den du lie - ben musst:
love thou hast followed fain: fol-low now him who shall force thy love.
vit de l'A-mour la loi: suis à pré - sent qui tu dois ai - mer.

Allmählig belebter.
2 Hob.
Hr. 1. u. 2.
(E)
2 Fag.
1 u. 2.
(Bog.)
Viol.
Br.
(Bog.)
Brünnh.
Soll ich aus Wal-hall schei-den, nicht mehr mit dir schaf-fen und wal-ten,
Must I then go from Wal-hall, no more to have part in thy work-ing,
Dois-je quit-ter le Wal-hall, ne plus t'as-sis-ter dans ton œu-vre,
Vc.
3 Hob.
Engl. Hr.
4 Hörn.
2 Fag.
Viol.
Br.
(trem.)
trem.
Brh.
dem her-ri-schen Man-ne ge-hor-chen fort-an: dem fei-gen
a man as my mas-ter hence-forth must I serve: to boast-ful
de l'Hom-me, mon maî-tre, su-bir le pou-voir, des bras d'un
Vc.
Vc. u. CB.
zus.
cresc.

3 Hob.
1.u 2.(allein)
rit.
a tempo
Engl.H.
p dolce
4 Hrn.
dolce
3 Fag.
2.u.3.
trem.
f dim.
p riten.
Viol.
Br.
Brh.
poco riten.
Prah-ler gieb mich nicht preis, nicht werth-los sei er, der mich ge-winnt!
cra-ven make me not thrall, not all un-wor-thy be he who wins!
lâche au moins sau-ve-moi; que seul un bra-ve soit mon vain-queur!
Wotan.
Von
From
Ton
Vc.u.CB.
pizz.
(Bog.)
3 Hob.
E.H.
(E)
4 Hrn.
3 Fag.
Viol.
Br.
Wotan.
Wal-va-ter schie-dest du; nicht wäh-len darf ich für dich.
War-fa-ther turn-edst thou he may not fash-ion thy fate.
cœur a ni-é mon choix choi-sir pour toi je ne puis.
Vc.u.CB.
pizz.

2 Cl. (in B)
2 Hörn. (E)
3 Fag.
Viol.
Br.
Brünnh.
(leise mit vertraulicher Heimlichkeit.)
Du zeng-test ein ed-les Ge-schlecht; kein Za-ger kann je ihm ent-
From thee rose a glor-i-ous race; that race ne'er shall bring forth a
De toi u-ne race est is-sue; nul lâ-che j'a-mais n'en peut
Vc.
2 Hob.
2 Cl.
(E)
Hörn.
4. (allein) (in F)
(aber bestimmt)
poco cresc.
2 Fag.
pizz.
Brünnh.
schlagen: der weih-lich-ste Held, ich weiss es, ent-blüht dem Wäl-sun-gen-
cra-ven: the brav-est of heroes, I know it, shall bless the Wäl-sungs'
naî-tre: l'au-gus-te Hé-ros je sais qu'il naî-tra des Wäl-sun-gen
Vc. u. CB.
(zus.)
Vc. (allein.)

2 Hob.
più cresc.
2 Cl. (B)
più cresc.
(F)
4 Hörn.
cresc.
(F)
più cresc.
3 Fag.
cresc.
(Bog.)
Viol.
(Bog.)
Br.
(Bog.)
Brünnh.
stamm!
line.
forts!
Wotan.
Schweig' von dem Wäl - sungenstamm! Von
Name not the Wäl - sungs to me! When
Lais - - - se la ra - ce per-due! Le
Vc.
Vc. u. CB. (zus.)
(Bog.)
cresc.

Hörn. 3.u.4.(F)
dim.
Fag.
1.
p
Viol.
dim.
dim.
Br.
Wotan.
dim.
dir ge-schie - den, schied ich von ihm; ver-nich - ten musst' ihn der
thee I cast off, cast off were they; by en - vy wrecked was the
Dieu s'é-loi - gne d'elle et de toi; la hai - ne dut l'é-cra-
Vc.u.CB.
dim.
2 Hob.
sf
Cl.(B)
sf
1.u.2.(F)
p
Hörn.(D)
p
cresc.
2Trp.
pp
cresc.
p
cresc.
p
3 Fag.
f
f
Viol.
p
cresc.
cresc.
sf
pizz.
p
(Bog.)
cresc.
cresc.
sf
Br.
p
sf
Brünnh.
Die von dir sich riss' ret - te - te
She who turned from thee res - cued the
Qui bra - va ton ordre sut la sau-
Wotan.
Neid!
race!
-ser!
Vc.u.CB.
pizz.p
p
(Bog.) p
sf

Hob.
Cl. (B)
Fag. 1. u. 2.
Horn 1. u. 2. (F)
(bestimmt.)
Viol. 2.
pizz.
Br.
(heimlich.)
poco cresc.
Brünnh.
ihn. Sieg - lin - de hegt die hei - lig-ste
race. Sieg - lin - de bears the ho - li-est
-ver. Sieg - lin - de porte un fruit sa -
Vc.
pizz.
Hob.
Cl. (B)
Fag. 1. u. 2.
Horn 1. u. 2. (F)
2. allein.
2 Trp. (E)
Viol.
pizz. (Bog.)
Br.
dim.
Brünnh.
Frucht; in Schmerz und Leid, wie kein Weib sie ge - lit - ten, wird sie ge-
fruit; in pain and grief, such as wo - man ne'er suf - fered, will she bring
-cré; is - su de maux que les mè - res i - gnorent, le fils de ses
Vc.
(Bog.)

Hob.
Cl.
Fag. 1. u. 2.
Hörn. 1. 2. (F)
Viol.
Br.
Brünnh.
bä - ren, was bang sie birgt.
forth what in fear she hides!
lar - mes bien-tôt naî - tra.
Wotan.
Nie su - che bei
Ne'er seek at my
Nulle ai - de de
Vc.
Vc. u. CB.
Hob. 1.
2. Cl.
Fag. 1. u. 2.
Horn.
1. allein.
Trp. (F)
trem.
dolce
Viol.
Br.
Brünnh.
(heimlich)
Sie wah - ret das
She guard-eth the
Elle a cette é -
Wotan.
mir Schutz für die Frau, noch für ih - res Schosses Frucht!
hand shel - ter for her, or for fruit her womb shall bear.
moi pour cet - te fem - me, ni pour son fils fu - tur!
Vc. u. CB.

3. Hob.
1.
molto cresc.
zu 3.
3 Cl. (B)
1.u.2.
molto cresc.
zu 3.
3 Fag.
1.u.2.
molto cresc.
zu 3.
molto cresc.
4 Hörn. (F)
2 Trp. (F)
2.
molto cresc.
Viol.
molto cresc.
Br.
molto cresc.
Brünnh.
Schwert, das du Sieg-mund schu - fest.
sword, that thou gav - est Sieg - mund.
-pée que par toi prit Sieg - mund.
Wotan.
(heftig)
Und das ich ihm in Stü-cke schlug!
The sword that I in splinters struck!
Et que ma pro-pre main bri - sa!
Vc. u. CB.

3 Hob.
2 Cl.
4 Hörn. (F)
3 Fag.
Bass Cl. (A)
(lange!)
p più
p
2 Trp.
4 Pos.
Viol.
Br.
Wotan.
(lange Pause)
Nicht streb', o Maid, den
Seek not, o maid, to
En vain tu veux flé-
Vc.
CB.

rallent.
Viol.
poco cresc.
Br.
Wotan.
Muth mir zu stö-ren, er-war-te dein Loos, wie sich's dir
van-quish my spir-it, a-wait now thy fate, as it must
-chir mon cou-ra-ge; ac-cep-te ton sort, tel qu'il t'est
Vc.
CB.
Etwas langsamer.
Pos. 3. u. 4.
CB. Tub.
dim.
pizz.
(Bog.)
wirft; nicht kie- - -sen kann ich es dir. Doch
fall; I can- - -not change it for thee. But
fait; moi-même n'y peux rien chan-ger. Je

Viol. 2.
Bog.
Br.
cresc.
Wotan.
fort muss ich jetzt, fern mich verzieh'n, zu viel schon zö-gert' ich hier: von der Ab-wen-di-gen
hence must I now far from thee fare; too long I stay with thee here: as from me turnedst thou
pars main-te-nant; loin va ma route; j'ai mê-me trop at-ten-du: de l'enfant qui s'é-loi-
Vc.
4 Pos.
Viol. 2.
Br.
Wotan.
wend' ich mich ab; nicht wis-sen darf ich, was sie sich wünscht: die Stra - - fe nur
turn I from thee; what wish is thine I may not e'en know: the sen - - tence now
-gna je m'é-loigne; je dois ne rien sa-voir de ses voeux: la pei - - ne seule
Vc.
Nicht schleppen.
Pauk. (E)
più
Viol.
Br.
Brh.
Was hast du er-dacht, das ich er-dul-de?
What hast thou decreed that I shall suf-fer?
Quel est le tourment dont tu me frap-pes?
Wotan.
muss vollstreckt ich seh'n!
must I see ful-filled!
s'ac-com-plit par moi!
Vc.
Vc. u. CB.
Bog.

Fl. 1.
p
dim.
Engl. Hr.
p
dim.
Hr. 1. (F)
pp
Hr. 3. (F)
pp
Hr. 2. (F)
pp
Hr. 4. (F)
pp
2 Fag.
p
dim.
Cl. (A) p
p
dim.
Bass Cl. (A)
p
dim.
Bass Trp. (D)
pp
3
Pauk. 1. (E)
pp
pp
Viol.
pp
più p
pp
più p
Br.
pp
più p
6
ppp
6
Wotan.
In fes - ten Schlaf' ver-schliess' ich dich: _
In slum-ber fast shalt thou be locked:
Un lourd som-meil clo - ra - tes yeux:
Vc.
pp
più p

Hr. 1.
Hr. 3.
Hr. 2.
Hr. 4.
Bass Cl.
p
Bass Tr.
Pauk. (E)
pizz.
pp
Viol.
pizz.
pp
Br.
poco cresc.
dim.
Wotan.
wer so die Wehr - - lo - - se weckt, dem ward, er-
who so the help - - less one find and wakes shall
ce-lui qui ré-veil - - le la vierge, la prend, dès
Vc.
pizz.
pp

Sehr bewegt.

Hob.
Hr. 1. (F)
Hr. 3. (F)
Hr. 2. (F)
Hr. 4. (F)
2 Fag.
Bass Cl. (A)
Bass Trp. (D)
Pos.
2. Pauk. (C)
Viol.
Br.
Brünnh.
Wotan.
Vc.

p cresc. f
1. p cresc. f
2. p cresc f
3. p cresc. f
4. pp p cresc. f
p cresc. f
pp
pp
p p
tr p
(Bog.) p molto cresc. f
(Bog.) molto cresc. f p
molto cresc. f p cresc
Vc. u. CB.
(Bog.) p molto cresc. sf p

Wotan: wacht, sie zum Weib!
min . thee for wife!
lors, pour é - pouse!

Brünnh.: Soll fes - selnder Schlaf
If fet - ters of sleep
S'il faut qu'un sommeil

Hob.
4 Hörn. (F)
Fag.
4 Pos.
CB. Tb.
Pauk. (C)
Viol.
Br.
Brünnh.
fest mich bin-den, dem feig - sten Man - ne zur leich - ten Beu - te: diess'
fast shall bind me, for bas - est cra - ven an ea - sy boot - y; this
soit ma chaî - ne, aux mains d'un lâ - che li - vrant ta fil - le: en -
Vc.
CB.

poco accel.
4 Pos.
p
poco cresc.
p
poco cresc.
CB. Tub.
p
poco cresc.
Pauk. 2(C)
Viol.
p
p
p
cresc.
p
cresc.
Br.
p
cresc.
Brünnh.
Ei - ne musst du er - hö - - ren, was heil' - ge Angst
one thing must thou grant me in deep - est an -
-tends l'u - ni - que pri - è - - re, l'ef - froi sa - cré
Vc.
p
p
p
cresc.
CB.
(geth.)
p

Hob. 1
riten.
p cresc.
f
p
cresc.
Hob. 2. u. 3.
Engl. Hr.
4 Hörn. (F)
3 Fag.
4 Pos.
mf
CB. Tb.
Pauk. 2.
tr
Viol.
Br.
Brünnh.
— zu dir fleht: die Schla-fen-de schü-tze mit scheu-chen-den
- guish I pray: o shel-ter me sleep-ing with scar - ing
— de ton sang! En - tou - re la vier-ge d'af - freuse - é-pou-
Vc.
CB.

Fl.
Hob 1.
Hob. 2.3.
Engl. Hr.
Hörn.
Fag.
2 Trp.
4 Pos.
CB. Tb.
Pauk.
Viol.
Br.
Brünnh.
(bestimmt)
Schrecken, dass nur ein furcht-los frei-es-ter Held hier auf dem Fel-sen einst mich
horrors, that but the first, most fear-less of heroes e'er may find me here on the
-van-te, a-fin qu'un brave, un li-bre Hé-ros sur ce ro-cher l'é-veil-le
Vc.
CB.
pizz.
cresc.
dim.
più f

Fl.
Hob.1.
Hob.2.u.3.
Engl. Hr.
Hörn.
2 Fag.
2 Trp.
4 Pos.
CB.Tb.
Pauk.
Viol.
(Bog.)
cresc.
Br.
dim.
Brh.
fänd'!
fell!
seul!
Wotan.
Zu viel be -
Too much thou
Trop fier ton
Vc.
CB.
(Bog.)
cresc.
pizz.
(Bog.)

accel.
4 Pos.
p
cresc.
più cresc.
CB. Tb.
Pauk. (G)
pp
cresc.
Viol.
molto cresc.
Br.
Wotan.
gehr'st du zu viel der Gunst!
crav - est, too great a grace!
rê - ve, trop haut ton voeu!
Vc.
CB.
p cresc.

Sehr bewegt.
Fl. 1. u. 2.
Fl. 3.
Hob.
Engl. Hr.
Hörn. (F)
Fag. 1.
Fag. 2. u. 3.
Pauk. (C)
dim.
4 Pos.
CB. Tub.
Viol.
Br.
cresc.
(Wotan zu Füssen stürzend.)
Brünnh.
Dies's Ei - - ne musst du ge - wäh - ren! Zer-kni - cke dein
This one thing must thou grant me! O crush thou thy
En - tends l'u - ni - que pri - è - re! Ou bri - se ta
Vc. u. CB. (zus.)

Engl. Hr.
Hörn.(F)
Viol.
Br.
Brünnh.
Kind, das dein Knie um-fasst; zer-tritt die Trau - te; zer-trümm' - re die
child who clasps thy knee; tread down thy dear one, des-troy the
fille embras-sant tes ge-noux; dé - truis l'ai-mé - e, é-cra - se son
Vc.u.CB.
cresc.
Hob. (zu 3)
immer zu 3.
p molto cresc.
Horn. 1.u.3.
(zu 4)
Fag. (zu 3)
Pos. 1.u.2
pizz.
Viol.
(Bog.) p cresc.
Br.
Brh.
Maid, ih-res Lei - bes Spur zer-stö - re dein Speer: doch
maid, let thy spear put out the light of her life: but
corps; que sa chair san-glante em-pour-pre ta lance: du
Vc.
CB.

Hob. (zu 3)
più f
ff
ff
Hörn. (zu 4)
1. u. 2.
più f
ff
ff
Fag. (zu 3)
più f
ff
ff
1. 2. 3.
f
più f
ff
4 Pos.
4.
f
più f
ff
CB. Tub.
f
più f
ff
f
più
f
ff
Viol.
f
più
f
ff
Br.
f
più f
ff
Brünnh.
gieb, Grau - - - - - sa - mer, nicht der gräss -
cast not, in thy wrath, on her
moins, bar - ba - - - - - - re, é - par - gne lui
Vc. u. CB.
f
più f
ff

Hob.
Horn 1.u.2. (F)
3 Fag.
Bss Trp.(D)
(1. allein)
4 Pos.
CB. Tb.
Viol.
Br.
Brünnh.
(mit wilder Begeisterung.)
— lichsten Schmach sie preis! Auf dein Ge-
— this most hate - ful shame! By thy com-
— le su-prême af - front! A ton ap-
Vc.u.CB.

Fl. 3.
Hob.
Cl. 3. (A)
Engl. Hr.
Horn 1. u. 2. (E)
Fag. 1. u. 2.
Trp. 1. u. 2. (E)
Viol.
Br.
Brünnh.
bot ent - bren - ne ein Feu - - - - - er;
mand en - kin - dle a fire;
-pel qu'un Feu se dé - chaf - - - - - ne!
Vc. allein.
pizz.
mf
f
p
dim.
cresc.

(1. allein)
zu 2.
Fl. 1.u.2.
zu 2.
tr
f
ff
Fl. 3.
più f
più f
Hob.
più f
Cl. 1.u.2.(A)
tr
f
ff
Cl. 3. (A)
più f
Engl. Hr.
più f
Horn 1.u.2.(E)
più f
Fag. 1.u.2.
più f
più cresc.
Viol.
più cresc.
Br.
più cresc.
Brünnh.
den Fel - - sen um-glü - - he lo - - dern-de
with flam - - ing guard - - ians gir - - dle the
qu'il cei - - gne la ro - - che, cercle em-bra-
Vc.
pizz.
f

Fl. 1.
fp
cresc.
Fl. 3.
Hob. 1.u.2.
Hob. 3.
Cl. 1.u.2.(A)
1.
Cl. 3.(A)
2.u.3.
Engl. Hr.
Horn. 1.u.2.(E)
Fag. 1.u.2.
Viol.
f
Br.
Brünnh.
Gluth; es leck' ihre Zung; es fres - se ihr Zahn den
fell; to lick with tongue, to bite with tooth the
-sé! qu'il bril - le, qu'il brûle, et broie dans ses dents le
Vc. (Bog.)

Fl. 1.u.2.
ff
Fl. 3.
ff
Hob. 1.u.2.
ff
Hob. 3.
ff
Cl. 1.u.2.
(A)
ff
Cl. 3.
ff
Engl. Hr.
ff
f
4 Hörn.
(E)
f
p
f
p
f
Fag.
f
p
3.
ff
p
f
3 Trp. (D)

Pos. 1. u. 2.
Pos. 3.
Pos. 4.
CB. Tub.
Pauk (D)
Viol.
Br.
Brünnh.
Vc.
CB.
cresc.
dim.
meno f
Za - - - - - - gen, der frech - - - sich wag - - te dem
cra - - - - - - ven who rash - - - ly dar - - - eth to
lâ - - - - - - che qui ose, in - - - fâ - - - me, du

Fl. 1.
Fl. 2. u. 3.
Hob. 1. u. 2.
Hob. 3.
Cl. 1. (A)
Cl. 2. u. 3. (A
Engl. H.
Hr. 1. u. 2. (E)
Hr. 3. (E)
Hr. 4. (E)
Fag. 1. u. 2.
Fag. 3.
più f
ff

cresc.
Bass Trp. (D)
Pos. 1. u. 2.
Pos. 3. u. 4.
CB. Tub.
Pauk. (D.)
Viol. più f
più f
Br.
Brünnh. più f
(Wotan, überwältigt und tief ergriffen,
freis - li - chen Fel - - - - - sen zu nahn!
draw near the threat - - - - - en - ing rock!
roc de ter - reur ap - pro - cher!
Vc.
CB.
più f
27002 c
E. E. 6119

Fl. 1.
Fl. 2 u. 3.
Hob. 1.
Hob. 2 u. 3.
Cl. 1 (A)
Cl. 2 u. 3 (A)
Engl. Hr.
Hr. 1 u. 2. (E)
Hr. 3. (E)
Hr. 4. (E)
Fag.
ff
3

Bass Trp.(D)
4.Pos.
C.B.Tub.
Viol.
Br.
wendet sich lebhaft gegen Brünnhilde, erhebt sie von den Knieen, und blickt ihr gerührt in das Auge.)
Vc.
C.B.
piu f
ff

Fl.
Hob.
Cl.(A)
Engl.Hr.
Hr. 1 u. 2 (E)
Hr. 3. (E)
Hr. 4. (E)
Fag.
Trp. 1 (D.)
Trp. 2 (D.)
più f
ff
meno f

4 Pos.
C.B.Tub.
Pauk.(D)
Viol.
Br.
Wotan.
Vc.
C.B.
ff
meno f
poco f
f
mf
Leb' wohl, du küh - nes, herr - li-ches
Fare - well thou val - iant, glor - i - ous
A - dieu, vail - lan - te, noble en -

2 Cl. (A)
4 Hörn. (E)
3 Fag.
Bass Trp. (D)
4 Pos
Viol.
Br.
Wotan.
Kind!
child!
-fant!
Du mei-nes Her - - zens hei - - lig-ster Stolz!
Thou once the ho - - liest pride of my heart!
Toi, de mon ê - - tre sain - te fier-té.
Vc.
CB.
più f
mf
cresc.

Hob.
Cl. 1 u. 2.
Hr. (E)
Fag.
Bass Trp.
4 Pos.
Viol.
Br.
Wotan.
Leb'
wohl!
leb'
Fare
well!
fare
A
dieu!
A
Vc.
C.B.
cresc.

Hob.
Cl.1 2.(A)
Cl.3.(A)
Hr.(E)
(1.allein)
Fag.
Bass Cl.(A)
Bass Trp.(D)
Pos.
C.B.Tub.
Viol.
Br.
Wotan.
wohl! leb' wohl!
well! fare - - - well!
dieu! A - - - dieu!
Vc.
C.B.
f
mf
p
dim.

Cl.1 2.
più p
Cl.3.
più p
Fag.
più p
Bass Cl. (A)
più p
Bass Trp.
p
p
Pos.
p
C.B.Tub.
p
3
f
dim
più p
Viol.
Br.
più p
Wotan.
Vc.
più p
C.B.

Cl.1.(A)
pp
Cl.2.(A)
pp
3 Fag.
pp
Hr.3u.4.(E)
p
Bass Cl.(A)
pp
Viol.
ten.
p
Br.
pp
p
Wotan. (Sehr leidenschaftlich.)
Muss ich dich mei - - den, und darf nicht
Must I for - sake thee, and may my
Dois - - - je é-vi - ter tes yeux, et dois - - - je ne
Vc.
(ten.)
p
pp
C.B.
pizz.
(geth.)

Cl.1.
più cresc.
sf
p
Cl.2.
cresc.
sf
p
molto cresc.
sf
p
3 Fag.
molto cresc.
sf
p
Hr. 3 u 4.
cresc.
mf
p
Bass Cl.
molto cresc.
f
p
(ten.)
p 3
f
dim.
Viol.
cresc.
dim.
Br.
cresc.
p
dim.
Wotan.
min - nig mein Gruss dich mehr grü - ssen
wel - come of love no more greet thee,
plus te faire ac - cueil tendre et gra - ve,
Vc.
p
cresc.
f
dim.
C.B.
(Bog.) cresc.
mf

Engl. H.
Hr. 1u.2 (F)
3 Fag.
Pos.1.
Pos.2.
Pos.3.
Pos.4.
C.B.Tub.
Viol.
Br.
Wotan.
sollst du nun nicht mehr ne - - - ben mir
may'st thou now ne'er more ride as my
dois - - - je ne plus te voir chevau-cher à ma
Vc.
C.B. pizz.

Engl. H.
cresc.
Hr. 1 u. 2 (F)
molto cresc.
molto cresc.
3 Fag.
molto cresc.
Pos. 1.
cresc.
mf dim.
Pos. 2.
cresc.
mf dim.
Pos. 3.
cresc.
mf dim.
Pos. 4.
cresc.
mf dim.
C.B. Tub.
cresc.
dim.
(ten.)
dim.
Viol.
dim.
Br.
cresc.
dim.
Wotan.
rei - - ten, noch Meth beim Mahl mir rei - - chen,
com - - rade, nor bear me mead at ban - - quet,
droi - - te, ou bien m'of - frir la cou - - pe;
Vc.
cresc.
dim.
C.B.
(Bog.) cresc.

Hb. 1.
Engl. H.
(ausdrucksvoll.)
cresc.
Cl. 1 (A)
cresc.
Fag. 1.
p
cresc.
Fag. 2.
p
cresc.
Bass Cl. (A)
p
(ten.)
p
mf
p
Viol.
(ten.)
p
p
cresc.
(ten.)
Br.
p
cresc.
Wotan.
muss ich ver-lie - - ren dich, die ich
must I a - ban - - don thee whom I
dois - - - je te per - - dre, toi, que j'a-
Vc.
(ten.)
p
mf
(ten.)
p
(ten.)
cresc.
C.B.
p
cresc.

Hb. 1.
cresc.
Engl. H.
Clar. 1.
Hr. 3 u. 4 (E)
cresc.
Fag. 1.
Fag. 2.
Bass Cl.
(ten.)
cresc.
Viol.
Br.
Wotan.
lie - - be, du la - - - chen-de Lust meines
loved so, thou laugh - - ing de - light of my
-do - - re, ô rire et bon - heur de ma
Vc.
C.B.

Fl.
Hob.
Cl.(A)
Engl.H.
(in E)
Hörn.(E)
Fag.
Bass Cl.(A)
Pauk.(H)
Viol.
Br.
Wotan.
Au - - - - ges ein bräut - li-ches Feu - er
eyes such a brid - al fire for
vi - - - - e: qu'un Feu nup-ti-al pourta
Vc.
C.B.
più f
cresc.
pp
molto cresc.
fp
f

Hr. 1 u. 2 (F)
Viol.
Br.
Wotan.
soll dir nun bren - nen, wie nie einer Braut es ge-brannt!
thee shall be kind - led as ne'er yet has burned for a bride!
cou - che s'al-lu - me; pa-reil n'a ja-mais flamboy-é!
Vc.
cresc.
2 Fl. zu 2.
Hb.
Cl.
Engl. Hr.
Hr. (F)
Hr. (E)
Fag. 1 u. 2.
più f
Flam - mende Gluth um - glü - he den
Threat - ening flames shall flare round the
Rou - ge splendeur pizz. dé - fen - de le

Fl. (zu 2)
Hob.
Cl. (A)
Engl. Hr.
Hr (F)
Hr. (E)
Fag.
Pos.
Viol.
Br.
Wotan.
Fels; mit zeh - renden Schrecken scheuch' es den Za - gen;
fell: let with - ering ter - rors daunt the cra - ven!
roc! qu'un mur d'épouvan - te chas - se le lâ - che!
Vc. u. C. B.
Bog.

zu 2
Fl.
Hb.
Cl. (A)
Engl. Hr.
Hr. (F)
Hr. (E)
3 Fag.
2 Trp. (in E)
Pos.
Viol.
Br.
Wotan.
der Fei - ge flie - he Brünn - hil-des Fels!
let cow - ards fly from Brünn - hilde's rock!
que nul in - fâ - me n'ose ap-pro - cher!
Vc.
C.B.
(trem.)
fp
più f
ff
dim.

Walküre
Etwas langsamer.
(E) 2. u. 6.
4 zweite Hörn.
(E)
4. u. 8.
Fag. 1 u. 2.
2 Trp. (E)
Bass Trp.
(D)
4 Pos.
(trem.)
Viol. 1.
(trem.)
(trem.)
Viol. 2.
(trem.)
(trem.)
Br.
(trem.)
Wotan.
Denn Ei - - ner nur frei - e die
For one a - lone win - neth the
Qu'un Homme i - ci ré-veil - le
(trem.)
Vc.
(trem.)
C.B.
pizz.

4 zweite Hr.
Fag. 1 u. 2.
Fag. 3.
Bass Trp.
4 Pos.
C.B.Tub.
Pauk.
(H)
Viol. 1.
Viol. 2.
Br.
Wotan.
Braut, der frei - er als ich, der
bride; one fre - er than I, the
seul, plus li - bre que moi, le
Vc.
C.B.
cresc.
dim.
più
pizz.
(Bog.)
(geth.)

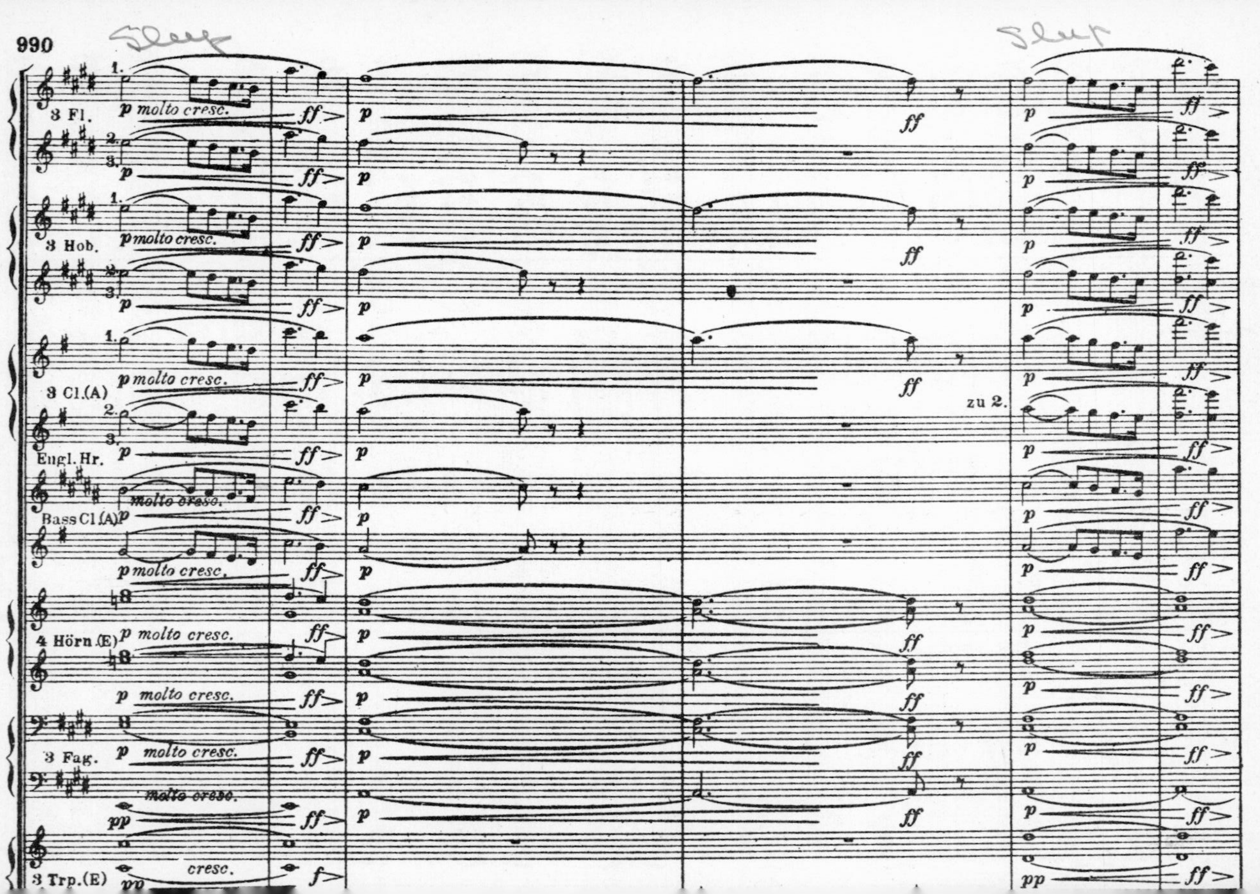
3 Fl.
3 Hob.
3 Cl.(A)
Engl. Hr.
Bass Cl.(A)
4 Hörn.(E)
3 Fag.
3 Trp.(E)
molto cresc.
cresc.
zu 2.

4 Pos.
C.B.Tub.
1.Pauk.(H)
2.Pauk.(A)
Viol.
Br.
Wotan.
Vc.
C.B.
cresc.
pizz.
(Bog.)
p molto cresc.
(Brünnhilde sinkt gerührt und begeistert an Wotans Brust: er hält sie lange umfangen.)
Gott!
god!
Dieu!

poco accel.
3 Fl.
3 Hob.
3 Cl.(A)
Engl.Hr.
Bass Cl.(A)
4 Hörn.(E)
3 Fag.
p
ff
molto cresc.

27002 c 27110

E. E. 6119

Kl.Fl.
rallent.
a tempo
3 Fl.
più f
(zu2)
molto cresc.
3 Hob.
molto cresc.
3 Cl.(A)
Engl.Hr.
Bass Cl.(A)
molto cresc.
4 Hörn.(E)
ff

3 Fag.

3 Trp. (E)

Bass Trp. (D)

4 Pos.

C.B. Tub.

Pauk. (E u. H)

Viol.

Br.

(Brünnhilde schlägt das Haupt wieder zurück, und blickt, immer noch ihn umfassend, feierlich

Vc.

C.B.

p molto cresc. ff ff ff

27002 27110

E. E. 6119

poco rall.
kl. Fl.
3 Fl. (zu 2)
dim.
(dolce)
2.
3 Hob.
p (dolce)
3 Cl.(A)
Engl. Hr.
Bass Cl.(A)
4 Hörn.(E)
3 Fag.
più p

3 Trp.(E)
dim.
p
Bass Trp.
(D)
dim.
p
dim.
più p
4 Pos.
dim.
più p
dim.
più p
C.B.Tub.
Pauk.
dim.
p
tr
dim.
più p
pp
dim.
p (dolce)
Viol.
dim.
p (dolce)
Br.
dim.
p
ergriffen Wotan in's Auge.)
Vc.
più p
p (dolce)
pizz.
più p
C.B.
p

Langsam.
3 Fag.
pp
pp
4 Hörn.(E)
pp
4 Pos.
p
più p
p
più p
C.B.Tub.
p
più p
Pauk.
Br.
più p
Wotan.
Der Au - gen leuch - ten-des Paar, das
Thy bright-ly glit - ter-ing eyes, that,
Ces yeux bai-gnés de clar - té, ces
Vc.
pp
C.B.
pizz.
p
(geth.)
pp

Bass Trp.(D)
4 Pos.
C.B.Tub.
Br.
pizz.
p(Bog.)
Wotan.
oft ich lä-chelnd ge - kost, wenn Kam - pfeslust ein Kuss dir
smil - ing, oft I ca - ressed, when val - our won a kiss as
yeux bai - sés tant de fois, quand mon bai - ser pay - ait ta vail-
Vc.
pizz.
C. B.
Bass Trp.
4 Pos.
C.B.Tub.
Br.
Wotan.
lohn - te, wenn kin - disch lallend der Hel - den Lob von hol - den Lip-pen dir
guer - don, when child - ish lispings of he - roes' praise from sweet - est lips has flowed
lan - ce, et quand s'ouvraient pour le los des braves tes dou - ces lèvres d'en -
Vc.
C.B.

1 u. 2.
3 Fag.
3.
f dim.
p
Engl. Hr.
p
f dim.
Hr. (E)
f dim.
4 Pos.
pp
p
C.B. Tub.
Br.
più p
Wotan.
floss: dieser Au - gen strah - len - des Paar, das oft im Sturm mir ge -
forth: those gleam - ing ra - diant eyes that oft in storms on me
fant; ces deux yeux, so - leils de mon cœur, é - clairs des jours de com -
Vc. (Bog.)
C.B.
f

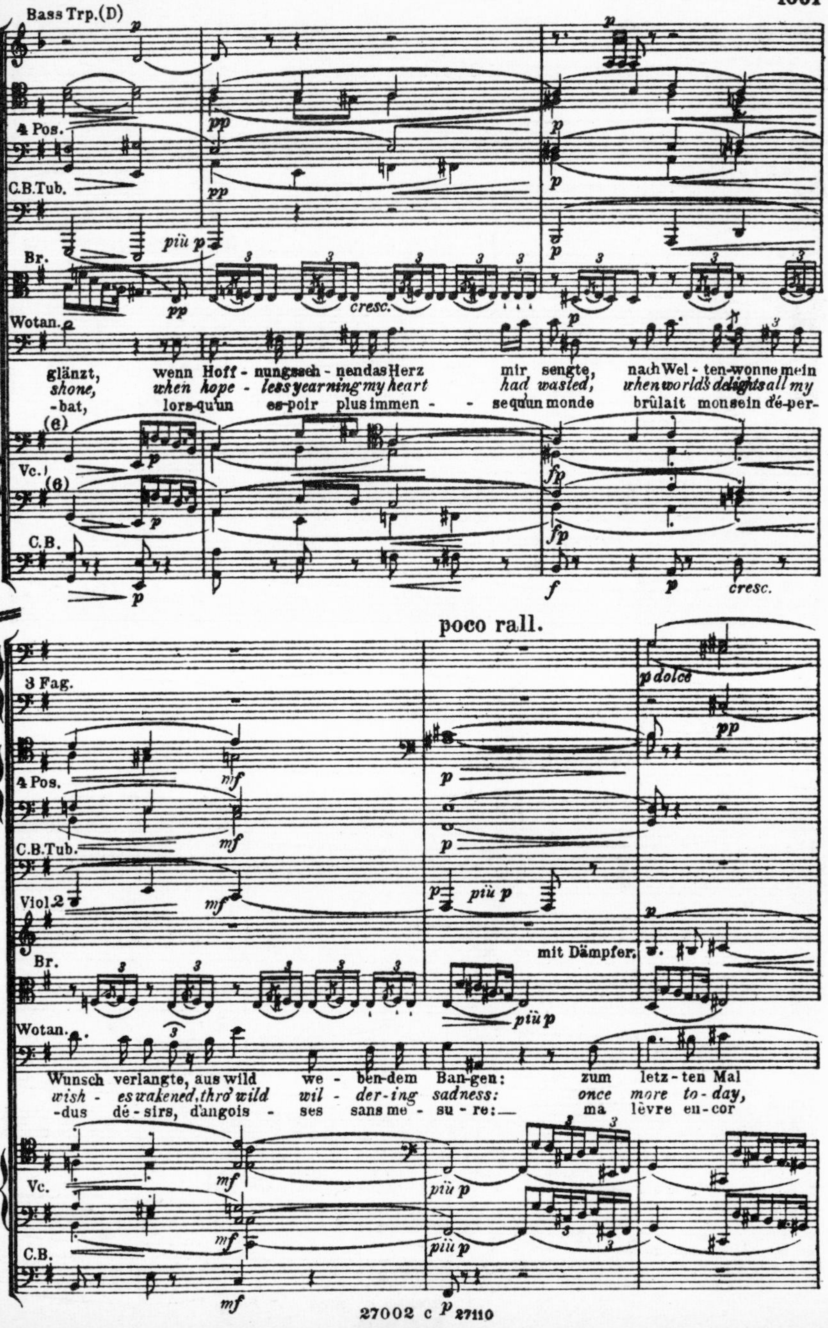

Bass Trp. (D)

4 Pos.

C.B.Tub.

Br.

Wotan.

glänzt, wenn Hoff - nungssehnen das Herz mir sengte, nach Welten-wonne mein
shone, when hope - less yearning my heart had wasted, when world's delights all my
-bat, lors-qu'un es-poir plus immen - se qu'un monde brûlait mon sein dé-per-

Vc.

C.B.

poco rall.

3 Fag.

4 Pos.

C.B.Tub.

Viol. 2

mit Dämpfer.

Br.

Wotan.

Wunsch verlangte, aus wild we - ben-dem Bangen: zum letz - ten Mal
wish - es wakened, thro' wild wil - der-ing sadness: once more to-day,
-dus dé-sirs, d'angois - ses sans me - su - re: ma lèvre en-cor

Vc.

C.B.

3 Fag.
4 Hörn.(E)
pp (ohne Dämpf.)
Viol.
dol.
più p
Br.
Wot.
letz' es mich heut' mit des Le - be - woh - les letz - tem Kuss!
lured by their light, my lips shall give them love's fare-well!
gou - te leurs larmes en l'a - dieu der - nier du der - nier bai - ser!
Vc.
zusammen
C.B.
pizz.
3 Fag.
cresc.
4 Hörn.
Viol.
dolce
Br.
Wot.
Dem glück - li-chern Man - ne glän - ze sein Stern: dem
On mor - tal more bless - ed once may they beam: on
Qu'à l'Homme en - vi - a - ble bril - lent leurs feux; pour
dim.

3 Fag.
4 Hör.
4 Pos.
CB Tub.
Viol.
(ohne Dämpfer.)
Br.
Wot.
un - - se - li - gen Ew' - - gen muss es scheidend sich schlie - ssen.
me, hap-less im-mor - - tal, must they close now for e - - ver.
moi, Dieu mi-sé - ra - - ble, a jamais ils se fer - ment.
Vc.
CB.
pizz.

(ausdrucksvoll)
Engl. Hr.
(E)
(sehr weich)
2 Hör.
(E)
4 Pos.
più p
CB Tub.
Pauk. (H u. E)
Viol.
Br.
Wot.
(Er fasst ihr Haupt in beide Hände.)
Denn so kehrt der Gott sich dir ab, so
For so turns the god now from thee, so
Le Dieu qui s'é - car - te de toi, te
Vc.
CB. pizz.

2 Fl.
pp
pp
Hob. 1.
pp
2 Cl. (A)
pp
pp
pp
Fag. 1.
pp
Bs Cl. (A)
pp
2 Harfe.
pp
Pauk. (H u. E)
tr
pp
(immer pp)
Viol.
ppp
ppp
Br.
ppp
Wot.
(Er küsst sie lange auf beide Augen.)
küsst er die Gott - heit von dir!
kis - ses thy god - hood a - way.
prend d'un bai - ser le Di - vin.
Vc.
ppp

Fl. 2.
Hob. 1.
Cl. 1.
Fag. 1.
Bs Cl.
(E)
4 Hör.
(E)
Tromp. (E)
3.
Pauk.
Harfe.
(8)
(ohne Dämpf.)
1 Viol. (geth.)
(8)
(mit Dämpf.)
(8)
(ohne Dämpf.)
2 Viol. (geth.)
(8)
(mit Dämpf.)
(6)
(ohne Dämpf.)
Br. (geth.)
(6)
(mit Dämpf.)
(Sie sinkt, mit geschlossenen Augen, sanft ermattend, in seinen Armen zurück. Er geleitet sie zart auf einen niedrigen Mooshügel zu liegen, über den sich eine breitästige Tanne ausstreckt.)
(6)
(ohne Dämpf.)
Vc. (geth.)
(6)
(mit Dämpf.)

1.
pp
3 Fag.
2.
pp
Bs Cl.
pp
4 Hör.
più p
più p
Tromp. (E) 3.
Pauk.
(ohne Dämpf.)
pp
(dolce)
1 Viol.
(mit Dämpfer.)
pp
(ohne Dämpfer.)
pp
(dolce)
2 Viol.
(mit Dämpfer.)
pp
(ohne Dämpfer.)
pp
(dolce)
Br.
(mit Dämpfer.)
pp
(ohne Dämpfer.)
pp
(dolce)
Vc.
(mit Dämpfer.)
pp
CB.
(nur 4)
pizz.
pp
(nur 4)
(immer pizz.)

3 Fag.
più p
più p
Bs Cl.
più p
4 Hör.
più p
2 Pos.
pp
pp
1 Viol.
(dolce)
pp
(sehr zart und ausdrucksvoll)
2 Viol.
dolce
pp
Br.
(dolce)
pp
(Er betrachtet sie und schliesst ihr den Helm: sein Auge weilt dann auf der Gestalt der Schlafenden, die er nun mit dem grossen Stahlschilde der Walküre ganz zudeckt.)
Vc.
più p
pp
CB.
(nur 2)

2 Fag.
Bs Cl.
(E)
4 Hör.
(E)
2 Pos.
1 Viol.
2 Viol.
Br.
Vc.
CB.
(4) cresc.

2 Fag.
p
più p
pp
Bs Cl. (A)
4 Hör.
(E)
Pos.
1.
2.
1 Viol.
(mit Dämpfer.)
2 Viol.
Br.
Vc.
CB.
(nur 2)
dim.

Fag.
Bs Cl.
(ten.)
pp
Hr. 1.
Hr. 2.
Hr. 3.
Hr. 4.
Pos.
2.u.3.
CB Pos.
CB Tub.
Br.
(Langsam kehrt er sich ab; mit einem schmerzlichen Blick wendet er sich noch einmal um.)
(nur 2)
(alle)
Vc.
(ohne Dämpfer.)
CB.
(Bog.)
(alle)

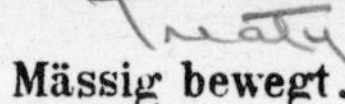

Mässig bewegt.

3 Pos.

(zu 2)

CB Pos.

CB Tub.

Br.

(ohne Dämpfer.)

cresc.

Vc.u.CB.

(Dann schreitet er mit feierlichem Entschlusse in die Mitte der Bühne, und kehrt die Spitze seines Speeres gegen einen mächtigen Felsstein.)

(2.allein)

Hör.(in E)

3.u.4.

3 Fag.

3 Pos.

CB Pos.

CB Tub.

Br.

(nur 8)

Wot.

Lo - ge, hör'! Lau - sche hie - her! Wie zuerst ich dich

Lo - ge, hear! List to my word! As I found thee of

Loge, entends! viens à ma voix! Au - tre - fois tu brû -

(6)

Vc.

(6)

2.

Hör. 3. u. 4.

3 Fag.

Br. (nur 8)

Wot.

fand, als feu - ri - ge Gluth, wie dann einst du mir schwandest, als schwei-fen-de
old, a glim - mering flame, as from me thou didst van - ish in wan - dering
lais, bra-sier dé-vo - rant, jusqu'au jour de ta fui - te, lu-eur on-doy-

(6)

Vc. (6)

Engl. Hr.

1. 2.

Hör.

cresc.

3 Fag.

p cresc.

p cresc.

3 Pos.

mf più f

CB Pos.

Viol. 2.

(nur 8)

(ohne Dämpf.)

Br. (nur 8)

(alle 12) (geth.)

cresc.

Wot.

Lo - he; wie ich dich band, bann' ich dich heut'! Her-
fire; as once I stayed thee, stir I thee now! Ap-
-an - te; com - me ja - dis, sois en-chaî-né! Jail-

(6)

cresc.

Vc. (6)

pizz.

1.
3 Cl. (A)
2 u. 3.
Bs Cl. (A)
Engl. Hr.
Hör. (E)
3 Fag.
Bs Tromp.
(D)
3 Pos.
Viol. 2.
tr
(dolce)
Br.
pizz.
(Bog.)
Wot.
auf, wa - bern - de Lo - he. Um-
pear! come, wav - ing fire and
-lis, mer flam - boy - an - te, dé-
(6)
Ve.
(6)
p (dolce)

Fire
Cl. (A)
Bs Cl. (A)
Engl. Hr.
Hör.
(4. allein)
3 Fag.
Bs Tr.
(ten.)
3 Pos.
Br. pizz.
Wot.
(Er stösst mit dem Folgenden dreimal mit dem Speer auf den Stein.)
lod'-re mir feu - rig den Fels!
wind thee in flames round the fell!
- fends le roc, rou - ge clar-té!
Vc.
(Bog.)
CB.
(nur 4)
pizz.
cresc.
Bs Cl.
3 Fag.
3 Pos.
Wot.
(Erster Stoss.)
(Zweiter.)
Lo - - - ge! Lo - ge! hie -
Lo - - - ge! Lo - ge! ap -
Lo - - - ge! Lo - ge! i -
Vc.

Bs Cl. (A)
3 Fag.
(zusam.)
3 Hör. (E)
(3. 2. u. 4.)
3 Pos.
cresc.
Br.
(Bog.)
Wot.
(Dritter.)
(Dem Stein entfährt ein Feuerstrahl, der zur allmählich immer helleren Flammengluth anschwillt.)
her!
pear!
-ci!
(6)
Vc.
(6)
Hör. 3. 2. u. 4.
Br.
più f
ff
Vc. più f
più f

kl. Fl.
2 gr. Fl. (zu 2)
Hob. 1.
Hob. 2.
Hob. 3.
Cl. 3. (in D)
Cl. 1 u. 2. (in A)
Engl. Hr.
Hör. 1 u. 2 (E)
Bs Cl. (A)
stacc.
Hrf. 1. 2. u. 3.
stacc.
Glockenspiel.
1 Viol.
(geth.) (ohne D.)
2 Viol.
(geth.)
Br.
(Hier bricht die lichte Flackerlohe aus.)
pizz.

2 kl.Fl.
cresc.
poco
a
poco
2 gr.Fl.
(zu 2)
cre
scen
do
Hob.1.
cre
scen
do
Hob.2 u.3.
cre
scen
do
Cl.3.(D)
cre
scen
do
Cl.1 u.2.(A)
cre
scen
do
Egl.Hr.
cre
scen
do
Hr.1 u.2.(E)
cre
scen
do
poco
Bs Cl.(A)
cre
scen
do
1.2.3.Hrf.
cresc.
un poco
Glocksp.
1 Viol.
cre
scen
do
2 Viol.
cre
scen
do
(Bog.)
Br. (geth.)
(Bog.)

stacc.
2 kl. Fl. poco a poco cresc.
2 gr. Fl.
Hob. 1. poco a poco
Hob. 2 u. 3. poco a poco
poco a poco
Cl. 3. (D)
Cl. 1 u. 2. (A) poco a poco
Engl. Hr. poco a poco
poco a poco
4 Hr. (E)
p cresc. poco a poco
Bs Cl.
poco a poco
Harfe 1. 2. u. 3.
Harfe 4. 5. u. 6. p stacc. cresc. poco a poco
Glocksp.
poco a poco cresc.
1 Viol. poco a poco
poco a poco
2 Viol. poco a poco
poco a poco
pizz.
p cresc.
Br. (geth.)
pizz.
p cresc.

2 kl. Fl. *stacc.*

cresc.

2 gr. Fl. (zu 2)

Hob. 1.

Hob. 2 u. 3.

Cl. 3 (D)

Cl. 1 u. 2. (A)

Engl. Hr.

Hör. 3. u. 4. (E)

Bs Cl. (A)

Harfe 4.5.u.6.

Glockensp.

1 Viol.

2 Viol.

(3) (Bog.) (3)

p cresc.

Br.

(3) (Bog.) (3)

p cresc.

2 kl. Fl.
2 gr. Fl.
3 Hob.
Cl. 3 (D)
Cl. 1 u. 2 (A)
Engl. Hr.
(F)
4 Hör.
(E)
Fag. 1 u. 2
(zu 2)
Bs Cl. (A)
f
più f

Harfe 1.2.u.3.

f *più f*

Harfe 4.5.u.6.

f

Glocksp.

cresc.

1 Viol.

f *più f*

f *più f*

2 Viol.

f *più f*

f *più f*

più f

Br.

più f

2 kl. Fl.

ff

2 gr. Fl.

ff

3 Hob.

ff

Cl. 3 (D)

ff stacc.

Cl. 1 u. 2 (A)

ff

Engl. Hr.

ff

(F)

Hör.

ff

(E)

ff

Fag. 1 u. 2.

(Lichte Brunst umgiebt Wotan mit wildem Flackern. Er weis't mit dem Speere gebieterisch dem Feuermeere den Umkreis des Felsenrandes

2kl.Fl.
2 gr.Fl.
3 Hob.
Cl.3 (D)
Cl.1 u.2.
(A)
Engl.Hr.
(F)
Hör.
(E)
3 Fag.
Bs Cl.(A)
ff
dim.
3. (allein)
8

Harfe. 4. 5. u. 6.

ff

Glocksp.

Triang. tr

Becken mit Paukenschlägeln.

f

8

1 Viol.

ff

ff

dim.

dim.

2 Viol.

ff

ff

dim.

dim.

dim.

Br.

zur Strömung an; alsbald zieht es sich nach dem Hintergrunde, wo es nun fortwährend den Bergsaum umlodert.)

CB.

f pizz.

2 kl. Fl.

2 gr. Fl. *dim.*

3 Hob.

Cl.3 (D)

Cl.1 u.2. (A)

dim.

Engl.Hr.

Hör.3 (E)

3 Fag.

Bs Cl. (A)

Harfe. 1.2.u.3.
Harfe. 4.5.u.6.
Glocksp.
mf
1 Viol.
2 Viol.
(Bog.)
Br.
(6)
(6) mf (mit Dämpf.) dim.
Vc. (6)
(geth.)
(6)
(geth.)
mf (mit Dämpf.) dim.

2 gr. Fl.
p
p dolce
p dolce
3 Hob.
p
p
p dolce
2 Cl. (A)
p dolce
p
Engl. Hr.
p dolce
4 Hr. (E)
p dolce
p dolce
3 Fag.
p dolce
Bs Cl. (A)
p dolce
Tr. 3 (E)
p
3
più p
Harfe.
p 1.2.3.
p dolce

27002 c 27110
E. E. 6119

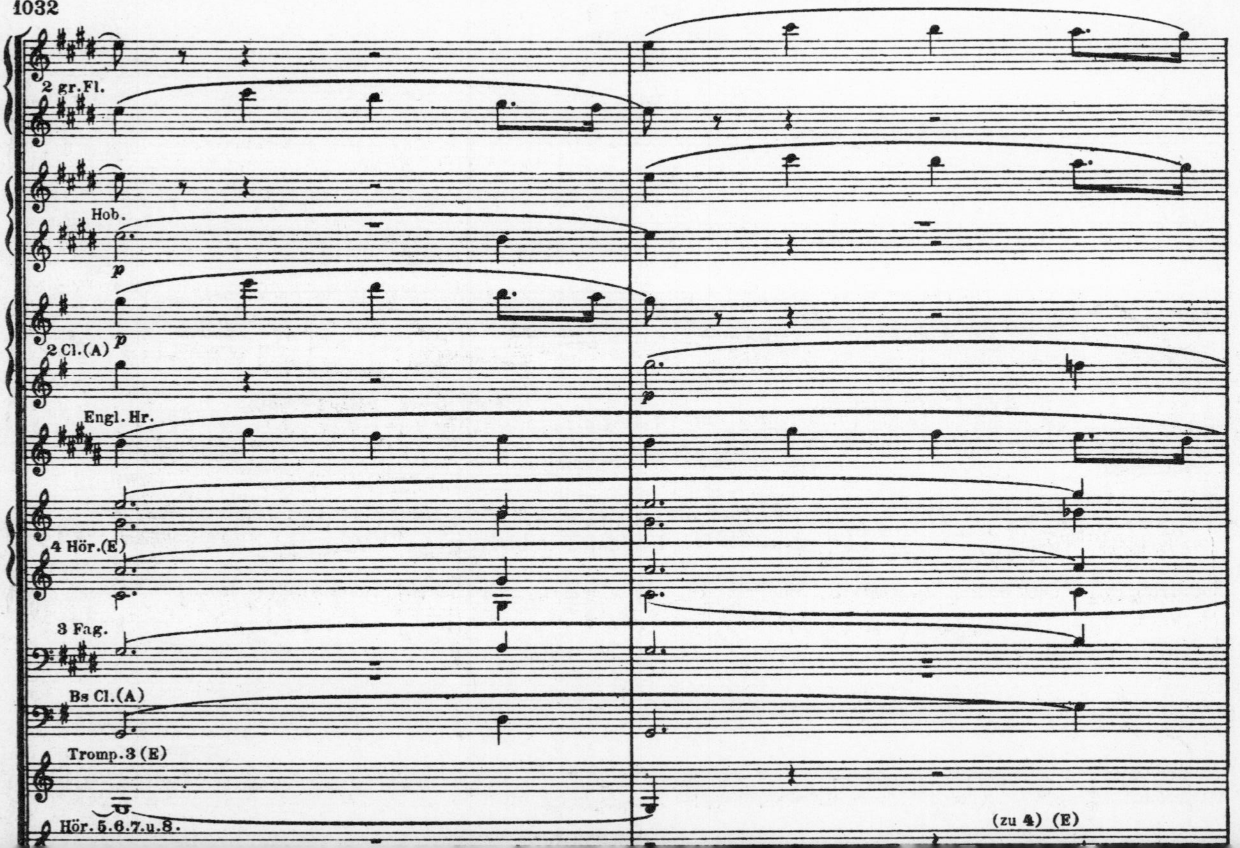
2 gr. Fl.
Hob.
p
2 Cl. (A)
p
Engl. Hr.
4 Hör. (E)
3 Fag.
Bs Cl. (A)
Tromp. 3 (E)
Hör. 5. 6. 7. u. 8.
(zu 4) (E)

27002 c 27110
E. E. 6119

2 gr. Fl.
Hob.1.
Hob.2.
Hob.3.
Cl.1.(A)
Cl.2.(A)
Engl. Hr.
4 Hör. (E)
3 Fag.
Bs Cl. (A)
Hör. 5.6.7.u.8. (E)
Bs Tr. (D)
p
poco a poco cresc.
cresc.

Harfe. 1.2.3.
poco a poco cresc.
Harfe. 4.5.6.
poco a poco cresc.
1 Viol.
cresc. poco a poco
cresc. poco a poco
2 Viol.
cresc. poco a poco
cresc. poco a poco
Br.
p pizz. (ohne Dämpfer)
Wot.
Spee - - - - - - - - res Spi - - - - - - - tze
spear - - - - - - - - point's sharp - - - - - - - ness
lan - - - - - - - - ce craint la
Vc.
p pizz. (ohne Dämpfer)

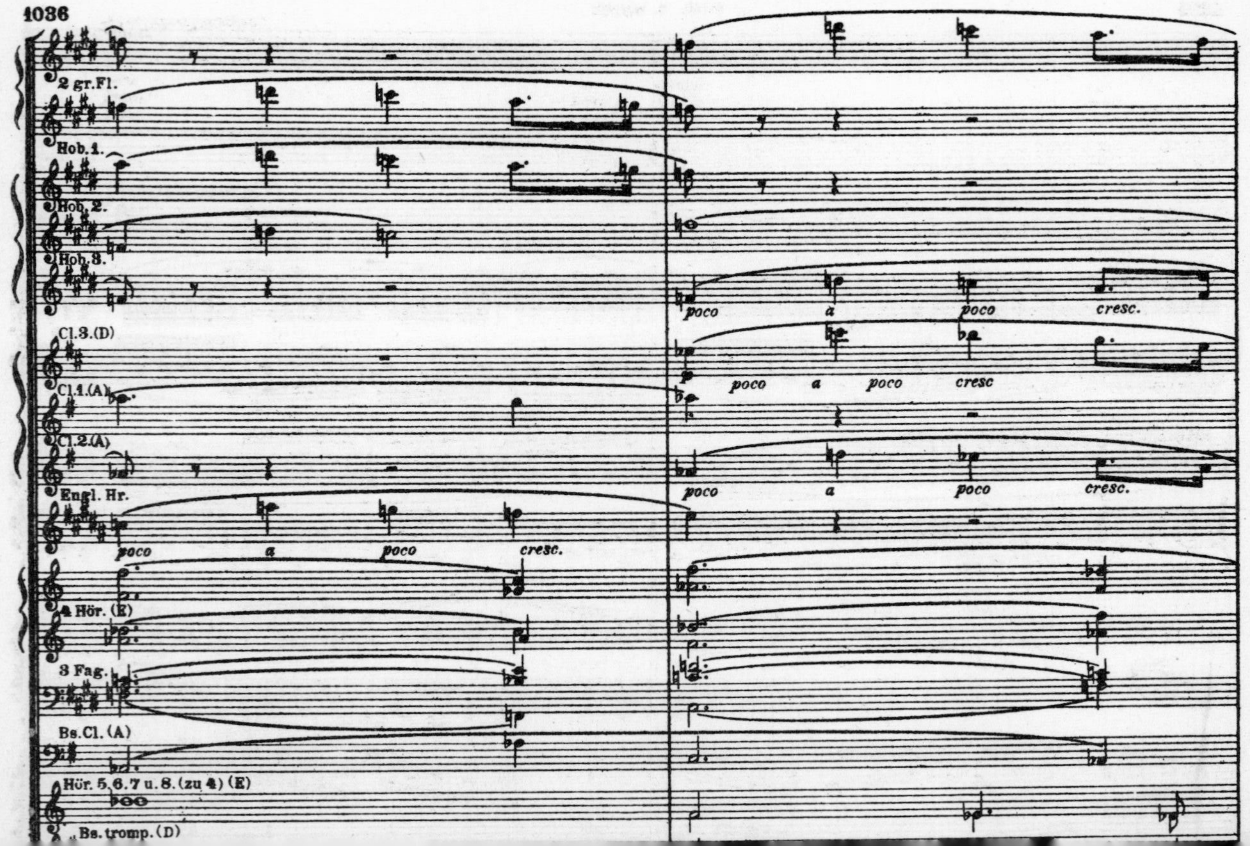
2 gr. Fl.
Hob. 1.
Hob. 2.
Hob. 3.
Cl. 3. (D)
Cl. 1. (A)
Cl. 2. (A)
Engl. Hr.
4 Hör. (E)
3 Fag.
Bs. Cl. (A)
Hör. 5, 6. 7 u. 8. (zu 4) (E)
Bs. tromp. (D)
poco
a
poco
cresc.
poco
a
poco
cresc
poco
a
poco
cresc.
poco
a
poco
cresc.

Harfe. 1.2 u.3.
Harfe. 4.5 u.6.
1. Viol.
2. Viol.
Br.
cresc.
Wot.
fürch - - - - - - - - - - tet, durch -
feár - - - - - - - - - - eth shall
poin - - - - - - - - - - te, n'a -
Vc.
cresc.

2 gr. Fl.
Hob. 1.
Hob. 2.
Hob. 3.
3. (D)
Cl. 1 u. 2. (A)
2.
1.
Engl. Hr.
4 Hör. (E)
3 Fag.
Bs. Cl. (A)
Hör. 5. 6. 7 u. 8. (zu 4) (E)
Bs. tromp. (D)

Harfe. 1.2 u.3.
Harfe. 4.5 u.6.
1. Viol.
2. Viol.
Br.
(immer pizz.)
Wot.
schrei - - - - - - te das Feu - - - - - - - - - - er
cross not the flam - - - - - - - - - - ing
-bor - - - - - de ce Feu ja -
Vc.
(pizz.)

2 gr. Fl.
più f
Hob. 1.
sempre più f
Hob. 2.
sempre più f
Hob. 3.
sempre più f
3. (D)
sempre più f
Cl. 1 u. 2 (A)
sempre più f
sempre più f
Engl. Hr.
sempre più f
4 Hör. (E)
sempre più f
3 Fag.
sempre più f
Bs. Cl. (A)
sempre più f
sempre più f
Hör. 5. 6. 7 u. 8. (zu 4) (E)
più f
Bs. tromp. (D)
più f
3 Tromp. (E)
(zu 3)

CB. Tub.
mf
mf
Harfe. 1.2 u.3.
sempre più f
Harfe. 4.5 u.6.
sempre più f
1. Viol.
sempre più f
sempre più f
2. Viol.
sempre più f
Br.
sempre più f
Wot.
nie!
fire!
mais!
Vi.
(Er streckt den Speer, wie zum Banne aus.)

2 gr. Fl.
3 Hob.
3.(D)
più cresc.
Cl. 1 u. 2.(A)
Engl. Hr.
4 Hör. (E)
3 Fag.
Bs. Cl. (A)
3 Tromp. (E)

CB.Tub. più f
più f
Harfe. 1.2 u.3.
Harfe. 4.5 u.6.
1. Viol.
2. Viol.
Br.
più f
Vc. u. CB.
pizz. più f

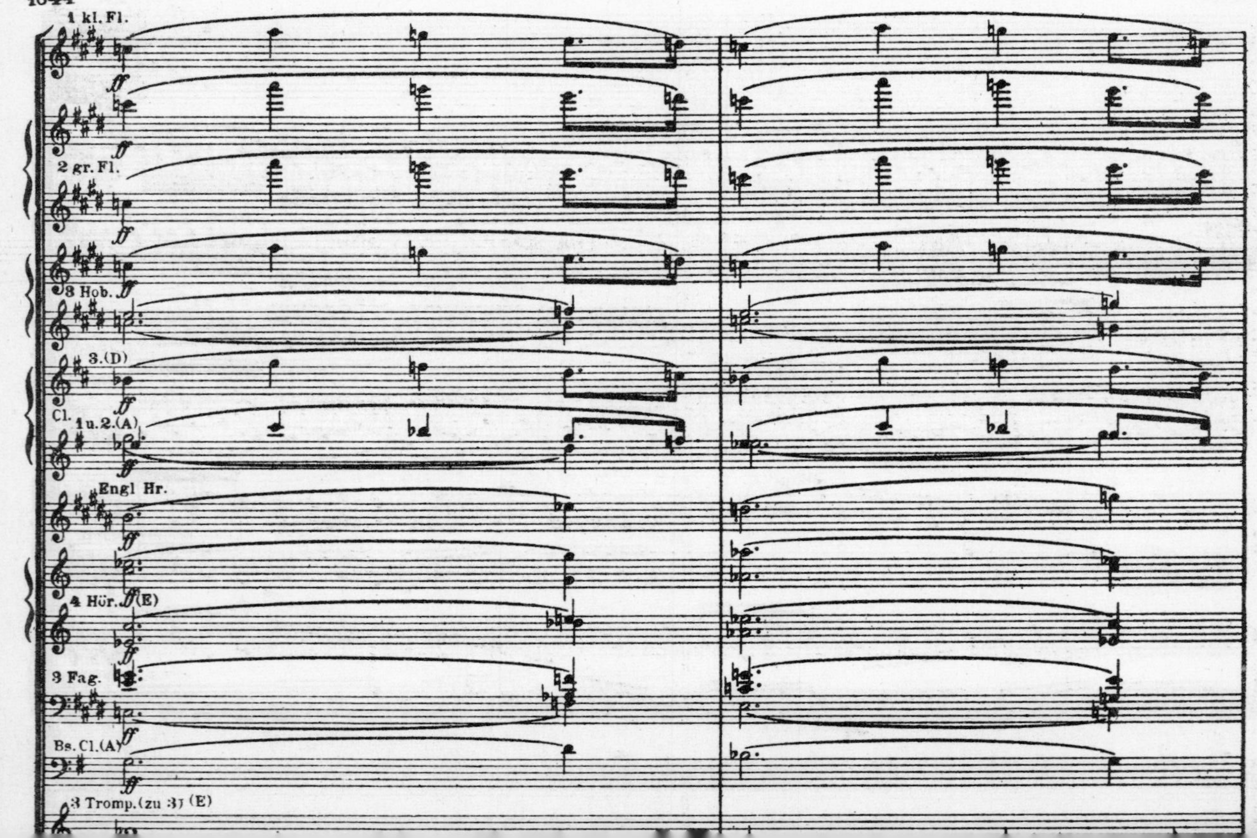
1 kl. Fl.
2 gr. Fl.
3 Hob.
3.(D)
Cl.
1 u. 2.(A)
Engl Hr.
4 Hör. (E)
3 Fag.
Bs. Cl.(A)
3 Tromp. (zu 3) (E)

CB. Tub.
ff
ff
8
Harfe
1.2 u.3.
ff
Harfe
4.5 u.6.
ff
8
1. Viol.
ff
ff
2. Viol.
ff
ff
Br.
f
Vc.u.CB.
f

1 kl. Fl.
2 gr. Fl.
3 Hob.
3. (D)
Cl. 1 u. 2. (A)
Engl. Hr.
4 Hör. (E)
3 Fag.
Bs. Cl. (A)
3 Tromp. (zu 3) (E)

CB. Tub.
Harfe. 1.2 u.3.
Harfe. 4.5 u.6.
1. Viol.
2. Viol.
Br.
Vc. u. CB.
5
3

1 kl. Fl.
2 gr. Fl.
3 Hob.
3. (D)
Cl. 1 u. 2 (A)
Engl. Hr.
4 Hör. (E)
3 Fag.
Bs. Cl. (A)
Hör. 5. 6. 7 u. 8. (E) (zu 4)
3 Tromp. (zu 3) (E)
dim.
p
p (ausdrucksvoll)

CB. Tub.

p

Harfe. 1. 2 u. 3.

dim.

p

Harfe. 4. 5 u. 6.

dim.

p

1. Viol.

dim.

p

dim.

p

2. Viol.

dim.

p

dim.

p

Br.

(Bog.) p (Er blickt schmerzlich auf Brünnhilde zurück.)

Vc.

(Bog.) p

CB.

f

p

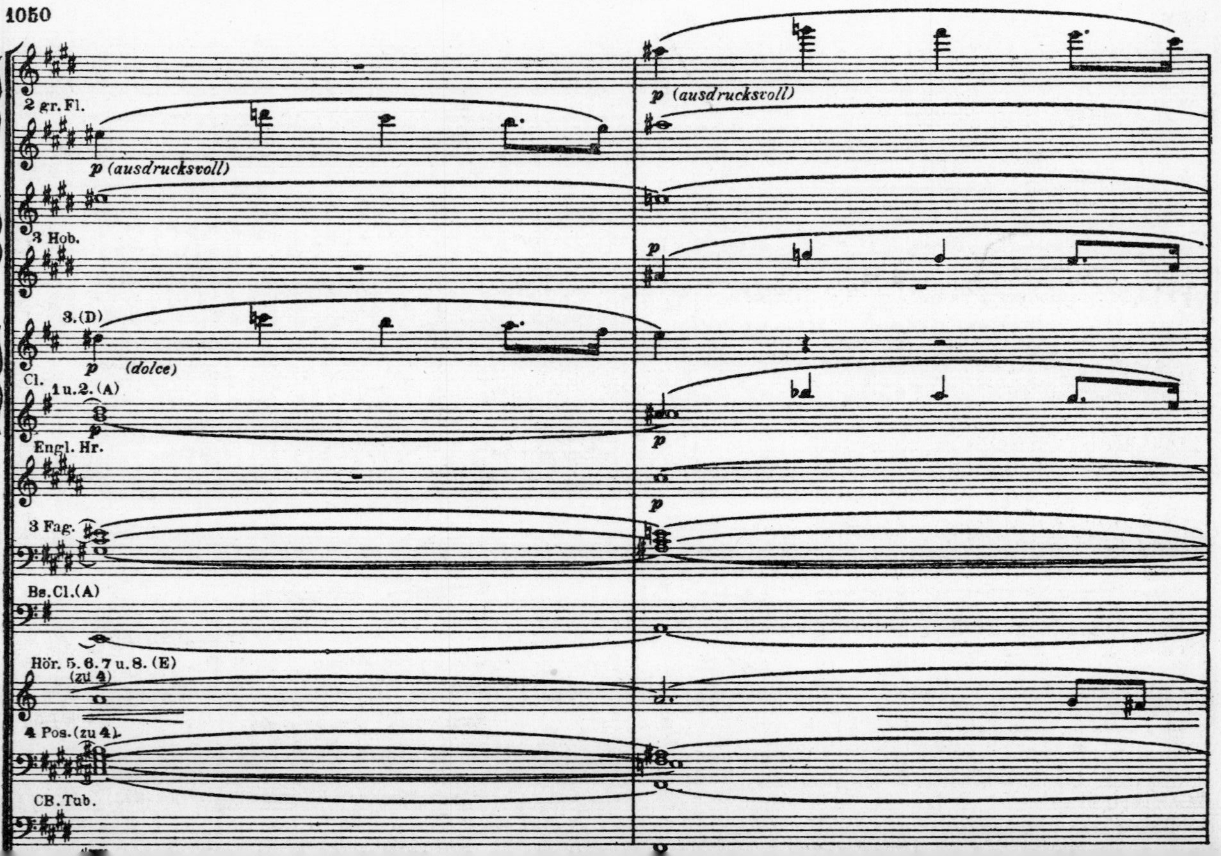
2 gr. Fl.
p (ausdrucksvoll)
p (ausdrucksvoll)
3 Hob.
p
3. (D)
p
(dolce)
Cl. 1 u. 2. (A)
p
p
Engl. Hr.
p
3 Fag.
p
Bs. Cl. (A)
Hör. 5. 6. 7 u. 8. (E)
(zu 4)
4 Pos. (zu 4)
CB. Tub.

27002 c 27110

E. E. 6119

dim.
2 gr. Fl.
dim.
dim.
3 Hob.
p
dim.
più p
Cl. 3. (D)
più p
Cl. 1. (A)
più p
Cl. 2. (A)
più p
Engl. Hr.
dim.
più p
3 Fag.
dim.
più p
Bs. Cl. (A)
più p
dim.
Hör. 5. 6. 7 u. 8. (E)
(zu 4)
più p
4 Pos. (zu 4)
dim.
più p
CB. Tub.

27002 c 27110
E. E. 6119

2 kl. Fl.
p (dolce)
(stacc.)
2 gr. Fl.
p (dolce)
(zu 2)
più p
p (dolce)
dim.
1.
Hob.
più p
2.
p (dolce)
3. (D)
p (dolce)
Cl.
1 u. 2. (A)
p (dolce)
p (dolce)
Engl. Hr.
1 u. 2.
p (dolce)
Hör.
3 u. 4. (E)
p (dolce)
Bs. Cl. (A)
Hör. 5.6.7. u. 8. (E)
3 Fag.
4 Pos.
p (dolce)
pp
CB. Tub.

Harfe 1.2 u.3.
p(dolce)
Harfe 4.5 u.6.
pp
p(dolce)
Glockensp.
p
1. Viol.
p dolce
dim.
p dolce
dim.
2. Viol.
p dolce
dim.
p dolce
dim.
Br.
pp (Er wendet sich langsam zum Gehen.)
Vc
pp
CB.
pp

2 kl. Fl.
più p
2 gr. Fl.
più p
3 Hob.
dim.
più p
p (dolce)
Cl. 1 u. 2. (A)
Engl. Hr.
p (dolce)
1 u. 2.
dim.
Hör. (E)
3 u. 4.
dim.
Bs. Cl. (A)
p (dolce)
Hör 5 u. 7. (E)
p (dolce)
3 Fag.

Harfe
1.2 u.3.
dim.
Harfe 4.5 u. 6.
Glockensp.
più p
1. Viol.
più p
più p
2. Viol.
più p
più p
Br.
p (dolce)
Vc.
p (dolce)

(stacc.)
2 kl. Fl.
più p
più p
2 gr. Fl.
3 Hob.
più p
Cl. 1 u. 2. (A)
più p
Engl. Hr.
più p
1 u. 2.
(E)
più p
Hör.
3 u. 4.
(E)
più p
Bs. Cl. (A)
più p
5 u. 7.
Hör. (E)
6 u. 8.
più p
3 Fag.

27002 c 27110
E. E. 6119

2 kl. Fl.
più p
2 gr. Fl.
(stacc.)
pp
3 Hob.
2 Cl. (A)
Engl. Hr.
4 Hör. (E)
Bs. Cl. (A)
pp
Hör. 6 u. 8. (zu 2) (E)
pp
3 Fag.
Bs. tromp. (D)
pp
pp
4 Pos.

pp

Harfe 1.2 u. 3.

più p

Harfe 4.5 u. 6.

pp

Glockensp.

1. Viol.

pp

pp

2. Viol.

pp

pp

Vc.

(Er wendet sich nochmals mit dem Haupte und blickt zurück.)

pp

CB.

2 kl. Fl.
pp
2 gr. Fl.
pp
3 Hob.
pp
2 Cl. (A)
pp
Engl. Hr.
pp
4 Hör. (E)
pp
Bs. Cl. (A)
pp
Hör. 6 u. 8. (zu 2) (E)
pp
3 Fag.
pp
Bs. tromp. (D)
pp
4 Pos.
pp
CB. Tub.
pp

Harfe 1.2 u.3.
pp
Harfe 4.5 u.6.
Glockensp.
1. Viol.
2. Viol.
Br.
Vc.
CB.
pizz.
pp
3

2 kl. Fl.
pp
pp
2 gr. Fl.
3 Hob.
pp
2 Cl. (A)
pp
Engl. Hr.
pp
pp
Hör. 1. 2. 3 u. 4. (E)
3 Fag.
pp
Bs. Cl. (A)
pp
pp
Tromp. 3. (E)
pp
Bs. tromp. (D)
pp
4 Pos.
pp
CB. Tub.
pp
Pauk.

Harfe 1.2 u.3.
pp
Harf 4.5 u.6.
Glockensp.
pp
1. Viol.
pp
pp
2. Viol.
pp
pp
Br.
pp
Vc.
pizz.
(Er verschwindet durch das Feuer.)
CB.
pizz.

2 kl. Fl.
2 gr. Fl.
3 Hob.
2 Cl. (A)
Engl. Hr.
Hör. 1. 2. 3 u. 4. (E)
3 Fag.
Bs. Cl. (A)
3 Tromp. (E)
Bs. tromp. (D)
4 Pos.
CB. Tub.
Pauk.
più p
pp

Harfe 1.2 u.3.
più p
Harfe 4.5 u.6.
più p
Glockensp.
1. Viol.
più p
più p
2. Viol.
più p
più p
Br.
più p
Vc.
pp
CB.
pp

2 kl.Fl.
2 gr.Fl.
3 Hob.
2 Cl.(A)
Engl.Hr.
1.2.3 u.4.
(E)
Hör.
5.6.7 u.8.
3 Fag.
Bs.Cl.(A)
3 Tromp.(E)
Bs.tromp.(D)
4 Pos.
CB.Tub.
Pauk.
ppp

Lowe and Brydone (Printers) Limited, London

27002 c 27110
E. E. 6119

OVERTURES

No.

601. **Beethoven,** Leonore No. 3
602. **Weber,** Freischütz
603. **Mozart,** Figaro
604. **Beethoven,** Egmont
605. **Weber,** Ruler of the Spirits
606. **Mendelssohn,** Melusine
607. **Weber,** Oberon
608. **Mozart,** Don Giovanni
609. **Weber,** Preziosa
610. **Beethoven,** Fidelio
611. **Mendelssohn,** Ruy Blas
612. **Weber,** Jubelee
613. **Mendelssohn,** Mid. Night's Dream
614. **Mozart,** Magic Flute
615. **Nicolai,** Merry Wives
616. **Rossini,** William Tell
617. **Berlioz,** Waverley
618. **Berlioz,** Judges of Secret Court
619. **Berlioz,** King Lear
620. **Berlioz,** Roman Carneval
621. **Berlioz,** Corsaire
622. **Berlioz,** Benv. Cellini
623. **Berlioz,** Beat and Bened.
624. **Tschaikowsky,** 1812
625. **Beethoven,** Prometheus
626. **Beethoven,** Coriolanus
627. **Beethoven,** Consecration
628. **Beethoven,** Leonore No.1
629. **Beethoven,** Leonore, No. 2
630. **Beethoven,** Ruins of Athens
631. **Beethoven,** King Stephan
632. **Beethoven,** Name Day
633. **Marschner,** Hans Heiling
634. **Maillart,** Dragons de Villars
635. **Weber,** Euryanthe
636. **Schubert,** Rosamunde
637. **Mendelssohn,** Hebrides
638. **Glinka,** Life for the Tsar
639. **Glinka,** Ruslan and Ludmila
640. **Cherubini,** Abencerages
641. **Cherubini,** Medea
642. **Cherubini,** Anacreon
643. **Cherubini,** Water Carrier
644. **Cornelius,** Barber of Baghdad
645. **Cornelius,** Cid
646. **Schumann,** Manfred
647. **Schumann,** Genoveva
649. **Wagner,** Tristan u. Isolde
650. **Boieldieu,** White Lady
651. **Auber,** Bronze Horse
652. **Wagner,** Lohengrin: (Act I andIII)
653. **Mendelssohn,** Calm Sea and Prosperous Voyage
654. **Rossini,** Semiramis
655. **Rossini,** Tancredi
656. **Brahms,** Acad. Fest. Ov.
657. **Brahms,** Tragic Ov.
658. **Auber,** Black Domino
659. **Auber,** Fra Diavolo
660 **Mozart,** Tito

No.

661. **Mozart,** Idomeneo
662. **Mozart,** Cosi fan tutte
663. **Mozart,** Abduction
664. **Smetana,** Bartered Bride
665. **Wagner,** Mastersingers
666. **Wagner,** Parsifal
667. **Wagner,** Rienzi
668. **Wagner,** Dutchman
669. **Wagner,** Tannhäuser
670. **Reger,** Comedy Ov.
671. **Wagner,** Faust Overt.
673. **Volkmann,** Richard III.
674. **Volkmann,** Fest-Ouv.
675. **Tschaikowsky,** Romeo
676. **Gluck,** Iphigenie in Aulide
677. **Smetana,** Libussa
678. **Suppe,** Poet and Peasant
679. **Flotow,** Stradella
680. **Flotow,** Martha
681. **Bruckner,** G m (posth.)
682. **Mendelssohn,** Son and Stranger
683. **Mendelssohn,** Athalia
684. **Mendelssohn,** St. Paul
685. **Rossini,** Barber of Seville
686. **Rossini,** Thievish Magpie
687. **Pfitzner,** Palestrina, 3 Preludes
689. **Auber,** Dumb Girl of Portici
690. **Dvořák,** Carnival
691. **Gluck,** Orpheus and Eurydice
692. **Rimsky-Korsakow,** La grande Paque Russe
693. **Lortzing,** Czar and Carpenter
694. **Kreutzer,** Das Nachtlager von Granada
695. **Mussorgsky,** Howantschina
696. **Weber,** Abu Hassan
697. **Weber,** Silvana
698. **Schubert,** Alfonso and Estrella
699. **Glasunow,** Festival Overt.
700. **Pfitzner,** Kathchen v. Heilbronn
1101. **Humperdinck,** Hänsel und Gretel
1102. **Gluck,** Alceste
1103. **Strauss,** Bat
1104. **Lalo,** Le Roi d'Ys
1105. **Boieldieu,** Calif of Bagdad
1106. **Strauss,** Gipsy Baron
1107. **Verdi,** Forza del Destino
1108. **Verdi,** Vespri Siciliani
1109. **Cimarosa,** Secret Marriage
1110. **Rossini,** L'Italiana in Algeri
1111. **Weber,** Peter Schmoll
1112. **Verdi,** Nabucco
1113. **Rossini,** Scala di Seta
1114. **Handel,** Rodelinde, Ballet Terpsicore
1115. **Tschaikowsky,** Hamlet
1116. **Debussy,** L'Apres'-midi d'un Faune.
1117. **Bantock,** The Frogs
1118. **Borodin,** Prince Igor
1119. **Mozart,** Impressario
1120. **Rossini,** Cenerentola

No.
125. **Spohr**, Double-Quartet, op. 77, E♭...
126. **Spohr**, Octet, op. 32, E....................
127. **Beethoven**, Sonata, op. 47, A (Kreutzer-)
128. **Spohr**, Double-Quartet, op. 65, D m...
129. **Spohr**, Double-Quartet, op. 136, G m...
130. **Spohr**, Double Quartet, op. 87, E m...
131. **Cherubini**, Quartet, op. posth., E.........
132. **Cherubini**, Quartet, op. posth., F.........
133. **Cherubini**, Quartet, op. posth., A m......
134. **Mendelssohn**, Quintet, op. 18, A.........
135. **Beethoven**, Wind-Octet, op. 103, E♭...
136. **Dittersdorf**, Quartet, G.....................
137. **Dittersdorf**, Quartet, A.....................
138. **Dittersdorf**, Quartet, C.....................
139. **Beethoven**, Sextet f. Wind, op. 71, E♭...
140. **Beethoven**, Sextet, op. 81 b, E♭...........
141. **Mozart**, Sextet, (Divertimento) D [205]
142. **Haydn**, Quartet, op. 17, 2, F..............
143. **Haydn**, Quartet, op. 55, 3, B♭..............
144. **Haydn**, Quartet, op. 64, 1, C..............
145. **Haydn**, Quartet, op. 71, 2, D..............
146. **Haydn**, Quartet, op. 74, 1, C..............
147. **Haydn**, Quartet, op. 74, 2, F..............
148. **Haydn**, Quartet, op. 71, 3, E♭..............
149. **Haydn**, Quartet, op. 1, 4, G..............
150. **Haydn**, Quartet, op. 3, 5, F (m. Serenade)
151. **Haydn**, Quartet, op. 9, 2, E♭..............
152. **Haydn**, Quartet, op. 17, 4, C m...........
153. **Haydn**, Quart., op. 35, 5, G (Russ.-No. 5)
154. **Haydn**, Quartet, op. 42, D m..............
155. **Haydn**, Quartet, op. 50, 5, F..............
156. **Haydn**, Quartet, op. 50, 6, D (Frog)......
157. **Haydn**, Quartet, op. 17, 3, E♭...........
158. **Mozart**, Piano-Quartet, G m [478]......
159. **Mozart**, Piano-Quartet, E♭ [493].........
160. **Mozart**, Piano-Quintet, E♭ [452].........
161. **Tschaikowsky**, Quartet, op. 11, D......
162. **Haydn**, Quartet, op. 51, (Seven Words)
163. **Haydn**, Quart., op. 20, 1, E♭ (Sun-No. 1)
164. **Haydn**, Quart., op. 20, 3, Gm (Sun-No.3)
165. **Haydn**, Quart., op. 33, 1, B m (Russ-No. 1)..
166. **Haydn**, Quart., op. 33, 4, B♭ (Russ-No.4)
167. **Haydn**, Quartet, op. 50, 1, B♭...........
168. **Haydn**, Quartet, op. 50, 2, C.............
169. **Haydn**, Quartet, op. 50, 3, E♭.............
170. **Haydn**, Quartet, op. 1, 1, B♭..............
171. **Haydn**, Quartet, op. 1, 2, E♭..............
172. **Haydn**, Quartet, op. 1, 3, D..............
173. **Haydn**, Quartet, op. 1, 5, B♭..............
174. **Haydn**, Quartet, op. 1, 6, C..............
175. **Haydn**, Quartet, op. 2, 1, A..............
176. **Haydn**, Quartet, op. 2, 2, E..............
177. **Haydn**, Quartet, op. 2, 3, E♭..............
178. **Haydn**, Quartet, op. 2, 4, F..............
179. **Haydn**, Quartet, op. 2, 5, D..............
180. **Haydn**, Quartet, op. 2, 6, B♭..............
181. **Haydn**, Quartet, op. 3, 1, E..............
182. **Haydn**, Quartet, op. 3, 2, C..............
183. **Haydn**, Quartet, op. 3, 3 G..............
184. **Haydn**, Quartet, op. 3, 4, B♭..............
185. **Haydn**, Quartet, op. 3, 6, A..............
186. **Haydn**, Quartet, op. 9, 3, G..............
187. **Haydn**, Quartet, op. 9, 5, B♭..............
188. **Haydn**, Quartet, op. 9, 6 A..............
189. **Haydn**, Quartet, op.33, 6,D(Russ.-No. 6)
190. **Haydn**, Quartet, op. 55, 2, F m..........
191. **Haydn**, Quartet, op. 76, 6, E♭...........

No.
192. **Mozart**, Quartet, D [285].................
193. **Mozart**, Quartet, A. [298].................
194. **Mozart**, Quartet, F [370].................
195. **Mozart**, Divert. & March F [247/8]......
196. **Tschaikowsky**, Quartet, op. 22, F.........
197. **Tschaikowsky**, Quartet, op. 30, E♭m......
200. **Beethoven**, Piano-Quartet, op. 16, E♭...
201. **Borodin**, Quartet, No. 2, D..............
203. **Volkmann**, Quartet, op. 34, G............
204. **Volkmann**, Quartet, op. 35, E m...........
205. **Volkmann**, Quartet, op. 37, F m...........
206. **Volkmann**, Quartet, op. 43, E♭...........
207. **Verdi**, Quartet, E m.......................
212. **Brahms**, Klavier-Quintet, op. 34, F m
213. **Volkmann**, Quartet, op. 14, G m........
214. **Beethoven**, Quintet, op. 4, E♭..............
215. **Beethoven**, Quintet, op. 104, C m.........
216. **Beethoven**, Quintet-Fuge, op. 137, D...
217. **Mozart**, Sextet, F (Dorfmus.-) (522)...
218. **Mozart**, Quint. G (Nachtmus.) (525)...
219. **Borodin**, Quartet, No. 1, A..................
221. **Volkmann**, Klavier-Trio, op. 3, F.........
222. **Volkmann**, Klavier-Trio, op. 5, B♭ m...
223. **Beethoven**, Klavier-Trio, op. 11, B♭...
228. **Schumann**, Märchenerzähln, op. 132...
233. **Schubert**, Piano. Trio. op. 148, E♭ (Noct.) ....
235. **Brahms**, Sextet, op. 18, B♭...............
236. **Brahms**, Sextet, op. 36, G...............
237. **Brahms**, Quintet, op. 88, F...............
238. **Brahms**, Quintet, op. 111, G...............
239. **Brahms**, Quintet, op. 115, B m (Clarin-)
240. **Brahms**, Quartet, op. 51, 1, C m.........
241. **Brahms**, Quartet, op. 51, 2, A m.........
242. **Brahms**, Quartet, op. 67, B♭...............
243. **Brahms**, Piano-Quartet, op. 25, G m...
244. **Brahms**, Piano-Quartet, op. 26, A......
245. **Brahms**, Piano-Quartet, op. 60, C m......
246. **Brahms**, Piano-Trio, op. 8, B..............
247. **Brahms**, Piano-Trio, op. 87, C............
248. **Brahms**, Piano-Trio, op. 101, C m......
249. **Brahms**, Horn-Trio, op. 40, E♭............
250. **Brahms**, Clarinet-Trio, op. 114, A m...
251. **Tschaikowsky**, Piano-Trio, op. 50, A m
252. **Beethoven**, Rondino E♭ (op. posth.)...
254. **Bach**, Brandenburg, Concerto, No. 3, G
255. **Bach**, Brandenburg, Concerto No. 6, B♭
257. **Bach**, Brandenburg, Concerto, No. 2, F
259. **Haydn**, Piano-Trio, No. 1, G..............
262. **Mozart**, Haffner-Serenade (250).........
263. **Händel**, Concerto grosso No. 12, B m...
264. **Händel**, Concerto grosso No. 1, G......
265. **Händel**, Concerto grosso No. 2, F......
266. **Händel**, Concerto grosso No. 3, E m...
267. **Händel**, Concerto grosso No. 4, A m...
268. **Händel**, Concerto grosso No. 5, D......
269. **Händel**, Concerto grosso No. 6, G m...
270. **Händel**, Concerto grosso No. 7, B♭......
271. **Händel**, Concerto grosso No. 8, C m...
272. **Händel**, Concerto grosso No. 9, F......
273. **Händel**, Concerto grosso No. 10, D m...
274. **Händel**, Concerto grosso No. 11, A......
275. **Smetana**, Quartet, E m (From my Life)
276. **Grieg**, Quartet, op. 27, G m..............
277. **Sinding**, Quartet, op. 70, A m............
278. **Beethoven**, Kakadu-Variat, G, op. 121a
280. **Bach**, Brandenburg, Concerto No. 1, F
281. **Bach**, Brandenburg, Concerto No. 4, G

CHAMBER MUSIC—contd.

No.
282. **Bach**, Brandenburg, Concerto No. 5, D
284. **Smetana**, Quartet, D m....................
286. **H. Wolf**, Ital. Serenade f. Quartet, G...
287. **Reger**, Flute-Trio, (Serenade) op. 77a, D
288. **Reger**, String-Trio, op. 77b, A m.........
292. **Strauss**, Piano-Quartet, op. 13, C m......
293. **Reger**, Quartet, op. 109, E♭..............
294. **Sibelius**, Quartet, op. 56, D m (Voces Intimae) ....
295. **Reger**, Piano-Quartet, op. 113, D m......
296. **Reger**, Sextet, op. 118, F.................
297. **Beethoven**, Quartet, F. after Son. op. 14, 1...
298. **Dvořák**, Quartet, op. 34, D m...........
299. **Dvořák**, Quartet, op. 51, E♭..............
300. **Dvořák**, Quartet, op. 61, C.................
301. **Dvořák**, Quartet, op. 80, E..............
302. **Dvořák**, Quartet, op. 96, F..............
303. **Dvořák**, Quartet, op. 105, A♭..............
304. **Dvořák**, Quartet, op. 106, G..............
305. **Dvořák**, Piano-Quintet, op. 81, A.........
306. **Dvořák**, String-Quintet, op. 97, Es......
308. **Mozart**, Serenade f. 8 Wind, E♭ [375]...
309. **Mozart**, Serenade f. 8 Wind, C m [388]...
310. **Bruckner**, Quintet, F......................
312. **Reger**, Flute-Trio, (Seren.) op. 141a, G
313. **Reger**, String-Trio, op. 141b, D m.........
314. **Reger**, Quartet, op. 121, F♯ m...........
317. **Grieg**, Quartet, F (unfinished)............
318. **Schönberg**, Sextet (Verkl. Nacht) op. 4
319. **Reger**, Quartet, op. 74, D m..............
322. **Reger**, Clarinet-Quintet, op. 146, A......
323. **Franck**, Quartet, D........................
324. **Pfitzner**, Piano-Quintet, op. 23, C......
329. **Franck**, Piano-Quintet, F m..............
330. **Dvořák**, Piano-Quartet, op. 87, E♭......

No.
331. **Dvořák**, Piano-Trio, op. 65, F m.........
332. **Dvořák**, Piano-Trio, op. 90, E m (Dumky) ....
333. **Reger**, Piano-Quartet, op. 133, A m...
334. **Schönberg**, Quartet, op. 7, D m.........
335. **Smetana**, Piano-Trio, op. 15, G m.........
336. **Reger**, Piano-Quintet, op. posth., C m
337. **Dvořák**, Sextet, op. 48, A.................
338. **Dvořák**, Quintet, op. 77, G..............
339. **Dohnányi**, Quartet, op. 15, D♭...........
340. **Reger**, Piano-Quintet, op. 64, C m......
341. **Saint-Saëns**, Piano-Trio, op. 18, F......
342. **Saint-Saëns**, Piano-Quint., op. 14, A m
343. **Dohnányi**, Piano-Quintet, op. 26, E♭ m
347. **Mozart**, Horn Quintet, E♭ [407].........
348. **Corelli**, Christmas Conc...................
349. **Mozart**, Divertimento No. 11, D [251]...
351. **Mozart**, Divertimento No. 13, F [253]...
352. **Mozart**, Divertimento No. 14, B♭ [270]
353. **Schubert**, Quartet, op. posth., D.........
354. **Schubert**, Quartet movement, op. posth., C m..................................
355. **Haydn**, Quartet, op. 77, 2, F..............
356. **Haydn**, Quartet, op. 103, B♭..............
357. **Corelli**, Concerto grosso No. 1, D......
358. **Corelli**, Concerto grosso No. 3, C m...
359. **Corelli**, Concerto grosso No. 9, F.........
360. **Franck**, Piano-Trio, op. 1, 1, F♯ m......
361. **Geminiani**, Concerto grosso No. 1, D...
362. **Geminiani**, Concerto grosso No. 2, G m
363. **Geminiani**, Concerto grosso No. 3, E m
364. **Geminiani**, Concerto grosso No. 4, D m
365. **Geminiani**, Concerto grosso No. 5, B♭
366. **Geminiani**, Concerto grosso No. 6, E m
368. **Zilcher**, Suite f. Quartet....................
369. **Mozart**, Adagio and Fugue C. min [546]

OPERAS

901. **Wagner**, Rienzi.............................
902. **Wagner**, Flying Dutchman...............
903a. **Wagner**, Tannhäuser.......................
903b. **Wagner**, Variants of Paris Arrgmt......
904. **Wagner**, Lohengrin.......................
905. **Wagner**, Tristan und Isolde...............
906. **Wagner**, Mastersingers of Nuremberg
907. **Wagner**, Rhinegold ....
908. **Wagner**, The Valkyrie ....
909. **Wagner**, Siegfried..........................
910. **Wagner**, Twilight of the Gods...........
911. **Wagner**, Parsifal ....
912. **Mozart**, Magic Flute.........................
913. **Humperdinck**, Hänsel und Gretel......
914. **Beethoven**, Fidelio...........................
915. **Weber**, Der Freischütz......................
916. **Mozart**, Nozze di Figaro..................
917. **Gluck**, Iphigenie en Tauride...............
918. **Mozart**, Don Giovanni......................

CHORAL WORKS

951. **Beethoven**, Missa solemnis...............
953. **Bach**, St. Matthew Passion...............
954. **Mozart**, Requiem...........................
955. **Haydn**, The Creation......................
956. **Händel**, The Messiah......................
959. **Bach**, High Mass, B m.....................
960. **Bruckner**, Te Deum........................
961. **Bruckner**, Great Mass, F m..............
962. **Bach**, Christmas Orat......................
963. **Palestrina**, Missa Papae Marcelli.........
964. **Bach**, Magnificat ....
965. **Bach**, St. John, Passion....................
966. **Palestrina**, Stabat Mater..................
967. **Bach**, Der zufriedengestellte Aeolus...
968. **Reger**, Der 100, Psalm......................
969. **Brahms**, Requiem............................
970. **Schubert**, Mass No. 6, E♭..................
972. **Bruckner**, The 150th Psalm...............
973. **Pergolesi**, Stabat Mater......................
974. **Schubert**, Mass No. 5, A♭..................
975. **Verdi**, Requiem...............................
976. **Schütz**, St. Matthew Passion.............
977. **Schütz**, Seven Words of Christ...........
978. **Schütz**, St. Luke, Passion..................
979. **Schütz**, St. John, Passion..................
980. **Schütz**, Resurrection History ....
981. **Schütz**, Christmas History ....
982. **Monteverdi**, Messa a 4 Voci................